# COMBUSTION

# PATRICIA CORNWELL

# COMBUSTION

*roman*

Traduit de l'anglais
par Hélène Narbonne

CALMANN-LÉVY

*Titre original américain :*
POINT OF ORIGIN
(Première publication : G.P. Putnam's Sons, New York, 1998)

© Cornwell Enterprises, Inc., 1998

*Pour la traduction française :*
© Calmann-Lévy, 1999

ISBN 2-7021-2949-8

À Sisley avec mon
affection · x x

frau J · x x

octobre 2010

« Le jour du jugement fera connaître l'œuvre de chaque homme : car il se manifeste par le feu, et le feu prouvera ce que vaut l'œuvre de chacun. »

Première Épître aux Corinthiens, 3:13.

*Jour 523.6*
*1, place du Faisan*
*Kirby – Pavillon des femmes*
*Wards Island, NY*

*Salut Doc,*

*Tic Toc*
*Os sciés et feu.*
*Toujours toute seule à la maison avec FBI le menteur?*
*N'oublie pas l'heure, Big Doc!*
*Fais gicler noire lumière et terreur trainstrainstrains.*
*GKSFWFY veut photos.*
*Viens nous rendre visite. Au troisième étage. C'est toi qui négocies avec nous.*
*Tic toc Doc! (Lucy va-t-elle parler?)*
*Lucy-Vilaine à la télé. Vole par la fenêtre. Viens avec nous.*
*En cachette. Viens jusqu'à l'aube. Ris et chante. Toujours le même refrain.*
*Lucy Lucy Lucy et nous!*
*Attends de voir.*

*Carrie*

# 1

BENTON WESLEY ôtait ses chaussures de jogging dans ma cuisine quand je me précipitai vers lui, le cœur battant de peur, de haine et de souvenirs d'horreur. La lettre de Carrie Grethen était restée enfouie dans un tas de courrier et de paperasses que j'avais laissé de côté jusqu'au moment où je m'étais préparé un thé à la cannelle, bien tranquille dans ma maison de Richmond, en Virginie. C'était un dimanche après-midi, à 17 h 32 exactement, le 8 juin.

– Je suppose qu'elle l'a envoyée à ton bureau, dit Benton.

Il avait l'air imperturbable et continuait de retirer ses chaussettes Nike blanches.

– Rose n'ouvre pas les enveloppes qui portent la mention *Personnel et confidentiel*, précisai-je, bien qu'il le sache parfaitement.

– Peut-être devrait-elle. Tu as l'air d'avoir des tas de fans, répondit-il d'un ton cinglant et narquois.

Il posa ses pieds nus et pâles sur le sol, les coudes appuyés sur les genoux et la tête baissée. La sueur ruisselait sur ses épaules et ses bras, bien dessinés pour un homme de son âge. Mon regard contempla distraitement ses genoux, ses mollets et ses minces chevilles, qui portaient encore la marque des chaussettes. Il passa une main dans ses cheveux argentés humides et se radossa.

– Bon Dieu, murmura-t-il en s'essuyant le visage et le cou avec une serviette. Je suis trop vieux pour ces conneries.

Il prit une profonde inspiration et poussa un lent soupir de colère. La Breitling Aerospace en acier que je lui avais offerte pour Noël était sur la table. Il la ramassa et la passa à son poignet.

— Bordel, ces gens sont pires qu'un cancer. Laisse-moi voir, dit-il.

La lettre était manuscrite, rédigée en étranges caractères majuscules tracés à l'encre rouge. Tout en haut figurait un blason grossièrement dessiné représentant un oiseau à longue queue. Était griffonné au-dessous le mot latin *ergo*, « donc », dont je ne voyais guère le sens dans un tel contexte. Je dépliai la feuille de papier blanc du bout des doigts en la tenant par les coins et la posai devant Benton, sur la vieille table en chêne. Sans effleurer le document, qui pouvait constituer une preuve, il lut attentivement les phrases décousues de Carrie Grethen et commença à les passer au crible de son implacable base de données mentale.

Tentant toujours de rationaliser et de nier l'évidence, je poursuivis :

— Le cachet de la poste est de New York et, bien sûr, là-bas, on a beaucoup parlé de son procès. Un article est paru dans la presse à sensation, il y a à peine deux semaines. N'importe qui aurait donc pu connaître le nom de Carrie Grethen. De plus, n'importe qui peut se procurer mon adresse professionnelle. Ce n'est certainement pas elle qui a écrit cette lettre. C'est sûrement un autre dingue.

— Non, la lettre est probablement d'elle, dit-il en continuant à lire.

— Elle pourrait poster un truc pareil depuis un hôpital psychiatrique pénitentiaire sans que personne ne le lise ? contrai-je, alors que la peur me serrait le cœur.

— Saint Elizabeth's, Bellevue, Mid-Hudson, Kirby, dit-il sans lever le nez. Les Carrie Grethen, les John Hinckley Junior, les Mark David Chapman sont des patients, pas des internés. Ils jouissent des mêmes droits civiques que nous, même lorsqu'ils sont dans un pénitencier ou un asile psychiatrique. Ils créent des forums de discussion pédophiles et ils vendent des conseils et des recettes de *serial-killing* sur l'Internet. Sans oublier les bordées de sarcasmes qu'ils écrivent aux médecins-chefs.

Sa voix s'était faite plus mordante encore, et son débit plus haché. Les yeux qu'il leva enfin vers moi brûlaient de haine. Il poursuivit :

— Carrie Grethen est en train de se payer ta tête, grand chef. Et celle du FBI. Et la mienne.

14

— *FBI le menteur*, murmurai-je.

Wesley se leva et drapa la serviette sur ses épaules.

— Admettons que ce soit elle, repris-je.

— C'est elle, dit-il, sans le moindre doute.

— D'accord. Alors il y a autre chose que de la simple dérision dans cette lettre, Benton.

— Bien sûr. Elle fait en sorte que nous n'oubliions pas qu'elle était la maîtresse de Lucy, un détail que le public ignore encore. À l'évidence, Carrie Grethen n'a pas fini de foutre en l'air la vie des gens.

Je ne supportais pas d'entendre son nom, et cela me mettait en rage de songer qu'elle était parvenue à pénétrer chez moi. C'était comme si elle avait été assise au petit déjeuner avec nous et qu'elle ait empesté l'atmosphère de sa présence infecte et maléfique. Je revis son sourire condescendant et son regard intense, et je me demandai de quoi elle avait l'air après cinq ans passés derrière les barreaux à fréquenter des fous criminels. Carrie n'était pas « folle ». Elle ne l'avait jamais été. Elle avait des troubles de la personnalité, c'était une psychopathe, un monstre sans conscience.

Je contemplai dans la cour les érables du Japon bercés par le vent et le mur de pierres inachevé qui me protégeait à peine de mes voisins. Le téléphone sonna brusquement et je décrochai à contrecœur.

— Docteur Scarpetta, répondis-je alors que Benton se replongeait dans la lettre aux caractères rouges.

La voix familière de Pete Marino résonna dans l'appareil :

— Salut ! C'est moi.

Marino était capitaine dans la police de Richmond et je le connaissais suffisamment pour interpréter les nuances de sa voix. Je m'apprêtai à entendre d'autres mauvaises nouvelles.

— Qu'est-ce qui se passe ? demandai-je.

— Un haras est parti en fumée hier soir à Warrenton. Vous l'avez peut-être appris aux infos, dit-il. Les écuries, une vingtaine de chevaux qui valaient leur pesant de dollars, et la maison. Tout y est passé. Il ne reste que des cendres.

Pour le moment, cela n'avait aucun sens.

— Marino, pourquoi m'appelez-vous pour un incendie ? D'ailleurs, le nord de la Virginie ne fait pas partie de votre juridiction.

15

– Maintenant, si.

Ma cuisine me parut soudain encore plus petite et confinée, et j'attendis la suite.

– L'ATF* vient de mettre en branle le NRT, continua-t-il.

– C'est-à-dire nous, dis-je.

– Gagné. Vous et moi. À la première heure.

Le NRT, l'équipe d'intervention de l'ATF, était mis à contribution lorsque des églises ou des entreprises brûlaient, lors des attentats terroristes ou de toute autre catastrophe dépendant de sa juridiction. Marino et moi ne faisions pas partie de l'ATF, mais il n'était pas inhabituel que cette agence gouvernementale, comme bien d'autres, fasse appel à nous lorsque c'était nécessaire. Ces dernières années, j'avais travaillé sur l'attentat du World Trade Center et d'Oklahoma City, ainsi que sur le crash du vol 800 de la TWA. J'avais contribué à l'identification des davidiens de Waco et analysé les restes des victimes assassinées par Unabomber. Je savais, pour l'avoir déjà péniblement vécu, que l'ATF ne faisait appel à moi que lorsqu'il y avait des morts, et si Marino était également sur le coup, c'est que l'on soupçonnait un meurtre.

– Combien ? demandai-je en tendant la main vers le bloc sur lequel je notais mes messages.

– Il ne s'agit pas de combien, Doc. Mais de *qui*. Le propriétaire du haras est le gros ponte des médias, Kenneth Sparkes, le seul, l'unique. Et pour l'instant, on dirait bien qu'il ne s'en est pas sorti.

– Oh, mon Dieu, murmurai-je alors que tout devenait sombre autour de moi. C'est sûr ?

– En tout cas, il est porté disparu.

– Ça vous ennuierait de m'expliquer pour quelle raison c'est seulement maintenant que l'on m'informe de cette histoire ?

Je sentais la colère monter en moi et je faisais mon possible pour ne pas m'en prendre à lui. Toutes les morts non naturelles survenues en Virginie étaient de mon ressort. Il n'était pas normal que ce soit Marino qui m'apprenne ce décès, et j'étais furieuse que mon bureau de Virginie ne m'ait pas appelée.

* Bureau chargé de la répression en matière d'alcool, de tabac et d'armes. (*N.d.T.*)

– Vous montez pas trop le bourrichon contre vos collègues de Fairfax, dit Marino comme s'il avait lu dans mes pensées. Le comté de Fauquier a demandé à l'ATF de prendre le relais, donc c'est normal que ça se passe comme ça.

Cela ne me satisfaisait pas davantage, mais ce n'était pas le moment de s'énerver, avec le travail qui nous attendait.

– Je suppose que l'on n'a pas encore retrouvé de corps, dis-je tout en griffonnant.

– Bordel, vous supposez bien. Ça va être une partie de plaisir.

Je marquai une pause, posant mon stylo sur le bloc.

– Marino, il s'agit d'un incendie isolé dans une maison. Même si on le pense d'origine criminelle et même si la victime est une personnalité, je ne vois pas pourquoi l'ATF s'y intéresse.

– Whisky, mitraillettes, sans oublier le commerce de chevaux de luxe : maintenant, ce n'est plus d'une maison qu'on parle, mais d'une entreprise.

– Génial, murmurai-je.

– Absolument. C'est un foutu cauchemar. Le commandant des pompiers va vous appeler avant la fin de la journée. Mieux vaut que vous fassiez vos valises, parce que l'hélico passe nous prendre avant l'aube. Ça tombe mal, comme d'habitude. Je crois que vous pouvez dire adieu à vos vacances.

Benton et moi avions prévu de partir à Hilton Head le soir même pour passer une semaine au bord de la mer. Nous n'avions pas eu un moment ensemble depuis le début de l'année. Nous étions exténués et à cran. Je n'avais pas très envie de l'affronter une fois que j'eus raccroché.

– Excuse-moi, dis-je. Tu as sans doute compris qu'il y a eu une énorme catastrophe.

J'hésitai et l'observai. Il refusait de me regarder et continuait de déchiffrer la lettre de Carrie.

– Benton, je dois partir. Demain matin à la première heure. Peut-être pourrai-je te rejoindre en milieu de semaine. (Il n'écoutait pas parce qu'il ne voulait rien savoir.) Je t'en prie, essaie de comprendre, le suppliai-je.

Il ne semblait pas m'avoir entendue et je savais qu'il était horriblement déçu.

17

– Tu as travaillé sur ces affaires de torses, dit-il tout en continuant à lire. Les mutilations en Irlande et ici*. Les *os sciés*. Et elle fantasme sur Lucy, elle se masturbe. Elle a des orgasmes à répétition la nuit sous ses draps. Enfin, c'est ce qu'elle prétend. (Il parcourut la lettre du regard en continuant, comme pour lui-même :) Elle affirme qu'elles sont toujours ensemble, Lucy et elle. Le *nous*, c'est une tentative pour faire croire qu'elle n'est pas associée aux crimes. Elle n'est pas présente lorsqu'elle les commet. Quelqu'un d'autre agit à sa place. Personnalités multiples. Elle invoque la folie, ce qui est prévisible et très banal. J'aurais pensé qu'elle montrerait un peu plus d'originalité.

– Elle est parfaitement en état de comparaître, dis-je, à nouveau submergée par une vague de colère.

– Je le sais comme toi. (Il avala une gorgée d'Évian à la bouteille.) D'où vient *Lucy-Vilaine* ?

Il essuya d'un revers de main une goutte d'eau qui roulait sur son menton.

J'hésitai d'abord un peu.

– C'était un surnom que je lui avais donné avant qu'elle aille à la maternelle. Ensuite, elle n'a plus voulu qu'on l'appelle comme ça. Parfois, cela m'échappe encore. (Je marquai une autre pause en me la remémorant petite fille.) Je suppose qu'elle a dû en parler à Carrie.

– Eh bien, nous savons qu'à une certaine époque, Lucy s'est pas mal confiée à Carrie. (Wesley ne m'apprenait rien.) La première maîtresse de Lucy. Et nous savons tous qu'on n'oublie jamais son premier amour, aussi désastreux soit-il.

– La plupart des gens ne choisissent pas un psychopathe pour leur première fois, objectai-je, toujours incapable de croire que cela ait été le cas de Lucy, ma nièce.

– Les psychopathes, c'est aussi nous, Kay, dit-il comme si je n'avais jamais entendu la leçon. La personne séduisante et intelligente assise à côté de toi dans l'avion, qui est derrière toi dans une file d'attente, qui te retrouve en coulisses, qui te parle sur l'Internet. Les frères, les sœurs, les camarades de classe, les fils, les filles, les amants. Ils nous ressemblent. Lucy n'avait aucune chance. Elle n'était pas de taille contre Carrie Grethen.

* Voir *Mordoc* (Calmann-Lévy, 1998).

Les trèfles avaient envahi l'herbe du jardin, mais le printemps avait été anormalement frais et parfait pour mes roses. Elles ondulaient et frissonnaient sous les rafales de vent, et de pâles pétales parsemaient le sol. Wesley, maintenant à la retraite, ancien directeur de l'unité regroupant les « profileurs » du FBI, poursuivit :

– Carrie veut des photos de Gault. Des photos du lieu du crime, de l'autopsie. Si tu lui en apportes, en échange, elle te donnera des éléments pour faire progresser l'enquête, de précieux indices qui sont censés t'avoir échappé. Le genre qui pourrait aider le procureur quand l'affaire passera en jugement le mois prochain. C'est le défi qu'elle te lance : tu aurais oublié quelque chose, et ce quelque chose est peut-être en rapport avec Lucy.

Ses lunettes de lecture étaient restées posées près du set de table. Il pensa à les chausser.

– Carrie veut que tu lui rendes visite, Kay. À Kirby.

Il me scruta, les traits tendus, et acheva :

– C'est elle, dit-il en désignant la lettre. Elle fait surface. Je savais que ça arriverait, conclut-il d'un ton las.

– Et la *noire lumière*, qu'est-ce que c'est ? demandai-je en me levant, incapable de tenir en place.

– Du sang, répondit-il, apparemment certain de son interprétation. Quand tu as frappé Gault d'un coup de couteau dans l'aine et sectionné l'artère fémorale, il est mort d'hémorragie. En tout cas, c'est ce qui se serait passé si le métro ne l'avait pas achevé avant. Temple Gault *.

Il retira ses lunettes, d'un geste qui trahit son agitation intérieure.

– Tant que Carrie Grethen est là, il est là aussi. Les jumeaux maléfiques, ajouta-t-il.


En réalité, ils n'étaient pas jumeaux, mais ils avaient tous les deux les cheveux rasés et décolorés, une maigreur préadolescente, et portaient les mêmes vêtements androgynes lorsque je les avais vus pour la dernière fois à New York. Ils avaient commis leurs crimes ensemble jusqu'au jour où nous avions arrêté Carrie sur la Bowery et où j'avais tué Temple

* *La Séquence des corps* (Éditions du Masque, 1995).

Gault dans le tunnel du métro. Mon intention n'avait été ni de le toucher, ni de le voir, ni même d'échanger une seule parole avec lui, car ma mission ne consistait pas à appréhender les criminels ou à faire justice en les abattant. Mais Gault l'avait voulu. Il avait fait en sorte que cela arrive parce que mourir de ma main, c'était me lier à lui pour toujours. Bien qu'il fût mort depuis cinq ans, je ne parvenais pas à me défaire de Temple Gault. Mon esprit gardait le souvenir des morceaux ensanglantés de son corps épars sur les rails d'acier luisants, des rats qui surgissaient de l'ombre pour se repaître de son sang.

Dans mes cauchemars, ses yeux étaient d'un bleu de glace, ses iris fragmentés comme des molécules, et j'entendais le fracas du métro dont les phares ressemblaient à d'aveuglantes pleines lunes. Après que je l'eus tué, j'avais évité, durant plusieurs années, d'autopsier des victimes d'accidents de train. Étant responsable du service de médecine légale de Virginie, je pouvais déléguer certaines tâches à mes adjoints, et je ne m'en étais pas privée. Encore aujourd'hui, je ne pouvais plus regarder les scalpels d'acier froid et tranchant avec la même attention clinique, car Gault m'avait obligée à en plonger un dans son corps. Dans une foule, j'apercevais toujours une silhouette d'homme ou de femme qui me faisait songer à lui, et la nuit je posais mon arme encore plus près de moi.

– Benton, pourquoi ne pas aller prendre ta douche ? Ensuite, nous pourrions parler de nos projets pour la semaine, dis-je pour balayer des souvenirs qui m'étaient insupportables. Quelques jours de tranquillité pour bouquiner et te promener sur la plage, c'est exactement ce qu'il te faut. Tu aimes tellement les randonnées à vélo. Peut-être que cela te fera du bien de ne pas m'avoir sur le dos.

– Il faut prévenir Lucy, dit-il en se levant à son tour. Même si Carrie est internée en ce moment, elle va encore lui causer des ennuis. C'est ce qu'elle te promet dans sa lettre.

Il sortit de la cuisine.

– Quels autres ennuis peut-on lui causer ? criai-je tandis que des larmes montaient dans ma gorge.

– Impliquer ta nièce dans le procès, dit-il en s'arrêtant. Publiquement. Ça s'étalera à la une du *New York Times*. Dans les agences de presse, *Hard Copy, Entertainment*

20

*Tonight*. Dans le monde entier. « L'agent du FBI était lesbienne et la maîtresse d'une serial-killer psychopathe... »

— C'est pour cela que Lucy a quitté le FBI et ses préjugés, ses mensonges et ses obsessions, dis-je, les larmes aux yeux. Ils ne peuvent rien faire de plus pour l'anéantir : c'est déjà fait.

— Kay, il s'agit de bien plus que du FBI, dit-il d'un ton las.

— Benton, ne commence pas à..., lançai-je, incapable de poursuivre.

Il s'appuya contre la porte du grand salon où un feu brûlait dans la cheminée, car la température n'avait pas dépassé quinze degrés aujourd'hui. La tristesse se lisait dans son regard. Il n'aimait pas que je parle ainsi, pas plus qu'il n'aimait s'aventurer dans cette obscure partie de son âme. Il ne voulait pas imaginer les actes malfaisants que Carrie risquait de commettre, et bien sûr il s'inquiétait aussi à mon sujet. J'allais être convoquée pour témoigner lors du procès de Carrie Grethen. J'étais la tante de Lucy. Il y avait fort à parier que ma crédibilité comme témoin soit mise en doute et ma réputation ruinée.

— Sortons ce soir, dit Wesley d'un ton plus conciliant. Où voudrais-tu aller ? À La Petite ? Ou manger un barbecue avec une bière chez Benny's ?

— Je vais faire de la soupe, dis-je d'une voix incertaine en m'essuyant les yeux. Je n'ai pas très faim. Toi si ?

— Viens là, dit-il doucement.

Je me laissai aller dans ses bras et il me serra contre sa poitrine. Ses lèvres étaient salées lorsqu'il m'embrassa, et je fus à nouveau surprise de la ferme souplesse de son corps. Je posai la tête sur sa poitrine. Le duvet de son menton s'accrochait à mes cheveux, aussi blanc que la plage que je ne verrais pas cette semaine. Il n'y aurait pas de longues promenades sur le sable mouillé ni de longues conversations durant les dîners chez La Polla ou Charlie's.

— Je crois qu'il faut que j'aille voir ce qu'elle veut, dis-je finalement, le visage enfoui dans son cou chaud et humide.

— C'est hors de question.

— L'autopsie de Gault a été réalisée à New York. Je n'ai pas les photos.

— Carrie sait pertinemment quel médecin a procédé à l'autopsie de Gault.

– Alors en ce cas, pourquoi me les réclame-t-elle ? murmurai-je.

Je restais appuyée contre lui, les yeux fermés. Il y eut un silence et il m'embrassa à nouveau le front en me caressant les cheveux.

– Tu sais très bien pourquoi, dit-il. Pour te manipuler, te faire tourner en bourrique. Ce que les gens dans son genre font le mieux. Elle veut que tu lui procures ces photos. Pour qu'elle puisse voir Gault réduit en charpie, fantasmer et s'éclater devant ce spectacle. Elle mijote quelque chose et le pire que tu puisses faire, c'est réagir, de quelque façon que ce soit.

– Et ce *GKSWF* – je ne sais trop quoi ? Tu penses que c'est personnel ?

– Je l'ignore.

– Et *1, place du Faisan* ?

– Aucune idée.

Nous restâmes un long moment sur le seuil, dans cette maison que je continuais bizarrement, mais sans équivoque, à considérer comme n'étant qu'à moi. Benton faisait halte dans ma vie quand il n'était pas consultant sur de grosses affaires compliquées ici ou dans d'autres pays. J'étais consciente que cela l'ennuyait que je persiste à dire *mon* ceci ou *ma* cela, même s'il savait que nous n'étions pas mariés et que rien de ce que nous possédions chacun de notre côté n'était un bien commun. J'avais passé le cap du milieu de la vie et je n'allais pas légalement partager mes possessions avec quiconque, fût-ce mon amant ou ma famille. Peut-être cela semblait-il égoïste de ma part, et peut-être l'étais-je.

– Qu'est-ce que je vais faire quand tu seras partie, demain ? dit-il en revenant à notre sujet.

– Tu iras à Hilton Head faire les courses, répondis-je. Tu t'assureras qu'il y a assez de Black Bush et de scotch. Encore plus que d'habitude. Et puis du lait solaire protection 35 et 50, des noix de pécan, des tomates et des oignons de Vidalia.

Les larmes me montèrent de nouveau aux yeux et je m'éclaircis la voix avant de poursuivre :

– Je prendrai un avion dès que je pourrai pour te retrouver, mais je ne sais pas jusqu'où va nous conduire l'affaire de Warrenton. Et nous en avons déjà parlé. Ce n'est pas la première fois que cela se produit. Quand ce n'est pas toi, c'est moi.

– Nous avons vraiment une vie de chiottes, me dit-il à l'oreille.

– On l'a un peu cherché, répondis-je, éprouvant une irrésistible envie de dormir.

– Peut-être.

Il pencha son visage vers mes lèvres et glissa ses mains sur les parties de mon corps qu'il préférait.

– Avant la soupe, on pourrait aller au lit.

– Quelque chose d'affreux va se passer à son procès, dis-je.

J'aurais voulu que mon corps réagisse à ses caresses, mais il m'en semblait incapable.

– Tout le monde se trouvera de nouveau à New York. Le Bureau, toi, Lucy, à son procès. Oui, je suis sûre que Carrie Grethen n'a pensé à rien d'autre durant ces cinq dernières années et qu'elle causera tout le mal qu'elle pourra.

Je m'arrachai à son étreinte alors que le visage tiré et anguleux de Carrie surgissait brusquement des sombres recoins de ma mémoire. Je me souvenais d'elle, lorsqu'elle était étonnamment jolie, fumant un soir en compagnie de Lucy, assise à une table de pique-nique, non loin des terrains d'entraînement de tir de Quantico, l'Académie du FBI. Je les entendais encore plaisanter à voix basse et je revoyais les longs baisers profonds, les mains emmêlées dans les cheveux. Je me rappelais de l'étrange sensation qui m'avait parcourue lorsque j'étais partie rapidement, sans un bruit, sans qu'elles sachent que je les avais vues. Carrie avait déjà commencé à gâcher la vie de mon unique nièce, et à présent la coda de cette grotesque partition se faisait entendre.

– Benton, dis-je. Il faut que je me prépare.

– Tu es très bien comme ça, tu peux me faire confiance.

Il avait avidement ôté un à un mes vêtements, cherchant fébrilement le contact de ma peau. Il me désirait d'autant plus que je n'étais pas prête.

– Je ne peux pas te rassurer en ce moment, chuchotai-je. Je ne peux pas te dire que tout se passera bien, parce que ce n'est pas vrai. Les avocats et les médias vont se jeter sur Lucy et sur moi. Ils vont nous pulvériser et Carrie sera peut-être libérée. Voilà ! (Je pris son visage dans mes mains.) La vérité et la justice. À l'américaine.

– Arrête.

Il s'immobilisa et me fixa intensément :

— Ne recommence pas, Kay, dit-il. Tu n'étais pas cynique avant.

— Je ne suis pas cynique et ce n'est pas moi qui ai commencé quoi que ce soit, répondis-je avec une colère grandissante. Ce n'est pas moi qui ai commencé avec un gamin de onze ans en lui arrachant des lambeaux de chair et en l'abandonnant près d'une benne à ordures, une balle dans le crâne. Ce n'est pas moi qui ai tué un shérif et un gardien de prison. Et Jayne – la sœur jumelle de Gault. Tu t'en souviens, Benton ? Tu t'en souviens ? Rappelle-toi, Central Park le soir de Noël. Des empreintes de pieds nus dans la neige et les gouttes de sang gelé dégouttant de la fontaine !

— Bien sûr que je m'en souviens. J'y étais. Je connais tous les détails aussi bien que toi.

— Non, pas du tout.

J'étais maintenant furieuse et me détachai de lui pour ramasser mes vêtements.

— Ce n'est pas toi qui plonge les mains dans leurs corps disloqués pour toucher et mesurer leurs blessures, dis-je. Tu ne les entends pas parler une fois qu'ils sont morts. Tu ne vois pas les visages de ceux qui les aimaient et qui patientent dans ma vilaine petite salle d'attente pour que je leur dise des choses innommables et cruelles. Tu ne vois pas ce que je fais. Oh, non, sûrement pas, Benton Wesley. Tu vois des dossiers bien propres, des photos glacées et des lieux du crime figés. Tu passes plus de temps avec les assassins qu'avec ceux auxquels ils ont arraché la vie. Et peut-être que tu dors mieux que moi, aussi. Peut-être que tu rêves encore parce que tu n'as pas peur de tes rêves.

Il sortit de la maison sans un mot. J'étais allée trop loin. J'avais été injuste, cruelle, et d'une complète mauvaise foi. Wesley ne connaissait qu'un sommeil torturé. Il s'agitait, grognait et trempait ses draps de sueur. Il rêvait rarement, ou du moins avait-il appris à ne pas s'en souvenir. Je posai une salière et un poivrier sur les coins de la lettre de Carrie Grethen pour qu'elle ne se replie pas. Ses phrases exaspérantes et railleuses étaient désormais une pièce à conviction, et il ne fallait plus y toucher.

La Ninhydrine ou la Luma Lite pourrait peut-être révéler ses empreintes sur le papier blanc de mauvaise qualité, ou bien des échantillons de son écriture pouvaient être comparés avec les gribouillis qu'elle m'avait adressés. Après quoi, nous prouverions qu'elle avait rédigé ce message tordu à la veille de son procès pour meurtre devant la Cour suprême de New York. Le jury verrait qu'elle n'avait pas changé après cinq ans de traitement psychiatrique payé par les contribuables. Elle n'éprouvait aucun remords. Elle jouissait de ce qu'elle avait fait.

J'étais certaine que Benton traînait dans les environs, parce que je n'avais pas entendu sa BMW démarrer. Je parcourus d'un pas vif les rues récemment pavées, longeant de grandes demeures en brique et stuc, jusqu'au moment où je l'aperçus sous les arbres. Il contemplait une portion rocailleuse de la James River. L'eau était glaciale, couleur de verre, et les cirrus laissaient comme des traces de craie indistinctes dans le ciel qui s'assombrissait.

— Je vais repasser à la maison et puis je partirai pour la Caroline du Sud. Je préparerai l'appartement et je t'achèterai ton scotch, dit-il sans se retourner. Et du Black Bush.

— Tu n'es pas obligé de partir ce soir, dis-je.

J'avais peur de m'approcher de lui alors que les derniers rayons du soleil étincelaient dans ses cheveux ébouriffés par le vent.

— Benton, je dois me lever tôt demain. Tu peux partir en même temps que moi.

Il ne répondit pas et continua de fixer le grand aigle chauve qui m'avait suivie depuis la maison. Benton avait enfilé un coupe-vent rouge, mais il avait l'air gelé dans son short de jogging trempé, et croisait fermement ses bras sur son torse pour se protéger du froid. Il avala sa salive et sa pomme d'Adam monta dans sa gorge. Son chagrin irradiait d'un endroit secret que j'étais la seule autorisée à connaître. Dans des moments comme celui-ci, je me demandais pourquoi il me supportait.

— Ne t'attends pas que je me comporte comme une machine, Benton, dis-je doucement pour la millième fois depuis que j'avais commencé à l'aimer.

Il ne répondit toujours pas. L'eau avait à peine l'énergie de couler vers l'aval, et le morne courant produisait un gargouillement sourd, alors qu'il se dirigeait distraitement vers la violence des digues.

— J'encaisse autant que je peux, continuai-je. J'encaisse plus que bien des gens. Mais ne m'en demande pas trop, Benton.

L'aigle s'éleva en décrivant des cercles au-dessus des cimes des arbres. Benton se décida enfin à parler, d'une voix plus résignée.

— Et moi j'encaisse plus que la plupart des gens, dit-il. En partie à cause de toi.

— Oui, ça marche dans les deux sens.

Je m'approchai de lui par-derrière et glissai mes bras autour de sa taille, contre le nylon rouge.

— Oui, et tu le sais très bien, dit-il.

Je l'étreignis et enfouis mon menton dans son dos.

— Un de tes voisins nous observe, dit-il. Je le vois à travers la porte-fenêtre. Tu savais qu'il y avait un voyeur dans ton quartier de rupins ?

Il posa ses mains sur les miennes et souleva mes doigts un par un, distraitement.

— Bien sûr, si j'habitais ici, moi aussi je te materais, ajouta-t-il.

— Tu habites ici.

— Mais non. J'y dors, c'est tout.

— Parlons de demain matin. Ils viendront me chercher comme d'habitude vers 5 heures à l'institut d'ophtalmologie, dis-je. Donc, si je me lève vers 4 heures... (Je soupirai en me demandant si la vie serait toujours comme cela.) Tu devrais rester dormir ce soir.

— Je refuse de me lever à 4 heures, dit-il.

# 2

L'AUBE SE LEVA, impitoyable, sur un champ plat et à peine bleuté par cette faible lumière. J'étais debout depuis 4 heures. Wesley aussi, qui avait finalement décidé de partir en même temps que moi. Nous nous étions embrassés à la hâte avant de monter dans nos voitures respectives sans trop nous regarder, car les adieux rapides sont toujours plus faciles que ceux qui s'éternisent. Mais, tandis que je suivais West Cary Street jusqu'au Huguenot Bridge, une sorte de pesanteur envahit chaque recoin de mon esprit et brusquement, je me sentis triste et à bout.

L'ayant appris à mes dépens depuis longtemps, je savais qu'il était peu probable que je voie Wesley cette semaine. Il n'y aurait ni repos, ni grasse matinée, ni temps libre consacré à la lecture. Les affaires d'incendie ne sont jamais simples. En tout cas, ce genre d'affaire, puisqu'elle concernait un personnage important vivant dans une zone très résidentielle de Washington. D'où des tonnes de paperasse, et de questions diplomatiques. Plus un décès était médiatisé, plus je m'attendais à subir la pression publique.

Aucune lumière n'était encore allumée à l'institut d'ophtalmologie. On n'y faisait pas de recherches médicales, mais j'y venais plusieurs fois par an faire vérifier mes lunettes et contrôler ma vision. Je trouvais toujours bizarre de me garer près du terrain où un hélicoptère m'emportait si souvent dans les airs pour me conduire vers le chaos. J'ouvris ma portière alors que le bourdonnement familier résonnait derrière le sombre rideau d'arbres, et la vision de dents et d'os calcinés éparpillés dans des débris noirâtres et noyés d'eau me traversa l'esprit. Je revis les costumes impeccables et le visage carré de Sparkes, et ce souvenir me figea comme un brouillard glacé.

La silhouette de têtard passa devant une lune imparfaite tandis que je rassemblais mes sacs imperméables et la valise de pilote Halliburton en aluminium brossé où étaient rangés mes divers instruments médicaux ainsi que mon matériel photographique. Deux voitures et un pick-up ralentirent sur Huguenot Road : des citadins déjà levés et qui avaient du mal à résister au spectacle d'un hélicoptère rasant les toits pour se poser. Les curieux débouchèrent sur le parking et descendirent de voiture pour regarder les pales qui fouettaient l'air plus lentement afin d'éviter les lignes électriques, les flaques, la boue ou le sable qu'elles risquaient de projeter.

— C'est sûrement Sparkes, dit un vieil homme sorti d'un tas de ferraille rouillé qui avait dû être une Plymouth.

— Peut-être bien qu'ils livrent un organe, dit le conducteur du pick-up en me jetant brièvement un coup d'œil.

Leurs paroles s'envolèrent comme des feuilles sèches. Dans un vrombissement, le Bell Long Ranger noir se positionna selon un angle parfait, alluma ses feux d'atterrissage et commença à descendre lentement. Ma nièce Lucy, qui le pilotait, fit ses manœuvres dans un tourbillon d'herbe fraîchement coupée, scintillant dans le faisceau blanc des phares d'atterrissage, et se posa délicatement. Je rassemblai mes affaires et m'avançai dans la bourrasque. Le cockpit était en Plexiglas teinté, aussi ne vis-je pas qui se trouvait à l'intérieur de la cabine de pilotage en ouvrant la portière arrière, mais je reconnus le bras énorme qui se tendait pour attraper mes bagages. Je montai dans l'appareil alors que d'autres voitures s'arrêtaient pour regarder partir les extraterrestres et que des fils d'or commençaient à se dessiner au-dessus des cimes des arbres.

— Je me demandais où vous étiez, dis-je en fermant la porte et en haussant la voix pour couvrir le fracas des rotors.

— À l'aéroport, répondit Pete Marino tandis que je m'asseyais à côté de lui. C'est plus près.

— Sûrement pas.

— Au moins, ils ont du café et des chiottes, dit-il.

Je compris que ses priorités ne suivaient pas forcément cet ordre.

— J'imagine que Benton est parti en vacances sans vous, ajouta-t-il, enfonçant le clou.

Lucy poussa la manette des gaz à plein régime et le mouvement des pales s'accéléra.

L'hélicoptère s'arracha du sol et s'éleva progressivement. Marino déclara d'un ton maussade :

– Je peux vous dire que j'ai un mauvais pressentiment, là, dit-il alors que l'appareil décollait. On va au-devant de sacrés problèmes.

La spécialité de Marino, c'étaient les enquêtes sur les décès, bien que la possibilité de sa propre mort lui fît toujours perdre contenance. Il n'aimait pas voler, en particulier dans des engins qui n'avaient ni ailes ni hôtesses. Le *Richmond Times Dispatch* n'était plus qu'un tas de feuilles éparses sur ses genoux, et il refusa de baisser les yeux vers le sol qui s'éloignait et vers la ville lointaine qui s'élevait lentement à l'horizon comme un grand homme se redresse.

Un article sur l'incendie, avec une photo aérienne des ruines rougeoyant dans l'obscurité, s'étalait à la une du journal. Je le lus avec attention mais n'appris rien de nouveau, car l'article annonçait principalement la mort supposée du puissant Kenneth Sparkes et rabâchait tous les détails connus de son existence luxueuse à Warrenton. J'ignorais qu'il possédât des chevaux, et j'appris grâce à l'article que l'un d'eux, Wind, avait fini bon dernier dans un Kentucky Derby et valait néanmoins un million de dollars. Mais cela ne me surprit pas. Sparkes avait toujours été un bâtisseur doté d'un ego aussi démesuré que son orgueil. Je reposai le journal sur le siège d'en face et remarquai que la ceinture défaite de Marino traînait par terre dans la poussière.

– Qu'est-ce qui se passera si on traverse des turbulences et que vous n'êtes pas attaché ? criai-je par-dessus le bruit des moteurs.

– Et alors ? Je renverserai mon café.

Marino ajusta son pistolet sur sa hanche. Il était boudiné dans un costume kaki prêt à éclater.

– Au cas où vous n'auriez pas encore compris après tous les cadavres que vous avez charcutés, Doc, si cet oiseau-là tombe, c'est pas une ceinture de sécurité qui vous sauvera, ni un airbag.

En réalité, il détestait tout ce qui lui serrait la taille, et avait pris l'habitude de porter ses pantalons si bas que je me demandais toujours comment ils faisaient pour tenir sur ses hanches. Il y eut un froissement de papier tandis qu'il sortait deux biscuits Hardee d'un sac graisseux. Ses cigarettes faisaient une bosse dans sa poche de chemise et son visage était congestionné. Quand j'avais quitté ma ville natale de Miami pour m'installer en Virginie, Marino était inspecteur de police à la criminelle. Il était aussi odieux qu'il était doué. Je me souvins de nos premières rencontres à la morgue, lorsqu'il me donnait du « madame Scarpetta » et tyrannisait mon personnel tout en prélevant sans autorisation les pièces à conviction qui l'intéressaient. Il avait pris des balles avant que j'aie pu les étiqueter, simplement pour me foutre en rogne. Il fumait des cigarettes avec des gants maculés de sang et faisait des plaisanteries de mauvais goût au sujet des cadavres.

Je regardai par le hublot les nuages qui défilaient dans le ciel et je songeai au temps qui passe. Marino avait presque cinquante-cinq ans et j'avais peine à le croire. Cela faisait plus de onze ans que nous nous chamaillions et que nous nous protégions mutuellement.

— Vous en voulez un ? demanda-t-il en me tendant un gâteau froid enveloppé de papier sulfurisé.

— Je ne veux même pas le regarder, dis-je d'un ton désagréable.

Pete Marino savait à quel point ses habitudes alimentaires m'horripilaient, et il essayait simplement d'attirer mon attention. Il ajouta encore plus de sucre dans le gobelet de café qui oscillait au gré des turbulences, maintenu en équilibre par sa grosse main charnue.

— Et du café ? me demanda-t-il. Je vous le sers.

— Non merci. Mais un briefing, oui, ajoutai-je, désireuse d'en venir au fait alors que ma tension montait. En savons-nous plus qu'hier soir ?

— Le feu couve toujours par endroits. Surtout dans les écuries. Il y avait beaucoup plus de chevaux que nous le pensions. Une bonne vingtaine ont sûrement rôti là-dedans, dont des pur-sang, des quarter-horses et deux poulains d'une lignée de coureurs. Vous êtes au courant pour celui qui a couru le Derby, hein ? Quand je pense à la prime d'assurance ! Un prétendu témoin a dit qu'on les entendait hurler comme des êtres humains.

— Quel témoin ?

C'était la première fois qu'on m'en parlait.

— Oh, tout un tas de tordus ont appelé en disant qu'ils avaient vu ci ou entendu ça. Le même genre de conneries

30

qu'à chaque fois qu'on tombe sur une affaire médiatisée. Et on n'a pas besoin d'un témoin *oculaire* pour savoir que les chevaux hurlaient et ruaient contre les parois de leurs boxes. On va pincer le salaud qui a fait ça, siffla-t-il. On verra ce que ça lui fera quand son cul à lui cramera.

– Nous ne savons pas s'il y a un « salaud », en tout cas, rien ne le prouve encore, lui rappelai-je. Personne n'a dit que c'était un incendie d'origine criminelle, bien que je me doute que nous n'avons pas été invités, vous et moi, juste pour le plaisir de la promenade.

– Je déteste quand c'est des animaux.

Se détournant vers son hublot, il répandit du café sur ses genoux.

– Merde !

Il me jeta un regard noir comme si j'y étais pour quelque chose.

– Les animaux et les gosses. Rien que d'y penser, ça me rend malade.

Il n'avait pas l'air de se soucier de la célébrité qui était peut-être morte dans l'incendie, mais je connaissais assez bien Marino pour comprendre qu'il limitait ses émotions à ce qu'il pouvait supporter. Il ne détestait pas les humains autant qu'il aimait le faire croire, et en me représentant mentalement ce qu'il venait de décrire, je vis des pur-sang et des poulains aux yeux remplis de terreur.

Il m'était intolérable d'imaginer leurs hennissements ou leurs sabots qui fracassaient les planches. Les flammes avaient envahi la ferme de Warrenton comme des torrents de lave, engloutissant la résidence, les écuries, les réserves de vieux whisky et les collections d'armes. Le feu n'avait rien épargné en dehors des murs de pierre.

Mon regard passa par-dessus Marino et atteignit le cockpit. Lucy s'adressait à son copilote ATF par radio. Ils désignaient du menton un hélicoptère Chinook très bas sur l'horizon et un avion tellement lointain qu'il n'était plus qu'une lame de verre. Le soleil commença à illuminer progressivement notre voyage, et j'avais mal à force de regarder ma nièce et de sentir mes blessures se rouvrir.

Elle avait quitté le FBI parce qu'ils avaient tout fait pour cela. Elle avait abandonné le système d'intelligence artificielle qu'elle avait créé, les robots qu'elle avait programmés et les hélicoptères qu'elle avait appris à piloter pour son Bureau bien-aimé. Lucy avait quitté ce qui était le plus cher à son cœur et elle était maintenant hors de ma portée. Je n'avais pas envie de lui parler de Carrie.

Je me renfonçai dans mon siège sans un mot et consultai les documents concernant l'affaire Warrenton. Il y avait bien longtemps que j'avais appris à me concentrer à l'extrême sur un point précis, quelles que soient mes pensées et mon humeur. Je sentis le regard de Marino se poser de nouveau sur moi alors qu'il palpait le paquet de cigarettes dans la poche de sa chemise, comme pour s'assurer qu'il avait le nécessaire pour assouvir son vice. Le fracas des pales augmenta lorsqu'il ouvrit son hublot et tapota le paquet pour en faire sortir une cigarette.

— Non, dis-je. N'y pensez même pas.

— Je vois pas de panneau *Interdiction de fumer*, dit-il en fourrant une Marlboro entre ses lèvres.

— Vous ne le voyez jamais, même quand il y en a partout.

Je relus mes notes et m'arrêtai sur une déclaration que le commandant des pompiers m'avait faite au téléphone la veille.

— Un incendie criminel pour toucher l'argent de l'assurance ? fis-je en levant le nez. Impliquant le propriétaire, Kenneth Sparkes, qui n'aurait pas pu s'échapper à temps du brasier qu'il avait lui-même allumé ? Mais qu'est-ce qui leur fait dire ça ?

— Vous trouvez pas qu'il a un nom de pyromane* ? dit Marino. Il est forcément coupable, dit-il en inspirant la fumée avec un évident plaisir. Et si c'est le cas, il a eu ce qu'il méritait. Vous savez, on dit toujours qu'on peut les sortir de la rue, mais que la rue ne les quitte jamais.

— Sparkes n'a pas grandi dans la rue, dis-je. Et d'ailleurs, il a étudié à Rhodes.

— Il y a pas loin entre un étudiant de Rhodes et un étudiant qui *rôde*, continua Marino. Je me rappelle quand tout ce que cet enfant de salaud savait faire, c'était critiquer la police dans ses journaux. Tout le monde savait qu'il était plongé jusqu'au nez dans la coke et les bonnes femmes. Mais on ne pouvait pas le prouver parce que personne ne voulait nous donner un coup de main.

* *Sparkes :* « étincelles ». *(N.d.T.)*

32

– C'est exact, personne n'a pu le prouver, dis-je. Et vous ne pouvez pas décréter que quelqu'un est un pyromane à cause de son nom ou de sa politique éditoriale.

– Eh ben, il se trouve que vous êtes en train de parler à l'expert en noms de famille à la mord-moi-le-nœud et je sais à quel point ils vont bien aux énergumènes qui les portent, dit Marino en se servant du café et en continuant de fumer. Gore*, le coroner. Slaughter, le serial-killer. Childs, le pédophile. M. Bury enterrait ses victimes dans des cimetières. Et puis nous avons les juges Gallow et Frye. Sans oublier Freddie Gambler. Son restaurant servait de salle de jeux quand il s'est fait dégommer. Le docteur Faggart a assassiné cinq homosexuels ! Il les a énucléés à coups de couteau. Vous vous souvenez de Crisp ? demanda-t-il en me fixant. Frappé par la foudre. Tous ses vêtements étaient éparpillés sur le parking de l'église et la boucle de sa ceinture était magnétisée. Croustillant comme un paquet de chips.

J'étais incapable d'écouter une telle litanie à une heure aussi matinale. Je passai la main derrière mon siège pour prendre un casque qui me permettrait de ne plus entendre Marino et de suivre la conversation du cockpit.

– Je voudrais pas finir foudroyé devant une église et que tout le monde vienne tirer des conclusions de mon nom, continua Marino.

Il reprit du café, comme s'il n'avait ni problèmes de prostate ni problèmes urinaires.

– J'ai fait une liste au cours des années. J'en ai jamais parlé à personne. Même pas à vous, Doc. Quand on n'écrit pas des conneries comme ça, on les oublie.

Il avala une gorgée de café et reprit :

– Je crois qu'il y a un marché pour ça. Peut-être le genre de petits bouquins qu'ils collent dans des présentoirs devant les caisses des magasins.


Je mis le casque et je contemplai les fermes et les champs endormis, puis les maisons accolées à de vastes granges et de longues allées pavées. Les vaches et les veaux n'étaient

* *Gore* : « sang » ; *slaughter* : « abattage » ; *child* : « enfant » ; *bury* : « enterrer » ; *gallow* : « gibet » ; *fry* : « frire » ; *gambler* : « joueur » ; *fag* : « pédé » ; *crisp* : « croustillant ». *(N.d.T.)*

que de petites taches noires au milieu de parcelles d'herbe clôturées, et une moissonneuse-batteuse projetait un nuage de poussière en longeant lentement des champs parsemés de foin.

Puis le paysage rural céda la place à l'aisance de Warrenton, où le taux de criminalité était bas, et où les demeures bâties sur des centaines d'hectares possédaient toutes des maisons d'invités, des courts de tennis, des piscines et des écuries de luxe. Nous descendîmes un peu et survolâmes des pistes d'atterrissage privées, des lacs peuplés de canards et d'oies. Marino restait bouche bée.

Nos pilotes se turent en attendant d'arriver au sol à portée de l'équipe du NRT. Lucy changea de fréquence et commença à transmettre.

— Écho One, hélicoptère 9-1-9 Delta Alpha. TN, vous me recevez?

— Affirmatif, 9 Delta Alpha, répondit la voix de TN McGovern, la chef d'équipe.

— Nous sommes à quinze kilomètres au sud, prêts à atterrir avec passagers, dit Lucy. ETA à environ huit heures.

— Roger. Ici, on a l'impression d'être en hiver et ça ne promet pas de se réchauffer.

Lucy passa sur l'AWOS, le service météorologique automatique, et j'entendis un long descriptif mécanique énumérant les courants aériens, la visibilité, les conditions atmosphériques, température, humidité et réglages d'altimètre selon le fuseau horaire de la Sierra, qui était le bulletin le plus récent de la journée. Je ne fus guère enthousiasmée d'apprendre que la température était tombée à cinq degrés depuis que j'avais quitté la maison, et songeai à Benton en route vers le soleil et la mer.

— Il pleut, là-bas, dit le copilote de Lucy.

— C'est au moins à trente kilomètres à l'ouest et les vents sont d'ouest, répondit Lucy. Bien la peine d'être en juin.

— On dirait qu'un autre Chinook se dirige vers nous, au-dessous de l'horizon.

— Rappelons-leur que nous sommes là, dit Lucy en passant de nouveau sur une autre fréquence. Chinook sur Warrenton, hélico 9-1-9 Delta Alpha. Vous contrôlez la poussée? Nous sommes à vos trois heures, trois kilomètres au nord, à mille pieds.

– On vous voit, Delta Alpha, répondit l'hélicoptère birotor de l'armée qui tirait son nom d'une tribu indienne. Bonne route !

Ma nièce mit un terme à la transmission. Sa voix calme et grave me semblait étrangère, maintenant qu'elle me parvenait à travers l'espace après avoir rebondi sur les antennes d'un autre appareil. Dès que j'en eus la possibilité, j'intervins.

– Qu'est-ce que c'est que cette histoire de vent et de froid ? demandai-je en fixant la nuque de Lucy.

– Vingt nœuds. Des rafales à vingt nœuds et soufflant à vingt-cinq par l'ouest, entendis-je dans mon casque. Et ça va empirer. Ça va derrière, vous autres ?

– Ça va, dis-je en repensant à la lettre démente de Carrie.

Lucy portait un treillis bleu de l'ATF et une paire de lunettes noires Cébé qui cachaient son regard. Elle avait laissé pousser ses cheveux, qui bouclaient joliment sur ses épaules et me rappelaient le bois roux de Jarrah, poli et exotique, sans aucune ressemblance avec mes cheveux raides et blonds semés de fils d'argent. J'imaginai sa pression légère sur les commandes de vol alors qu'elle agissait sur le rotor anticouple pour stabiliser l'hélicoptère.

Elle s'était mise au pilotage comme à tout ce qu'elle avait entrepris. Elle avait décroché ses brevets privé et commercial avec le minimum d'heures requises et avait obtenu peu de temps après son certificat d'instructeur simplement parce que cela lui faisait plaisir de transmettre son savoir à d'autres.

Je n'eus pas besoin d'être avertie que nous parvenions au terme de notre vol : nous rasions des bois jonchés d'arbres abattus éparpillés çà et là. Des routes en terre et des chemins les traversaient en serpentant et, de l'autre côté des collines rondes, les nuages gris cédèrent la place aux colonnes verticales des dernières fumées paresseuses de l'enfer meurtrier. La ferme de Kenneth Sparkes était un trou noir, le spectacle bouleversant d'une terre calcinée et d'un carnage encore rougeoyant.

Le feu avait laissé les traces de son passage et de sa férocité, et je suivis d'en haut les cicatrices défigurant les splendides bâtiments de pierre, les écuries et les granges qui n'étaient plus que de larges entailles brûlées jusqu'au ras du sol. Les camions des pompiers avaient fracassé en plusieurs endroits les clôtures blanches qui ceignaient la propriété et avaient ravagé des pans entiers de pelouse soigneusement entretenue. Dans le lointain s'étendaient des pâturages, une route pavée, puis une centrale électrique et enfin d'autres habitations.

Nous envahîmes la luxueuse ferme virginienne de Sparkes peu avant 8 heures, après avoir atterri assez loin des ruines pour que le tourbillon du rotor n'éparpille pas les décombres. Marino descendit et partit devant, alors que j'attendais que nos pilotes arrêtent le rotor principal et abaissent toutes les manettes.

– Merci de votre aide, dis-je à l'agent spécial Jim Mowery, qui avait servi de copilote à Lucy.

– C'est elle qui tenait le manche, dit-il en ouvrant le coffre à bagages. Je vais immobiliser l'appareil. Vous pouvez y aller, ajouta-t-il pour ma nièce.

– On dirait que tu es devenue experte, plaisantai-je d'un ton léger alors que nous nous éloignions.

– Je m'accroche comme je peux, répondit Lucy. Attends, laisse-moi prendre un de tes sacs.

Elle me soulagea de ma valise en aluminium, qui ne semblait guère peser dans sa poigne ferme. Nous marchions côte à côte, semblablement vêtues, bien que je n'aie ni arme ni radio portable. Nos rangers à coque d'acier étaient tellement abîmés que le cuir s'écaillait et virait au gris. La boue noire commença à nous coller aux semelles à mesure que nous approchions de la tente gonflable grise qui nous servirait de poste de commandement durant les prochains jours. Le gros camion blanc Pierce frappé du sceau du Département du Trésor avec ses gyrophares et les mentions *ATF* et *Brigade des explosifs* inscrites en bleu vif était garé non loin de là.

Lucy me devançait d'une foulée, le visage dissimulé par la visière de sa casquette bleu marine. Elle avait été mutée à Philadelphie et quitterait bientôt Washington. Cette pensée me donnait l'impression d'être vieille et usée. Elle était adulte maintenant : aussi accomplie que je l'avais été à son âge, et je ne voulais pas qu'elle aille plus loin. Mais je ne le lui avais pas dit.

– On est carrément mal sur ce coup-là, commença-t-elle. Au moins, le rez-de-chaussée est au niveau du sol mais il

36

n'y a qu'une seule porte. Alors presque toute l'eau stagne là-dedans, comme dans une piscine. On a un camion-pompe en route.

– Ça représente quelle profondeur ?

J'imaginais les milliers de litres d'eau expulsés par les lances d'incendie et l'épaisse soupe noire et froide où nageaient d'innombrables débris dangereux.

– Ça dépend où tu mets les pieds. Si j'étais toi, je n'aurais pas accepté la mission, dit-elle d'un ton qui me donna l'impression de ne pas être la bienvenue.

– Bien sûr que si, dis-je, vexée.

Lucy ne se donnait pas beaucoup de mal pour dissimuler ce qu'elle pensait lorsque des enquêtes nous avaient réunies. Elle n'était pas impolie, mais agissait souvent en présence de ses collègues comme si elle me connaissait à peine. Je me souvenais des premières années, lorsque je lui rendais visite à l'université de Virginie et qu'elle ne voulait pas que les autres étudiants nous voient ensemble. Je savais qu'elle n'avait pas honte de moi, mais qu'elle me considérait comme quelqu'un qui lui faisait de l'ombre, alors que j'avais fait tout mon possible pour ne pas empiéter sur son existence.

– Tu as fini de tout emballer ? demandai-je avec un détachement feint.

– Je t'en prie, ne me parle pas de ça, dit-elle.

– Mais tu es toujours sûre de vouloir partir ?

– Bien sûr. C'est une occasion en or.

– Oui, c'est vrai, et j'en suis ravie pour toi, dis-je. Comment va Janet ? Je sais que ça doit être dur...

– Ce n'est pas comme si nous étions chacune à un bout du monde, répondit Lucy.

Je savais, tout comme Lucy, que les choses n'étaient pas si simples. Janet était agent du FBI. Elle était sa compagne depuis les premiers jours de leur formation dans la base militaire de Quantico. À présent, elles travaillaient pour des agences gouvernementales différentes et elles vivraient bientôt dans des villes séparées. Il était très possible que leurs carrières ne leur permettent plus de poursuivre leur relation.

– Tu crois que nous pourrons trouver une minute pour discuter aujourd'hui ? demandai-je après un silence alors que nous slalomions entre les flaques.

– Bien sûr. Dès qu'on en aura fini ici, on ira prendre une bière, si on trouve un bar ouvert dans cette cambrousse, répondit-elle alors que le vent se levait.

– Même tard, ça m'est égal, ajoutai-je.

– Ça y est, murmura Lucy avec un soupir alors que nous arrivions à la tente. Hé, là-dedans ! cria-t-elle. C'est où la boum ?

– Juste ici.

– Alors, Doc, c'est le jour des visites à domicile ?

– Mais non, elle fait la baby-sitter de Lucy.

Outre Marino et moi, il y avait neuf hommes et deux femmes du NRT, McGovern comprise. Nous portions tous les treillis bleu marine habituels, aussi usés, rapiécés et élimés que nos rangers. Les agents ne tenaient pas en place et chahutaient bruyamment à l'arrière de l'énorme camion dont l'intérieur tapissé d'aluminium poli contenait des étagères et des strapontins, tandis que les compartiments extérieurs étaient bourrés de rouleaux de ruban plastique jaune, de pelles, piolets, torches, brosses, barres à mine et scies.

Notre quartier général mobile était également pourvu d'ordinateurs, d'une photocopieuse et d'un fax, ainsi que d'un épandeur hydraulique, d'un bélier, d'une masse et d'une tronçonneuse, tout ce qui pouvait servir à se frayer un chemin dans les décombres ou à sauver une vie humaine. En fait, je ne sais pas ce qui pouvait bien manquer dans ce camion en dehors, peut-être, d'un chef cuisinier et de toilettes, ce qui, à mon sens, aurait dû être le plus important.

McGovern était assise à une table sous la tente, lacets dénoués, un bloc-notes sur le genou.

– OK, fit-elle à l'équipe. Nous avons déjà vu tout ça à la caserne des pompiers, où vous autres avez manqué le café et les beignets, ajouta-t-elle pour ceux qui venaient d'arriver. Mais, encore une fois, faites attention. Ce que nous savons pour l'instant, c'est que le feu aurait commencé avant-hier, à 20 heures.

McGovern, qui avait à peu près mon âge, était basée au bureau de Philadelphie. Je me raidis en contemplant celle qui était devenue le nouveau mentor de Lucy.

– En tout cas, poursuivit-elle, c'est l'heure à laquelle l'alarme à incendie s'est déclenchée dans la maison. Quand les pompiers sont arrivés sur place, la maison était entièrement gagnée par le feu. Les écuries brûlaient. Les camions n'ont pas pu s'approcher suffisamment pour faire autre chose qu'encercler l'incendie et le noyer. Ou en tout cas essayer. Nous estimons qu'il y a environ cent quatorze mille litres d'eau dans les sous-sols. Il faudra dans les six heures pour les vider, à condition d'avoir quatre pompes à plein rendement et que des millions de débris ne s'acharnent pas à les boucher. À propos, j'allais oublier : il n'y a plus d'électricité et nos amis les pompiers du coin vont installer des projecteurs à l'intérieur.

— Quel a été leur temps de réponse ? demanda Marino.

— Dix-sept minutes, répondit-elle. Ils ont dû rappeler des hommes qui n'étaient pas de service. Dans la région, tout est basé sur le volontariat.

Quelqu'un grogna. McGovern reprit aussitôt ses troupes :

— Allons, il n'y a pas de quoi leur en vouloir. Ils ont réquisitionné toutes les citernes des alentours pour avoir assez d'eau, donc là n'était pas le problème. La baraque a pris feu comme du papier et il y avait trop de vent pour envoyer de la mousse, et d'ailleurs je ne crois pas que cela aurait servi à grand-chose.

Elle se leva et se dirigea vers le camion avant de poursuivre :

— Nous avons eu affaire à un feu rapide et puissant. C'est au moins un fait avéré...

Elle ouvrit une porte rouge et commença à tendre à chacun râteaux et pelles.

— ... Nous n'avons aucun indice concernant le départ de feu ou sa cause, continua-t-elle. Mais il paraît que le propriétaire, Kenneth Sparkes, le magnat de la presse, était dans la maison et n'en est pas sorti. C'est pour cela que nous avons fait venir la toubib.

McGovern me fixa de ses yeux perçants auxquels peu de choses échappaient.

— Qu'est-ce qui nous permet de penser qu'il était dans la maison à ce moment-là ? demandai-je.

— D'une part, il semble qu'on n'arrive pas à mettre la main sur lui, répondit un des pompiers. Et on a retrouvé une Mercedes brûlée garée derrière. Nous n'avons pas encore vérifié, mais c'est probablement la sienne. De plus, le maréchal-ferrant qui s'occupe des chevaux était passé deux jours auparavant, le jeudi 5. Sparkes était là et ne lui a pas dit qu'il avait l'intention d'aller où que ce soit.

— Qui s'occupait des chevaux quand il était absent? demandai-je.

— On ne sait pas, répondit McGovern.

— J'aimerais avoir le nom et le numéro de téléphone du maréchal-ferrant.

— Aucun problème, docteur Kurt? demanda-t-elle à l'un de ses jeunes enquêteurs.

— Oui, je les ai.

Il feuilleta son calepin à spirale. Ses grosses mains étaient déjà marquées par les années de service.

McGovern s'empara de casques bleu vif dans un autre compartiment et commença à les distribuer en rappelant à chacun sa mission.

— Lucy, Robby, Frank, Jennifer, vous êtes dans le trou, avec moi. Bill, tu restes à disposition des autres. Mick va t'aider, puisque c'est sa première mission NRT.

— Le veinard.

— Oh, un puceau!

— Lâchez-moi, les mecs, lança Bill. C'est le quarantième anniversaire de ma femme. Elle ne va plus jamais vouloir m'adresser la parole.

— Rusty s'occupe du camion, reprit McGovern. Marino et la toubib sont là où on a besoin d'eux.

— Sparkes avait-il reçu des menaces? demanda Marino, parce que son travail consistait à toujours renifler le meurtre.

— Vous en savez à peu près autant que nous pour l'instant, répondit le dénommé Robby.

— Qu'en est-il de cette histoire de soi-disant témoin? demandai-je.

— Il s'agit d'un témoignage téléphonique, expliqua-t-il. Un homme qui n'a pas voulu donner son nom. L'appel ne venait pas de la région, donc nous n'en savons pas plus. Pas moyen de savoir si c'est digne de foi.

— Mais il a dit avoir entendu hurler les chevaux mourants, insistai-je.

— Oui, des hurlements presque humains.

— A-t-il expliqué comment il se faisait qu'il était assez près pour les avoir entendus? demandai-je, à nouveau sur les nerfs.

– Il prétend avoir aperçu le feu de loin et s'être approché pour mieux voir. Il aurait observé pendant un quart d'heure avant de foutre le camp en entendant les pompiers arriver.

– Ça, je le savais pas et ça m'embête beaucoup, dit Marino d'un ton sombre. Ce qu'il dit est cohérent avec le temps de réponse. Et nous savons à quel point ces tordus d'incendiaires aiment s'attarder pour regarder les incendies qu'ils allument. Vous avez une idée de l'oiseau ?

– Je ne lui ai pas parlé plus de trente secondes, répondit Robby. Mais il n'avait aucun accent notable. Une voix douce, très calme.

Tout le monde se tut comme pour exprimer sa déception de ne pas savoir qui était le témoin ni s'il était digne de foi. McGovern continua la répartition des tâches de chacun pour la journée.

– Johnny Kostylo, notre bien-aimé chargé des relations publiques, va travailler avec les médias et les notables du coin, comme le maire de Warrenton, qui a déjà appelé parce qu'il ne veut pas que ça nuise à l'image de sa ville.

Elle leva le nez de son bloc et nous dévisagea avant de poursuivre :

– L'un de nos consultants est en route, continua-t-elle. Et Pepper va arriver d'un moment à l'autre pour nous aider.

Plusieurs agents émirent un petit sifflement appréciateur en entendant le nom de Pepper, le chien spécialisé dans les incendies criminels.

– Et Dieu merci, dit McGovern en enfilant son casque, Pepper n'est pas branché sur l'alcool. Parce qu'il y a presque une douzaine de milliers de litres de bourbon lâchés dans les environs.

– Qu'est-ce qu'on sait à ce sujet ? demanda Marino. On sait si Sparkes fabriquait ou vendait ce truc ? Je veux dire, ça fait pas mal de bibine pour un seul mec.

– Apparemment, Sparkes collectionnait le meilleur de tout ce que la vie peut offrir, dit McGovern d'un ton qui laissait entendre qu'il était très certainement mort. Bourbon, cigares, armes automatiques, chevaux hors classe. Nous ne savons pas au juste s'il était complètement dans la légalité, et c'est l'une des raisons pour lesquelles vous êtes là au lieu des fédéraux.

– Ça m'embête de devoir vous le dire, mais les fédéraux

41

sont déjà en train de fouiner dans le coin. Ils veulent savoir s'ils peuvent filer un coup de main.

— C'est-y pas mignon de leur part !

— Peut-être qu'ils peuvent nous prendre par la main pour qu'on ne se perde pas en chemin ?

— Où sont-ils ? demanda McGovern.

— Dans une Suburban blanche garée à un kilomètre d'ici sur la route. Trois mecs en gilet pare-balles du FBI. Ils parlent déjà aux médias.

— Merde. Dès qu'il y a des caméras...

Des rires et des grognements méprisants fusèrent à l'adresse des « Feds », sobriquet méprisant qu'utilisaient les agents de l'ATF pour qualifier ceux du FBI. Ce n'était un secret pour personne que les deux agences fédérales ne s'estimaient pas vraiment et que le FBI avait l'habitude de s'attribuer tous les mérites, même lorsqu'ils ne lui revenaient pas.

— Puisqu'on parle de furoncles aux fesses, dit un autre agent, le Motel Budget accepte pas l'American Express, chef. On a des trous à nos rangers et en plus, faudrait qu'on utilise nos propres cartes de crédit ?

— Et puis le room-service ne marche plus à partir de 19 heures.

— Et c'est à chier, de toute façon.

— On pourrait pas changer ?

— Je vais m'en occuper, promit McGovern.

— C'est pour ça qu'on vous aime tant.


Un camion de pompiers rouge vif arriva en cahotant sur la route, soulevant un nuage de poussière et de gravillons. Il apportait les pompes qui devaient évacuer l'eau accumulée. Deux pompiers en tenue de protection chaussés de cuissardes en caoutchouc en descendirent et discutèrent brièvement avec McGovern avant de dérouler les gros tuyaux pourvus de filtres. Ils les chargèrent sur leurs épaules et les emportèrent jusqu'à la carcasse de la maison pour les plonger dans l'eau en quatre endroits différents. Puis ils retournèrent au camion et déchargèrent les lourdes pompes portables Prosser qu'ils branchèrent au générateur grâce à des rallonges. Le ronronnement des moteurs augmenta rapidement et les tuyaux s'enflèrent, alors que l'eau boueuse se déversait dans l'herbe.

Je pris de lourds gants ignifugés et une combinaison protectrice avant d'ajuster mon casque à mon tour de tête. J'entrepris ensuite de nettoyer mes fidèles rangers Red Wing en les trempant dans les bassines remplies d'une eau froide savonneuse qui s'infiltrait entre les languettes de cuir usé et trempait les lacets. Je n'avais pas pensé à mettre des sous-vêtements en soie sous mon uniforme puisqu'on était en juin, et c'était une erreur. Le vent du nord soufflait fort, à présent, et la moindre goutte d'humidité semblait faire baisser la température de mon corps d'un degré. Je détestais avoir froid. Je détestais ne pas pouvoir faire confiance à mes mains sous prétexte qu'elles étaient engourdies ou engoncées dans des gants trop épais. McGovern se dirigea vers moi alors que je soufflais sur mes doigts et boutonnais ma combinaison protectrice jusqu'au menton.

– Ça va être une longue journée, dit-elle en frissonnant. Il est où, l'été ?

– Teun, j'ai gâché mes vacances pour vous. Vous démolissez ma vie privée, dis-je, décidée à être désagréable.

– Ça prouve, au moins, que vous avez les deux, dit McGovern en commençant à nettoyer ses rangers à son tour.

« Teun » était son étrange surnom, dérivé des initiales TN, qui signifiaient quelque chose d'épouvantablement sudiste comme Tina Eunice – enfin, c'est ce qu'on m'avait dit. Je l'avais toujours entendu appeler « Teun » depuis que je travaillais avec le NRT, et je m'y étais donc mise à mon tour. Cette divorcée faisait preuve d'un grand professionnalisme. Elle était en pleine forme, sportive, avec une ossature et des yeux gris impressionnants. McGovern pouvait se révéler redoutable. J'avais vu ses colères flamboyantes, mais elle savait aussi être généreuse et charmante. Sa spécialité était les incendies criminels, et la légende voulait qu'elle soit capable d'en déduire la cause grâce à la seule description de l'état des lieux.

Je m'acharnais sur deux paires de gants en latex tandis qu'elle regardait au loin, fixant longuement le trou noirci entouré des restes des murs de granit. Je suivis son regard qui balayait les écuries calcinées, et je crus entendre les hennissements et les coups de sabots paniqués contre les

43

boxes. Pendant un instant, j'eus la gorge serrée. J'avais vu les mains ensanglantées de gens qu'on avait enterrés vivants et les blessures de victimes qui s'étaient défendues contre leurs assassins. Je savais ce que c'était de lutter pour survivre et le film trop net qui se déroulait dans mon esprit était insoutenable.

— Putain de journalistes, grommela McGovern en contemplant un petit hélicoptère qui nous survolait à basse altitude.

C'était un Schweizer blanc sans identification ni caméras visibles. McGovern s'avança et désigna avec assurance tous les médias embusqués sur un rayon de huit kilomètres.

— Cette camionnette, là-bas, m'apprit-elle. Une radio, une FM de bouseux avec une célébrité locale du nom de Jezebel qui raconte des histoires bouleversantes d'émotion sur sa vie, son fils infirme et son chien à trois pattes qui s'appelle Sport. En voilà une autre là-bas. Et la Ford Escort de ce côté-ci, c'est une saloperie de journal. Probablement un tabloïd de Washington. Et là, c'est le *Post*, dit-elle en désignant une Honda. Faites gaffe à elle. C'est une brune très fière de ses jambes. Vous vous imaginez porter une jupe dans le coin ? Elle doit se dire que les mecs vont venir lui parler. Mais ils ne sont pas si bêtes, pas comme les fédéraux.

Elle recula et prit une poignée de gants en latex dans le camion. J'enfonçai mes mains dans les poches de mon uniforme. J'avais fini par m'habituer aux diatribes de McGovern sur les partis pris et les mensonges des médias et je ne l'écoutais qu'à moitié.

— Et ça ne fait que commencer, continua-t-elle. Cette vermine va grouiller dans tous les coins parce que je sais déjà de quoi il retourne ici. Pas besoin d'être scout pour comprendre comment l'endroit a brûlé et comment ces pauvres chevaux sont morts.

— Vous avez l'air de meilleure humeur que d'habitude, dis-je, goguenarde.

— Je ne suis pas du tout de bonne humeur.

Elle posa le pied sur la rampe de déchargement du camion au moment où une vieille camionnette arrivait. Pepper, le chien policier, était un beau labrador noir. Il portait le badge de l'ATF à son collier et devait sûrement être confortablement pelotonné bien au chaud sur le siège, décidé à ne pas bouger tant que nous ne ferions pas appel à lui.

– Je peux me rendre utile ? demandai-je. En dehors de ne pas être dans vos pattes jusqu'à ce que vous m'appeliez ?

Elle répondit sans tourner la tête vers moi :

– Si j'étais vous, je resterais avec Pepper ou dans le camion. Ils sont chauffés tous les deux.

Ce n'était pas la première fois que McGovern travaillait avec moi et elle savait que si on me demandait de plonger dans une rivière ou de fouiller les débris d'un incendie ou d'un attentat à la bombe, je ne me dégonflais pas. Elle savait que je pouvais tenir une pelle et m'en servir. Je lui en voulus donc de sa sortie, ayant le sentiment qu'elle passait ses nerfs sur moi. Je me retournai vers elle pour répondre, et je m'aperçus qu'elle était totalement immobile, comme un chien à l'arrêt. Elle avait une expression incrédule et gardait les yeux fixés quelque part sur l'horizon.

– Dieu du ciel, murmura-t-elle.

Je suivis son regard et vis un poulain noir à une centaine de mètres à l'est, juste derrière les ruines fumantes des écuries. De là où nous étions, le splendide animal semblait sculpté dans l'ébène, et je distinguais ses muscles frémissants et sa queue tandis qu'il semblait nous remarquer à son tour.

– Les écuries, dit McGovern, stupéfaite. Bordel, comment a-t-il pu s'échapper ?

Elle sortit sa radio.

– Teun à Jennifer.

– J'écoute.

– Jette un œil au-delà de la ligne des écuries. Tu vois ce que je vois ?

– 10-4. J'ai le sujet à quatre pattes en vue.

– Fais-le savoir aux gens du coin. Il faut qu'on découvre si le sujet est un survivant d'ici ou un fuyard qui vient d'ailleurs.

– Entendu.

McGovern se mit en route, une pelle sur l'épaule. Je la vis s'enfoncer dans le trou répugnant et choisir son poste près de ce qui avait dû être une large porte d'entrée, de l'eau glacée jusqu'aux genoux. Au loin, le farouche cheval noir frémit comme s'il avait été en feu. Je me mis en route à mon tour en pataugeant dans mes rangers trempés, mes doigts m'obéissant de moins en moins. Il faudrait bientôt que je trouve des toilettes, et ce serait comme d'habitude derrière un arbre, une hauteur ou au beau milieu d'un champ dont on m'aurait assuré qu'il était isolé et qu'il n'y avait pas un seul homme dans les environs.

Au lieu d'entrer dans les ruines, je fis d'abord le tour des murs de pierre. Les structures qui risquaient de s'effondrer représentaient évidemment un grand danger et, même si les murs hauts de deux étages semblaient assez robustes, j'aurais tout de même préféré qu'on les abatte avec une grue et qu'on évacue les décombres. Je continuai mon inspection dans le vent vif et glacial, en me demandant avec un pincement de cœur par où je pourrais bien commencer. Ma valise en aluminium me sciait l'épaule et la simple idée de passer le râteau dans ces débris détrempés me faisait déjà mal au dos. J'aurais parié que McGovern m'observait pour voir combien de temps je tiendrais le choc.

Par les blessures béantes des fenêtres et des portes, je voyais le trou noyé de suie envahi de milliers de cercles d'acier des tonneaux de whisky qui dérivaient dans l'eau noire. J'imaginais les barils de chêne pâle de la réserve de bourbon explosant et se déversant par la porte comme un torrent de feu jusqu'aux écuries qui abritaient les précieux chevaux de Kenneth Sparkes. Pendant que les enquêteurs s'attelaient à leur tâche – déterminer où le feu avait pris et, si possible, quelle en était la cause –, je naviguais parmi les flaques et grimpais sur tout ce qui se présentait d'assez solide pour supporter mon poids.

Il y avait des clous partout, et je dus en extraire un de la semelle de mon ranger gauche. Je m'arrêtai après le rectangle parfait qui avait été l'entrée de l'ancienne demeure et regardai un moment autour de moi. Contrairement à bien des enquêteurs, je ne prenais pas de photos pendant que j'avançais sur le lieu d'un crime. L'expérience m'encourageait à prendre mon temps et à laisser mes yeux explorer le terrain. Et à mesure que j'examinais les alentours, plusieurs choses me frappèrent.

Il paraissait logique d'imaginer que la façade principale devait offrir la vue la plus spectaculaire. Depuis les étages désormais effondrés, on devait jouir d'un panorama sur les arbres et les collines rondes, et pouvoir surveiller tous les mouvements des chevaux que le maître des lieux achetait, échangeait, élevait et vendait. On pensait que Kenneth Sparkes était chez lui le soir de l'incendie, le 7 juin, et je me souvins que le temps était clair et un peu plus chaud, avec un vent léger et une pleine lune.

Je parcourus d'un regard circulaire la coquille vide qui avait été une vaste demeure, m'arrêtant sur des débris de canapés trempés, de métal, de verre, les entrailles fondues d'une télévision et d'autres appareils. Il y avait des centaines de livres partiellement brûlés, des peintures, des matelas et des meubles. Tout était tombé des étages supérieurs et s'était enfoncé dans les couches embourbées du sous-sol. De même que j'avais imaginé Sparkes chez lui le soir où l'alarme à incendie s'était déclenchée, de même je l'imaginais dans son salon profitant de la vue, ou dans la cuisine, peut-être en train de préparer le dîner. Pourtant, plus j'examinais ces lieux où il avait dû se trouver, moins je comprenais pourquoi il ne s'était pas échappé, à moins d'en avoir été rendu incapable par l'alcool ou la drogue, ou encore d'avoir été asphyxié par le monoxyde de carbone en tentant d'éteindre l'incendie.

Lucy et ses collègues étaient de l'autre côté du trou, en train de forcer l'ouverture d'un tableau électrique que l'eau et la chaleur avaient instantanément fait rouiller.

La voix de McGovern, qui se rapprochait d'eux en pataugeant dans l'eau, nous parvint :

— Bon courage ! Ce n'est sûrement pas ce qui a déclenché ce feu.

Tout en parlant, elle balançait le squelette noirci d'une table à repasser. Le fer et ce qui restait de son cordon d'alimentation suivirent le même chemin. Elle força son chemin au milieu des cercles de tonneaux à coups de pied comme si elle passait ses nerfs sur le responsable de ce désastre.

— Vous avez remarqué les fenêtres ? continua-t-elle. Les débris de verre sont à l'intérieur. Comme si quelqu'un avait pénétré dans la maison par effraction.

Lucy répondit en s'accroupissant pour regarder de plus près.

— Pas forcément. Le choc thermique frappe l'intérieur du verre, il chauffe et se détend plus vite que le milieu extérieur, ce qui provoque une pression irrégulière et fendille la vitre. Mais c'est très différent de ce qui se passe lors d'un choc mécanique.

Elle tendit un morceau de verre à McGovern et continua :

— La fumée sort de la maison et l'atmosphère entre. Égalisation de la pression. Ça ne veut pas dire que quelqu'un est entré.

— Je vous mets un B plus, dit McGovern.

— Pas question. Ça vaut un A.

Plusieurs agents éclatèrent de rire.

— Selon moi, Lucy a raison, dit l'un d'eux. Pour le moment, je n'ai pas trouvé trace d'effraction.

Leur chef d'équipe continua de se servir des lieux du sinistre comme d'une salle de classe au profit de ses futurs CFI, des enquêteurs spécialisés dans les incendies.

Elle désigna des portions de pierre en haut des murs, près de la ligne du toit, qui semblaient avoir été passées à la paille de fer.

— Vous vous souvenez que nous avons parlé de la fumée qui s'infiltrait au travers des briques ? Ou alors s'agit-il de l'érosion causée par les jets d'eau ?

— Non, le ciment est partiellement bouffé. C'est à cause de la fumée.

— Exact. La fumée qui force son passage par les joints, expliqua McGovern. Le feu crée lui-même ses conduits de ventilation. Et regardez en bas des murs, ici, ici, et ici, continua-t-elle en tendant la main. La pierre est brûlée et il n'y a aucune trace de combustion incomplète comme la suie. Nous avons du verre fondu et des tuyaux de cuivre fondus.

— Le feu a dû prendre au rez-de-chaussée, dit Lucy. C'est-à-dire le principal étage d'habitation.

— C'est aussi mon avis.

— Et les flammes sont montées jusqu'à trois mètres, ce qui a mis le feu au premier étage et au toit.

— Pour ça, il faudrait un sacré bon combustible.

— Ou un accélérateur de flammes. Mais dans une pagaille pareille, n'essayez pas de trouver la trace d'un liquide qui aurait coulé.

— Ne négligez rien, dit McGovern à ses équipiers. Et nous ne savons pas si un accélérateur était nécessaire, parce que nous ne savons pas quel genre de combustible se trouvait à cet étage.

Tout en parlant, l'équipe continuait de patauger et de travailler ; autour de nous résonnaient le ronronnement des

pompes et le bruit de l'eau qui ruisselait. Je portais mon attention sur des ressorts de sommier qui s'étaient coincés dans
mon râteau et je m'accroupis pour me débarrasser de bouts
de bois et de pierres. Il ne faut jamais oublier que le feu a pu
surprendre une victime dans son lit, et je levai les yeux vers
ce qui avait été l'étage. Je continuai de creuser, sans trouver
quoi que ce soit qui ressemble à des restes humains, rien
d'autre que les débris détrempés de ce que contenait la belle
demeure de Kenneth Sparkes. Certaines de ses affaires rou-
geoyaient encore sur des tas qui n'avaient pas été submergés,
mais la majorité de ce que je remontais avec mon râteau était
froid et imprégné de l'odeur écœurante du bourbon brûlé.

Nous continuâmes nos fouilles pendant toute la matinée et
à mesure que je passais d'un coin de ce bourbier au suivant,
je faisais ce que je savais faire le mieux : je fouillais et
creusais à la main. Dès que la forme d'un objet attirait mon
attention, j'enlevais mes gros gants et le tâtais du bout de
mes doigts seulement protégés par les minces gants de latex.
Les troupes de McGovern s'étaient dispersées et étaient
absorbées par leurs tâches respectives. Il était presque midi
lorsque Teun revint vers moi en pataugeant.

— Vous tenez le coup ? s'enquit-elle.

— Je survis.

— Pas mal, pour une enquêtrice en chambre, sourit-elle.

— Je vais prendre cela comme un compliment.

Désignant les alentours d'un doigt ganté et souillé de suie,
elle demanda :

— Vous avez vu comme tout est régulier ? C'était un incendie à très haute température, constante d'un coin à l'autre de
la maison. Des flammes tellement grandes qu'elles ont brûlé
les deux étages et presque tout ce qu'il y avait dedans. Il ne
s'agit pas d'une sorte d'arc électrique, là, pas d'un fer à
friser qu'on aurait laissé allumé ou de l'huile qui aurait pris
feu. C'est quelque chose d'énorme et de rusé qui est derrière
tout ça.

J'avais remarqué, au fil des ans, que les gens qui com-
battent le feu en parlent comme s'il était vivant et possédait
une volonté et une personnalité propres. McGovern entreprit
de travailler avec moi, et ce qu'elle ne pouvait pas jeter de
côté elle l'empilait dans une brouette. Je nettoyai ce qui se
révéla être une pierre mais qui aurait pu passer pour une

phalange. Teun désigna le ciel nuageux du bout du manche de son râteau.

– Le premier étage a dû être le dernier à s'effondrer, dit-elle. En d'autres termes, les débris du toit et du premier étage devraient se trouver là. Donc, j'en déduis que c'est ce sur quoi nous nous acharnons en ce moment.

Elle donna un coup de râteau sur une poutrelle en acier qui avait soutenu le toit :

– Juste, continua-t-elle. C'est pour ça qu'il y a tous ces trucs isolants et ces ardoises partout.

Le travail continua sans relâche, sans que personne ne s'arrête plus d'un quart d'heure. Les pompiers de la ville nous approvisionnaient en café, sodas et sandwichs. Ils avaient installé des lampes à quartz pour que nous puissions voir ce que nous faisions. À chaque coin, une pompe Prosser évacuait l'eau par son tuyau et la dégorgeait de l'autre côté des murs. Après que des milliers de litres eurent été pompés, la situation ne semblait guère s'améliorer. Il s'écoula des heures avant que le niveau ne commence à baisser sensiblement.

Il était 14 h 30 lorsque, n'en pouvant plus, je sortis à l'air libre. Je cherchai l'endroit le plus discret possible, qui se trouvait sous les branches basses d'un gros sapin, près des écuries encore fumantes. J'avais les mains et les pieds engourdis mais, sous mes lourds vêtements isolants, je transpirais. Je m'accroupis tout en surveillant les alentours, au cas où quelqu'un s'aventurerait dans les parages. Puis je rassemblai tout mon courage pour inspecter chaque box calciné. La puanteur de la mort s'insinuait dans mes narines et j'avais l'impression qu'elle me collait au cerveau.

Les chevaux étaient lamentablement empilés les uns sur les autres, leurs jambes dressées en avant dans la position caractéristique dite « du boxeur », et leur peau avait éclaté sous la pression des chairs qui se carbonisaient. Des juments, des étalons et des hongres avaient été brûlés jusqu'aux os, et de la fumée s'élevait encore des carcasses noircies comme des branches d'arbre. J'espérai qu'ils avaient succombé à une asphyxie au monoxyde de carbone avant d'être atteints par les flammes.

Je dénombrai dix-neuf cadavres, dont deux yearlings et un poulain. Les miasmes de mort et de crin de cheval brûlé me suffoquaient et m'enveloppaient comme d'une chape épaisse alors que je retraversais la pelouse pour rejoindre la carcasse de la maison. À l'horizon, l'unique survivant m'observait à nouveau, immobile, solitaire et comme en deuil.

McGovern pataugeait toujours et continuait de pelleter pour dégager les débris sur son chemin, et je compris qu'elle était fatiguée, ce dont je tirai une sorte de plaisir pervers. Il commençait à se faire tard. Le ciel s'était assombri et le vent devenait plus vif.

— Le poulain est toujours là, lui dis-je.

— Si seulement il pouvait parler, dit-elle en se redressant et en se massant le bas du dos.

— Il est en liberté pour une bonne raison, dis-je. Ce n'est pas logique de penser qu'il est sorti tout seul. J'espère que quelqu'un a prévu de s'en occuper ?

— On y travaille.

— L'un des voisins ne pourrait pas s'en charger ? continuai-je, incapable de me taire tant ce cheval me tracassait.

Elle me décocha un long regard et pointa son doigt vers ce qui avait été un toit :

— La chambre principale et sa salle de bains se trouvaient juste au-dessus de nous, annonça-t-elle en sortant de la boue un carreau de marbre blanc brisé. Robinetterie en laiton, carrelage en marbre, bouches de Jacuzzi. Le cadre d'une verrière qui, tant que j'y pense, était ouverte au moment de l'incendie. Si vous vous penchez à une vingtaine de centimètres sur la gauche, vous verrez ce qui reste de la baignoire.

Le niveau de l'eau continuait à baisser à mesure que les pompes l'évacuaient et elle se répandait en petites rivières sur la pelouse. Non loin de nous, les agents dégageaient un parquet en chêne ancien presque totalement rongé par le feu. Cette découverte permit de déterminer que le feu avait en fait pris au premier étage, à proximité de la chambre principale ; nous retrouvâmes des poignées en bronze de tiroirs de commodes, des meubles en acajou, ainsi que des centaines de cintres. Nous creusions dans les cendres de bois de cèdre mêlées aux restes de chaussures et de vêtements provenant de la penderie du maître de maison.

À 17 heures, l'eau avait encore baissé, révélant un paysage

dévasté qui évoquait une décharge calcinée, semée de carcasses d'appareils et de divans. McGovern et moi continuions de creuser aux alentours de ce qui avait été la salle de bains, extrayant des flacons de médicaments, de shampooing et de lotions, quand je découvris le premier fragment humain. J'essuyai précautionneusement un morceau de verre brisé couvert de suie.

— Je crois qu'on a quelque chose, dis-je en ayant l'impression que ma voix était engloutie par le bruit de succion des pompes et le ruissellement de l'eau.

McGovern braqua sa torche sur moi et s'immobilisa.

— Oh, mon Dieu ! dit-elle d'un ton bouleversé.

Des yeux morts et laiteux nous fixaient à travers une vitre brisée, dégouttante d'eau.

— C'est une fenêtre, ou peut-être la paroi de protection en verre d'une douche, qui a dû tomber sur le corps et le protéger partiellement du feu, dis-je.

Je dégageai d'autres éclats de verre et McGovern resta pétrifiée, fixant le corps grotesque dont je devinai immédiatement qu'il n'était pas celui de Kenneth Sparkes. La partie supérieure du visage était collée contre l'épaisse paroi de verre fendillé et les yeux étaient d'un gris-bleu terne, leur couleur originelle ayant été dissoute par le feu. Ils nous fixaient sous un front brûlé jusqu'à l'os. De longues mèches de cheveux blonds s'en détachaient et flottaient, irréelles, dans l'eau sale et suintante. Il n'y avait plus ni bouche ni nez, rien d'autre que de l'os calciné et crayeux, et les dents avaient été carbonisées jusqu'à ce qu'il ne reste plus rien d'organique sous l'émail.

Le cou était partiellement intact, et le torse couvert de verre brisé. Les chairs avaient fondu pour se mêler à un tissu sombre : une chemise ou un chemisier. J'en distinguais encore la trame. La vitre qui recouvrait le corps avait aussi protégé du feu les fesses et le pelvis. La victime portait des jeans. Les jambes étaient brûlées jusqu'à l'os, mais les bottes de cuir avaient protégé les pieds. Il ne restait plus rien des avant-bras ni des mains, et je ne trouvai pas trace de leurs os.

— Mais qui c'est, merde ? dit McGovern, stupéfaite. Il vivait avec quelqu'un ?

— Je ne sais pas, dis-je en écopant l'eau.

— Vous pouvez voir si c'est une femme ? demanda

McGovern en se penchant pour y regarder de plus près, sa torche toujours braquée au même endroit.

– Je ne le jurerais pas devant un tribunal avant de l'avoir examinée de plus près. Mais oui, je pense que c'est une femme, répondis-je.

Je contemplai le ciel vide en imaginant la salle de bains dans laquelle la victime était peut-être morte, puis je sortis mes appareils photo de ma valise, les pieds dans l'eau glacée. Pepper, le chien policier, et son maître venaient de faire leur apparition, et Lucy et les autres agents arrivaient en pataugeant, prévenus de notre découverte. Je pensais à Sparkes, et rien ici ne me paraissait logique, en dehors du fait qu'une femme était présente dans sa maison le soir de l'incendie. Je craignais qu'on ne trouve également ses restes à lui quelque part dans les ruines.

Les agents s'approchèrent, l'un d'eux portant une housse à cadavre. Je la dépliai et je pris d'autres photos. La chair ayant cuit au contact du verre, il allait falloir les séparer. Je m'en occuperais à la morgue et donnai l'ordre que tous les débris retrouvés autour du corps y soient également apportés.

– Je vais avoir besoin d'aide, dis-je à la cantonade. Il faut apporter une civière et des bâches ici et appeler les pompes funèbres de la ville. Nous allons avoir besoin d'une camionnette. Faites attention, le verre est coupant. Telle qu'elle est, dans la même position. Le visage tourné vers le haut. Il faut déplacer le corps doucement pour ne pas déchirer la peau. Très bien. Maintenant, ouvrez un peu plus la housse. Le plus large possible.

– Ça va pas passer.

– Peut-être qu'on pourrait casser un peu du verre qui se trouve sur les côtés, là, proposa McGovern. Quelqu'un a un marteau ?

– Non, non. Couvrons-la telle qu'elle est.

Je continuais à donner des ordres, car cette partie était sous ma responsabilité :

– Drapez ceci dessus et enveloppez les côtés pour protéger vos mains. Tout le monde a mis ses gants ?

– Ouais.

– Il y a peut-être un autre corps dans les décombres. Alors que tous ceux qui ne nous aident pas continuent à chercher.

J'attendis que les agents reviennent avec une plaque qui puisse servir de civière et des bâches bleues plastifiées pour la recouvrir. J'étais irritée et tendue.

– Bon, dis-je. Nous allons soulever. Je compte jusqu'à trois.

Nous cherchâmes tous les quatre un point de prise en pataugeant dans l'eau qui nous éclaboussait. C'était épouvantable de devoir trouver un terrain ferme tout en maintenant une vitre mouillée et glissante assez tranchante pour couper le cuir.

– On y va. Un, deux, trois, soulevez.

Nous équilibrâmes le corps au milieu de la plaque. Je le recouvris du mieux que je pus avec les bâches et je l'attachai fermement grâce à des courroies. Nous progressâmes à petits pas hésitants dans l'eau dont le niveau ne dépassait plus le haut de nos rangers. Les pompes Prosser et le générateur bourdonnaient toujours régulièrement, et nous les remarquions à peine tandis que nous charrions notre colis macabre jusqu'à un coin libre qui avait dû être une entrée. Je sentais une odeur de chair grillée et de mort, le relent âcre du tissu, de la nourriture et des meubles, de tout ce qui avait brûlé dans la demeure de Kenneth Sparkes. Lorsque je ressortis dans la pâle lumière du jour qui faiblissait rapidement, j'étais essoufflée et engourdie par la tension nerveuse et le froid.

Nous déposâmes le corps à terre et je le surveillai pendant que le reste de l'équipe continuait de creuser. J'écartai les bâches et examinai longuement cette créature humaine pitoyable et défigurée, puis je sortis une torche et des objectifs de ma valise en aluminium. Le verre avait fondu autour de la tête et sur le nez, et des fragments de matière rosâtre et de cendres étaient emmêlés dans les cheveux. J'examinai les zones de chair épargnées à l'aide de la torche et de l'objectif grossissant. Soudain, je me demandai si mon imagination me jouait des tours en découvrant une zone hémorragique dans le tissu calciné de la région temporale gauche, à deux centimètres de l'œil.

Lucy apparut brusquement à côté de moi et l'entreprise de pompes funèbres Wiser arriva dans une camionnette bleu marine à la carrosserie luisante.

– Tu as trouvé quelque chose ? demanda Lucy.

– Je ne suis pas sûre, mais on dirait une hémorragie, ce qui ne colle pas avec la déshydratation que l'on retrouve lorsque la peau se scinde.

— La peau qui a éclaté sous les flammes, tu veux dire.

— Oui. La chair cuit et enfle, et elle fait éclater la peau.

— Comme quand on cuit un poulet au four.

— Exactement, dis-je.

Les dégâts causés par le feu à la peau, aux muscles et aux os peuvent être facilement confondus avec des blessures dues à la violence d'un tiers lorsqu'on n'est pas familier avec les ravages provoqués par une importante élévation de la température. Lucy s'accroupit à côté de moi pour observer.

— On a trouvé autre chose? demandai-je. Pas d'autres corps, j'espère.

— Pas pour l'instant. La nuit va bientôt tomber et tout ce qu'on peut faire, c'est interdire l'accès de la zone pour pouvoir reprendre demain matin.

Je levai les yeux et vis un homme en costume noir à fines rayures descendre de la camionnette funéraire et enfiler des gants en latex. Il sortit bruyamment une civière et fit claquer le métal en dépliant les pieds.

— Vous allez vous y mettre ce soir, Doc? me demanda-t-il.

J'en déduisis que nous avions déjà dû nous rencontrer.

— Emmenons-la à Richmond, je m'en occuperai demain matin.

— La dernière fois que je vous ai vue, c'était sur la fusillade Moser. La jeune fille qu'ils se disputaient continue à causer des ennuis dans le coin.

— Ah, oui, dis-je.

Je ne m'en souvenais que vaguement, car j'avais connu tant de fusillades et de fauteurs de trouble...

— Merci de votre aide, ajoutai-je.

Nous soulevâmes le corps en agrippant les bords de la housse en plastique. Puis nous le déposâmes sur la civière que nous fîmes glisser à l'arrière de la camionnette.

— J'espère que c'est pas Kenneth Sparkes, dans ce sac, dit-il.

— Nous n'avons pas encore identifié le corps.

Il soupira et se glissa sur le siège conducteur.

— Eh bien, je vais vous dire quelque chose, fit-il en démarrant. Je me balance de ce que les gens disent. C'était un type bien.

Je le regardai s'en aller et sentis le regard de Lucy posé sur moi. Elle me toucha le bras.

— Tu es épuisée, dit-elle. Pourquoi ne passes-tu pas la nuit ici, et je te raccompagnerai en hélico demain matin. Si on trouve autre chose, on te préviendra immédiatement. Ce n'est pas la peine que tu traînes ici pour rien.

Un travail très difficile m'attendait, et il était plus sensé de rentrer à Richmond dès maintenant. Mais pour être franche, je n'avais pas envie de me retrouver dans ma maison vide. Benton était à Hilton Head, en ce moment, et Lucy restait à Warrenton. Il était trop tard pour appeler des amis et j'étais trop fatiguée pour entretenir une conversation polie. C'était un de ces moments où rien ne semblait pouvoir m'apaiser.

— Teun nous a trouvé un meilleur hôtel et j'ai un lit supplémentaire dans ma chambre, tante Kay, ajouta Lucy avec un sourire en sortant des clés de voiture de sa poche.

— Tiens, je suis donc à nouveau « tante Kay » ?

— Tant qu'il n'y a personne avec nous.

— Il faut que je mange quelque chose, dis-je.

## 3

NOUS ACHETÂMES DES HAMBURGERS et des frites au Burger King drive-in de Broadview. La nuit était fraîche. Les phares des voitures me faisaient mal aux yeux et j'avais beau prendre des analgésiques, un mal de tête lancinant me serrait les tempes. L'angoisse ne me lâchait pas. Lucy avait apporté ses CD, qu'elle passait à fond tandis que nous sillonnions les rues de Warrenton dans sa Ford LTD noire de location.

– Qu'est-ce que tu écoutes ? demandai-je, ce qui était pour moi une façon de me plaindre.

– Jim Brickman, répondit-elle gentiment.

– Cela m'étonnerait, dis-je en haussant le ton pour couvrir le son des flûtes et des percussions. On dirait plutôt de la musique des Indiens d'Amérique. Et peut-être que tu pourrais baisser un peu le volume.

Au lieu de quoi, elle l'augmenta.

– David Arkenstone. *Spirit Wind*. Il faut que tu t'ouvres l'esprit, tante Kay. La chanson qu'on écoute s'appelle *Destiny*.

Lucy conduisait à toute vitesse, et je laissais mes pensées vagabonder.

– Tu tournes new age, dis-je en imaginant des loups et des feux de camps dans la nuit.

– Sa musique parle de connexion avec le cosmos, de recherche intérieure et des forces positives, continua-t-elle alors que le rythme s'animait, renforcé par des guitares. Ça te dit quelque chose ?

Je ne pus m'empêcher de rire devant cette explication compliquée. Lucy voulait toujours savoir comment tout fonctionnait et pourquoi. La mélodie, en fait, était apaisante, et je sentis une sorte de soulagement envahir les recoins angoissés de mon cerveau.

– Qu'est-ce qui est arrivé selon toi, tante Kay ? demanda Lucy, rompant brusquement le charme. Je veux dire, sincèrement.

– Pour l'instant, c'est impossible à déterminer, répondis-je sur un ton neutre que j'aurais adopté avec n'importe qui. Et nous ne devons rien déduire sans preuves, y compris le sexe ou l'identité des personnes présentes dans la maison.

– Teun soupçonne déjà un incendie criminel, et moi aussi, reprit-elle sans s'émouvoir. Ce qui est bizarre, c'est que Pepper n'a pas réagi dans les endroits où nous pensions qu'il trouverait quelque chose.

– Comme la salle de bains du premier étage, dis-je.

– Rien là-bas. Le pauvre Pepper s'est donné un mal de chien et on ne l'a même pas récompensé.

Le labrador avait été dressé depuis son plus jeune âge à détecter les traces d'hydrocarbures comme le kérosène, l'essence, l'essence à briquet, les solvants, le white-spirit ou le pétrole. Bien que la chose soit rare, tous ces solvants pouvaient être utilisés par des pyromanes décidés à déclencher un feu d'enfer avec une simple allumette. Quand des initiateurs d'ignition sont déversés quelque part, ils convergent en coulant et leurs vapeurs s'enflamment. Le liquide imprègne les tissus, les draps ou la moquette. Il s'insinue sous les meubles et pénètre dans les fentes du parquet. Ces substances ne se dissolvent en général pas dans l'eau et ne sont donc pas faciles à nettoyer. Si Pepper n'avait rien flairé, c'était probablement qu'il n'y avait rien.

– Ce qu'il faut, c'est découvrir exactement ce qu'il y avait dans la maison pour pouvoir commencer à calculer correctement la charge combustible.

La musique se chargea de violons et les percussions se firent plus mélancoliques.

– Ensuite, nous pourrons avoir une meilleure idée de ce qu'il fallait utiliser et de la manière de procéder pour déclencher un incendie pareil, continua Lucy.

– J'ai trouvé de l'aluminium et du verre fondus et des brûlures exceptionnelles sur les jambes et les avant-bras, toutes les zones qui n'étaient pas protégées par la porte vitrée, dis-je. Ce qui m'amène à penser que la victime était allongée, probablement dans la baignoire, lorsque le feu l'a atteinte.

– C'est curieux de penser qu'un feu comme ça ait pu prendre dans une salle de bains en marbre, dit ma nièce.

– Et une origine électrique ? C'est possible ? demandai-je alors que l'enseigne rouge et jaune du motel flottait au-dessus de l'autoroute à un kilomètre devant nous.

– Écoute, l'installation électrique avait été entièrement refaite dans toute la maison. Quand le feu a atteint les câbles et que l'isolation a été détruite par la chaleur, les fils de terre sont entrés en contact. Il y a eu court-circuit, arc électrique et les fusibles ont sauté, dit-elle. Cela se serait produit de toute façon, que le feu ait été déclenché intentionnellement ou pas. L'origine est difficile à déterminer. Il reste encore plein de choses à examiner et bien entendu, les labos s'y mettront aussi. Mais quelle que soit la cause de l'incendie, le feu a été très rapide. Ça se voit sur certaines parties du parquet. Il y a une nette démarcation entre les endroits complètement brûlés et ceux intacts, ce qui signifie forte chaleur et feu rapide.

Je me souvins que le bois auprès du corps était exactement tel qu'elle venait de le décrire : écaillé par le feu, noirci sur le dessus, plutôt que carbonisé par une combustion lente.

– Au rez-de-chaussée ? demandai-je alors que je sentais s'assombrir encore les perspectives de l'enquête.

– Probablement. Et puis nous savons que ça s'est passé très vite grâce à l'heure de déclenchement de l'alarme et l'arrivée des pompiers dix-sept minutes plus tard.

Elle resta silencieuse un moment, puis reprit :

– La salle de bains, l'hémorragie éventuelle près de son œil gauche. Ça veut dire quoi ? Qu'elle prenait un bain ou une douche ? Qu'elle a été asphyxiée par les fumées et qu'elle s'est cogné la tête en tombant ?

– Il semble bien qu'elle était complètement habillée quand elle est morte, lui rappelai-je, bottes incluses. Si l'alarme à incendie se déclenche quand tu prends un bain ou une douche, je doute que tu prennes le temps de te rhabiller complètement.

Lucy augmenta encore le volume et régla les basses. Des cloches tintèrent avec les percussions et je songeai curieusement à de l'encens et de la myrrhe. Je voulais m'allonger au soleil avec Benton et m'endormir. Je voulais que l'océan lèche mes pieds pendant que je me promènerais le matin sur la plage, et je me souvins de Kenneth Sparkes tel que je l'avais vu pour la dernière fois. Je m'imaginai découvrant bientôt ce qui restait de lui.

– Cet air-là s'appelle *La Chasse au loup*, dit Lucy en tournant sur le parking de la boutique d'une station-service. C'est peut-être ce qu'on est en train de faire, hein ? On court après le grand méchant loup.

– Non, dis-je tandis qu'elle se garait. Je crois qu'on court après un dragon.

Elle enfila un coupe-vent Nike par-dessus sa combinaison ignifugée.

– Tu ne m'as pas vue faire ça, dit-elle en ouvrant sa portière. Teun me défoncerait le derrière à coups de bottes si elle l'apprenait.

– Tu fréquentes trop Marino, dis-je.

Marino suivait rarement les règlements, et il était connu pour rapporter de la bière chez lui dans le coffre de sa voiture de police banalisée.

Lucy entra, et je doute qu'elle trompa quiconque avec ses rangers boueux et son treillis bardé de poches qui exhalait une tenace odeur de brûlé. Le rythme de la musique changea à l'arrivée d'un piano et de clochettes alors que j'attendais ma nièce en tombant de sommeil. Lucy revint avec un carton de Heineken, puis nous reprîmes notre route. Je me laissais bercer par les flûtes et les percussions lorsqu'une série d'images me traversa brusquement l'esprit et me cloua sur mon siège. Je vis des dents dénudées et blanches, des yeux morts, de la couleur gris-bleu d'œufs trop cuits. Des mèches de cheveux flottaient comme des barbes sales d'épis de maïs sur l'eau noire et du verre craquelé, fondu, dessinait la trame compliquée d'une toile d'araignée étincelante sur ce qui restait d'un corps.

– Ça va ? demanda Lucy avec inquiétude en me jetant un coup d'œil.

– Je crois que je m'endors, dis-je. Ça va.

Le Johnson's Motel était juste devant nous, de l'autre côté de l'autoroute. Sur le bâtiment en pierre, à l'auvent en tôle rouge et blanc, une enseigne lumineuse rouge et jaune promettait que le motel était ouvert vingt-quatre heures sur vingt-quatre et qu'il était climatisé. Nous descendîmes de voiture. Un paillasson marqué *Bienvenue* nous accueillit à l'entrée. Lucy sonna. Un gros chat noir arriva à la porte, suivi d'une grosse femme qui sembla surgir de nulle part.

— Nous devons avoir une réservation pour deux, dit Lucy.

— Les chambres doivent être libérées à 11 heures du matin, déclara la femme en passant derrière le comptoir. Je vais vous donner la 15 qui est là-bas au bout.

— Nous sommes de l'ATF, dit Lucy.

— Oh, ma cocotte, j'avais bien compris. L'autre dame est arrivée. Tout est payé d'avance.

Un panneau accroché au-dessus de la porte annonçait : *Pas de chèques*, mais encourageait l'utilisation de la MasterCard et de la Visa. Je me dis que McGovern avait de la suite dans les idées.

— Vous voulez deux clés ? demanda-t-elle en ouvrant un tiroir.

— Oui, madame.

— Et voilà, ma cocotte. Vous trouverez deux bons lits. Si je suis pas là quand vous partez, laissez les clés sur le comptoir.

— Je vois qu'on rigole pas avec la sécurité, ici, fit Lucy, narquoise.

— Sûr. Chaque porte a deux serrures.

— Jusqu'à quelle heure le room-service est-il disponible ? la taquina Lucy.

— Jusqu'à ce que le distributeur de Coca lâche, dit la femme avec un clin d'œil.

Elle devait avoir la soixantaine. Ses cheveux étaient teints en roux et ses bajoues flasques. Son corps épais menaçait de faire éclater son pantalon en polyester marron et son pull jaune. Il était évident qu'elle aimait les vaches noir et blanc. En bois sculpté et en céramique, elles envahissaient les murs et les étagères. Un petit aquarium trônait, peuplé d'un bizarre assortiment de têtards et d'épinoches. Je ne pus m'empêcher de lui poser une question.

— C'est vous qui les élevez ?

— Je les attrape dans l'étang derrière, dit-elle avec un sourire penaud. Il y en a un qui est devenu grenouille l'autre jour et il s'est noyé. Je savais pas que les grenouilles peuvent pas vivre dans l'eau.

— Je vais téléphoner de la cabine, dit Lucy. Au fait, qu'est devenu Marino ?

— Je crois qu'il est allé dîner quelque part avec des membres de la troupe, dis-je.

Elle partit avec notre sac de hamburgers et je soupçonnai

qu'elle appelait Janet et que notre dîner serait froid lors-qu'elle raccrocherait enfin. M'appuyant au comptoir, je remarquai, parmi le fouillis du bureau de la réception, le gros titre en une d'un journal local : *Incendie dans la ferme d'un magnat de la presse.* Il y avait également un avis d'huissier ainsi que des annonces de récompenses pour toute informa-tion sur des affaires de meurtres, accompagnées de portraits-robots de violeurs, voleurs et assassins. Il n'en demeurait pas moins que Fauquier était le genre de comté tranquille où les gens s'assoupissent en pensant qu'ils sont en sécurité.

– J'espère que vous ne travaillez pas toute seule le soir, dis-je à l'employée.

J'ai toujours eu cette irrépressible habitude de donner des conseils de sécurité, qu'on me les demande ou pas.

– J'ai ma Pickle, dit-elle en désignant affectueusement le gros chat noir.

– C'est un nom intéressant.

– Quand on laisse un bocal de pickles ouvert, elle saute dessus, elle trempe sa patte, et ça depuis qu'elle est toute petite.

Pickle était assise devant l'entrée d'une pièce dont je dédui-sis qu'il s'agissait de l'appartement privé de la réceptionniste. La chatte me fixait de ses yeux ronds comme des pièces d'or en balançant sa queue ébouriffée. Elle eut l'air agacé quand la sonnette retentit et que sa maîtresse ouvrit la porte à un homme en débardeur qui tenait une ampoule grillée.

– On dirait que ça a recommencé, Helen, dit-il en lui tendant la pièce à conviction.

Elle se dirigea vers un placard et en sortit une boîte d'am-poules. J'attendis patiemment que Lucy termine sa conver-sation et me laisse utiliser à mon tour le téléphone à pièces. Je regardai ma montre, certaine que Benton avait dû arriver à Hilton Head.

– Et voilà, Big Jim, dit l'employée en échangeant l'am-poule grillée contre une neuve. C'est une soixante watts ? dit-elle en l'examinant. Euh... vous restez encore un peu ? interrogea-t-elle d'un ton qui semblait plein d'espoir.

– J'en sais foutre rien !

– Oh, mince, dit Helen. Alors ça s'arrange pas ?

– Est-ce que ça s'est jamais arrangé ? fit-il en secouant la tête avant de sortir dans la nuit.

— Il s'est encore disputé avec sa femme, commenta Helen en secouant elle aussi la tête. Bien sûr, c'est pas la première fois qu'il vient chez nous, et c'est pour ça qu'ils se disputent autant. J'aurais jamais cru qu'il y avait tant de gens qui couchent en douce. La moitié de nos clients habitent à six kilomètres à la ronde.

— Et vous, on ne peut pas vous tromper, dis-je.

— Oh, sûrement que non, ma petite dame. Mais c'est pas mes oignons tant qu'ils saccagent pas mes chambres.

— Vous n'êtes pas très loin de la ferme qui a brûlé, dis-je.

— J'étais de service cette nuit-là, s'anima-t-elle. On voyait les flammes jaillir comme d'un volcan. (Elle fit de grands gestes éloquents.) Tous ceux qui étaient là sont sortis pour regarder et écouter les sirènes. Et ces pauvres chevaux. Je m'en remets pas.

— Vous connaissez M. Kenneth Sparkes ? demandai-je pensivement.

— Je peux pas prétendre que je l'ai rencontré en personne.

— Auriez-vous entendu parler d'une femme qui séjournait chez lui ? Ça vous dit quelque chose ?

— Il y a des gens qui disent des choses, fit Helen en jetant un regard vers la porte comme si quelqu'un risquait d'entrer d'un instant à l'autre.

— Par exemple ? soufflai-je.

— Oh, je crois que M. Sparkes est un vrai gentleman, vous savez. C'est pas que ses manières le fassent très bien voir dans le coin, mais c'est quelqu'un. Il les aime jeunes et jolies.

Elle réfléchit un moment et me considéra tandis que les papillons de nuit voletaient contre la moustiquaire de la fenêtre.

— Il y en a qui ont été énervés quand ils l'ont vu débarquer avec sa nouvelle, dit-elle. Vous savez, on peut dire ce qu'on veut, mais ici, c'est toujours le Vieux Sud.

— Et cela a énervé quelqu'un en particulier ? demandai-je.

Continuant de surveiller la porte, elle lâcha :

— Oh, les fils Jackson. Ils sont toujours dans les histoires, celle-ci ou une autre. C'est juste qu'ils aiment pas les gens de couleur. Alors en le voyant sortir avec une mignonne petite Blanche, il faisait ça souvent... Eh bien, je dirais juste que ça a jasé.

J'imaginai des membres du Ku Klux Klan avec leurs croix de feu et les partisans de la suprématie blanche avec leurs yeux froids et leurs armes. Ce n'était pas la première fois que je rencontrais la haine. J'avais plongé les mains dans ses carnages pendant la majeure partie de ma vie. Je souhaitai bonne nuit à Helen, la gorge serrée. Je me forçai à ne pas conclure trop précipitamment qu'il s'agissait de préjugés, d'un incendie criminel destiné à punir Sparkes et non pas une femme dont le corps était en ce moment en route vers Richmond. Bien sûr, il était également plausible que seule la vaste propriété de Sparkes ait intéressé les criminels, et ils ignoraient peut-être qu'il y avait quelqu'un à l'intérieur.

L'homme en débardeur était au téléphone quand je sortis. Il tenait son ampoule neuve d'un air absent tout en parlant à voix basse avec animation. Sa colère éclata au moment où je passais à côté de lui.

— Bordel, Louise ! C'est ce que je dis. Tu la fermes jamais, aboya-t-il dans le téléphone.

Je décidai d'appeler Benton plus tard.

J'ouvris la porte rouge de la chambre 15. Lucy fit celle qui ne m'attendait pas. Elle était assise dans un fauteuil, penchée sur un carnet à spirale, et faisait des calculs en prenant des notes. Cependant, elle n'avait pas touché au dîner alors que je savais qu'elle mourait de faim. Je sortis du sac les hamburgers et les frites et les posai avec les serviettes en papier sur la table voisine.

— Tout est froid, me contentai-je de dire.

— On s'y fait, dit-elle d'une voix lointaine et distraite.

— Tu veux prendre ta douche la première ? demandai-je poliment.

— Vas-y, répondit-elle, absorbée par ses calculs, les sourcils froncés.

Notre chambre était d'une propreté impressionnante pour son prix. Elle était décorée dans des nuances marron, avec une télé Zenith presque aussi âgée que ma nièce. Il y avait des lampes chinoises et des lanternes à pendeloques, des figurines de porcelaine, des chromos et des dessus-de-lit fleuris. L'épaisse moquette avait des motifs indiens et le papier représentait des sous-bois. Les meubles semblaient en

Formica, ou bien ils avaient été tellement repeints et laqués qu'on ne discernait plus le grain du bois.

J'inspectai la salle de bains et découvris un robuste carrelage rose et blanc qui devait dater des années cinquante. Des gobelets en polystyrène et de minuscules savons Lisa Luxury étaient posés sur le lavabo. Mais c'est l'unique rose en plastique à la fenêtre qui me toucha le plus. Quelqu'un avait fait de son mieux avec pas grand-chose pour que les clients de passage se sentent attendus, et je doutai que la plupart le remarque ou s'en soucie. Il y a quarante ans, peut-être, une telle attention au détail et une telle délicatesse auraient été appréciées. Mais les gens étaient alors peut-être plus civilisés qu'ils ne semblaient l'être devenus.

J'abaissai la lunette des toilettes pour m'asseoir et enlever mes rangers boueux et trempés. Après quoi, je me bagarrai avec boutons et crochets jusqu'à ce que mes vêtements finissent en un tas informe sur le sol. Je restai sous la douche le temps de me réchauffer et de faire disparaître l'odeur de brûlé et de mort. Lucy travaillait sur son ordinateur portable lorsque je ressortis, vêtue d'un vieux T-shirt de la faculté de médecine de Virginie. J'ouvris une bouteille de bière.

– Quoi de neuf ? demandai-je en m'asseyant sur le canapé.

– Je gamberge, rien de plus. Je n'en sais pas assez pour pouvoir aller plus loin, répondit-elle. Mais c'était un putain d'incendie, tante Kay. Et, de toute évidence, on ne l'a pas amorcé avec de l'essence.

Je n'avais rien à dire.

– Et quelqu'un y a trouvé la mort ? Dans la salle de bains, peut-être ? Comment est-ce arrivé ? À 20 heures ?

Je n'en savais rien.

– Ce que je veux dire, c'est qu'elle est là à se brosser les dents, et l'alarme à incendie se déclenche ?

Lucy me fixa d'un regard aigu et poursuivit :

– Et qu'est-ce qui se passe ? Elle reste là et elle crève ?

Elle fit une pause et s'étira pour détendre ses épaules endolories.

– Dis-moi, chef. C'est toi l'expert.

– Je n'ai pas d'explication, dis-je.

– Et voilà, mesdames et messieurs. La célébrissime experte mondiale, le docteur Kay Scarpetta, prise en défaut.

(Elle devenait mordante.) Dix-neuf chevaux, continua-t-elle. Qui s'en occupait ? Sparkes n'avait pas de garçons d'écurie ? Et pourquoi l'un d'eux s'est-il échappé ? Le petit étalon noir ?

— Comment sais-tu que c'est un mâle ? demandai-je alors qu'on frappait à la porte. Qui est-ce ?

— Eh, c'est moi ! répondit Marino d'un ton bourru.

Je le fis entrer et vis à son expression qu'il avait du nouveau.

— Kenneth Sparkes est en vie et il va bien, annonça-t-il.

— Où est-il ? demandai-je, perplexe.

— Apparemment, il était à l'étranger et il est rentré en apprenant les nouvelles. Il est descendu à Beaverdam, et il n'a pas l'air de savoir quoi que ce soit, y compris l'identité de la victime.

— Pourquoi Beaverdam ? demandai-je en calculant le temps qu'il fallait pour aller dans ce coin retiré du comté de Hanover.

— Son entraîneur y habite.

— Pardon ?

— L'entraîneur de ses chevaux. Pas son entraîneur à lui. C'est pas comme s'il faisait de l'haltérophilie ou autre chose.

— Je vois.

— J'y vais demain matin, vers 9 heures, dit-il. Vous pouvez rentrer à Richmond ou venir avec moi.

— J'ai un cadavre à identifier, alors il faut que je parle à Sparkes, qu'il prétende ne rien savoir ou pas. Je crois que je vais vous accompagner, dis-je en regardant Lucy. Notre intrépide pilote nous conduit-elle, ou bien avez-vous réussi à vous procurer une voiture ?

— Je laisse tomber le coucou, répliqua Marino. Je vous rappelle que la dernière fois que vous avez parlé à Sparkes, vous l'avez mis en boule.

— Je ne m'en souviens pas, dis-je, et c'était vrai, car j'avais irrité Sparkes en bien des occasions, lorsque nous n'étions pas d'accord sur les détails d'une affaire qui finissait à la une des médias.

— Je peux vous le certifier, Doc. Bon, vous me filez une bière ou vous les gardez pour vous ?

— Ne me dites pas que vous n'avez pas votre propre cargaison, dit Lucy en se remettant à son travail et en tapant sur son clavier.

Marino ouvrit le réfrigérateur et prit une bouteille.

– Vous voulez que je vous dise ce que je pense après cette journée ? dit-il. Ben, ça a pas changé par rapport à ce matin !

– C'est-à-dire ? demanda Lucy sans lever le nez.

– Sparkes est derrière tout ça.

Il posa l'ouvre-bouteilles sur la table basse, s'arrêta sur le seuil, la main sur la poignée, puis continua :

– Pour commencer, c'est vachement commode qu'il se soit trouvé à l'étranger quand c'est arrivé, dit-il dans un bâillement. Donc, il a fait faire le sale boulot par quelqu'un. Pour du fric. (Il sortit une cigarette de sa poche de chemise et la fourra entre ses lèvres.) C'est tout ce qui a toujours intéressé cet enfoiré, de toute façon. Le fric et sa queue.

– Marino, je vous en prie, dis-je plaintivement.

J'aurais voulu qu'il se taise et qu'il s'en aille. Mais il ignora le sous-entendu.

– Le pire dans tout ça, c'est que nous avons sûrement un homicide sur le dos en plus du reste, dit-il en ouvrant la porte. Ce qui veut dire que votre serviteur est coincé sur cette affaire comme une mouche engluée dans un pot de miel. Et ça vaut pour vous deux aussi. Et merde...

Il sortit son briquet et sa cigarette s'agita sur ses lèvres.

– C'est la dernière chose dont j'ai envie en ce moment. Vous n'avez pas idée de tous les gens que ce connard a sans doute dans la poche, continua-t-il, incapable de s'arrêter. Des juges, des shérifs, des commandants de pompiers...

– Marino, le coupai-je, voyant qu'il ne faisait qu'empirer la situation. Vous tirez des conclusions hâtives. En fait, vous êtes sur la planète Mars.

Pointant sa cigarette sur moi, il déclara :

– Attendez, et vous verrez. Où que vous vous tourniez, quoi que vous fassiez dans cette histoire, vous tomberez sur un vrai nid de guêpes.

– J'ai l'habitude, Marino.

– C'est ce que vous croyez.

Il referma la porte avec une brutalité superflue.

– Hé ! Il est inutile de l'arracher de ses gonds ! lui lança Lucy.

– Tu vas travailler sur cet ordinateur toute la nuit ? demandai-je.

– Pas toute la nuit.

Carrie Grethen envahit à nouveau mon esprit :

— Il se fait tard, et nous devons discuter de quelque chose.

— Et si je te réponds que je n'en ai pas envie ? dit-elle d'un ton sérieux.

— Cela n'aurait aucune importance, répliquai-je. Il faut qu'on parle.

— Tu sais, tante Kay, s'il s'agit de Teun et de Philadelphie...

— Quoi ? demandai-je stupéfaite. Qu'est-ce que Teun a à voir avec ça ?

— Je vois bien que tu ne l'aimes pas.

— C'est complètement ridicule.

— Je lis en toi comme dans un livre, continua-t-elle.

— Je n'ai rien contre Teun, et ça n'est vraiment pas le sujet. Ma nièce se tut et entreprit de défaire ses rangers.

— Lucy, j'ai reçu une lettre de Carrie...

J'attendis qu'elle réagisse. Rien ne vint.

— ... C'est une lettre bizarre, menaçante. Elle me harcèle depuis le Centre psychiatrique où elle est internée à New York...

Je marquai à nouveau une pause. Lucy laissa tomber une chaussure sur la moquette tabac.

— ... Disons qu'en substance elle veut qu'on sache qu'elle a l'intention de créer de gros problèmes durant son procès, expliquai-je. Cela n'est pas vraiment très surprenant, mais, eh bien, je..., bafouillai-je tandis qu'elle ôtait ses chaussettes et massait ses pieds pâles. Il faut nous y préparer, c'est tout.

Lucy déboucla sa ceinture et défit son pantalon comme si elle n'avait rien entendu. Elle retira sa chemise sale et la jeta par terre. Vêtue d'un simple soutien-gorge et d'une petite culotte, elle se dirigea vers la salle de bains. Son corps souple était splendide et je la regardai disparaître, stupéfaite, jusqu'au moment où j'entendis l'eau couler.

C'était comme si je n'avais jamais remarqué ses lèvres pleines et sa poitrine, ou ses jambes et ses bras fuselés et solides comme l'arc d'un chasseur. À moins tout simplement que j'aie toujours refusé de la considérer comme un individu à part entière, distinct de moi et sexué, parce que j'avais préféré ne rien comprendre : ni elle ni sa façon de vivre. Je me sentis honteuse et désorientée lorsque, l'espace d'un éclair, je l'imaginai en amante passionnée de Carrie Grethen. L'idée qu'une femme puisse avoir envie de toucher ma nièce ne me semblait pas déroutante.

Lucy prit son temps sous la douche et je compris qu'elle le faisait exprès à cause de la discussion que nous devions avoir. Elle réfléchissait. Je soupçonnais qu'elle était furieuse et m'attendais qu'elle passe sa colère sur moi. Mais quand elle ressortit plus tard, elle portait un T-shirt des pompiers de Philadelphie qui ne fit que m'assombrir l'humeur. Elle était fraîche et embaumait le citron.

– Non que cela me regarde, commençai-je en fixant le logo qui s'étalait sur sa poitrine.

– C'est Teun qui me l'a offert.

– Ah.

– Et tu as raison, tante Kay, ça ne te regarde pas.

Ma colère monta, à son tour :

– Je me demande vraiment pourquoi tu n'apprends pas...

– Apprendre ?

L'expression perplexe que Lucy feignait était destinée à m'irriter, me mettre sur la touche et me rabaisser.

– ... à ne pas coucher avec les gens avec qui tu travailles.

Mes émotions suivaient leur propre cours comme un torrent dangereux et furieux. Je me montrais injuste, je tirais des conclusions hâtives sans grandes preuves. Mais j'avais peur pour Lucy, peur de tout.

– Quelqu'un m'offre un T-shirt, donc je couche avec ? Hum. Sacrée déduction, docteur Scarpetta, dit Lucy de plus en plus en colère. Et au fait, c'est toi qui parles de coucher avec les gens avec qui on travaille. Regarde un peu avec qui tu vis pratiquement. Coucou, atterris !

J'étais sûre que Lucy serait partie en claquant la porte si elle avait été habillée. Faute de quoi, elle me tournait le dos et fixait le rideau de la fenêtre. Elle essuya des larmes de rage sur ses joues, et j'essayai de préserver le peu qui restait d'un moment que je n'avais jamais eu l'intention de transformer en un tel désastre.

– Nous sommes toutes les deux fatiguées, dis-je doucement. La journée a été atroce, et à présent Carrie a eu ce qu'elle cherchait. Elle nous a dressées l'une contre l'autre.

Ma nièce ne broncha pas, ne parla pas, son dos tourné vers moi comme un mur.

– Je n'ai pas du tout sous-entendu que tu couchais avec

Teun, continuai-je. Je t'avertis simplement du chaos et des peines qui nous attendent... Enfin, je devine ce qui pourrait se passer.

Elle se tourna vers moi et me fixa d'un air de défi.

— Comment ça, *tu devines ce qui pourrait se passer*? demanda-t-elle. Elle est lesbienne? Je ne me rappelle pas qu'elle m'ait dit ça.

— Peut-être que ta relation avec Janet n'est pas parfaite en ce moment, continuai-je. Et les gens sont ce qu'ils sont.

Elle s'assit au pied du lit et il était manifeste qu'elle avait l'intention de ne pas arrêter là cette conversation :

— Ce qui veut dire?

— Rien de plus. Je ne suis pas née de la dernière pluie. Le sexe de Teun m'est bien égal. Je n'ai aucune idée de ses préférences. Mais si vous êtes attirées l'une par l'autre? Comment pourrait-on ne pas être attiré par des femmes comme vous? Vous êtes toutes les deux très belles, volontaires, brillantes et courageuses. Je te rappelle simplement que c'est ton supérieur hiérarchique, Lucy.

Le sang me battit aux tempes alors que j'élevais la voix.

— Et qu'est-ce que tu vas faire? continuai-je. Tu vas passer d'une agence fédérale à l'autre jusqu'à ce que tu aies bousillé ta carrière? C'est de cela que je parle, que ça te plaise ou non. Et c'est la dernière fois que j'aborde le sujet.

Ma nièce me fixa et les larmes lui vinrent à nouveau aux yeux. Elle ne les essuya pas, cette fois, et elles roulèrent le long de ses joues pour atterrir sur le T-shirt que Teun McGovern lui avait offert.

— Excuse-moi, Lucy, dis-je gentiment. Je sais que ta vie n'est pas facile.

Nous restâmes sans rien dire et elle détourna le visage pour pleurer. Elle prit une profonde inspiration qui fit trembler sa poitrine.

— Tu as déjà aimé une femme? me demanda-t-elle.

— Je t'aime, toi.

— Tu sais très bien ce que je veux dire.

— Non, pas amoureuse, dis-je. Pas que je sache.

— C'est un peu vague.

— Ce n'était pas intentionnel.

— Tu pourrais?

— Je pourrais quoi?

– Aimer une femme ? insista-t-elle.

– Je ne sais pas. Je commence à croire que je ne sais rien, dis-je, me montrant aussi honnête que je le pouvais. Cette partie de mon cerveau est sans doute bouclée.

– Ça n'a rien à voir avec le cerveau.

Je ne sus que répondre.

– J'ai couché avec deux hommes, reprit-elle. Donc, à titre d'information, sache que je sais faire la différence.

– Lucy, tu n'as pas à plaider ta cause devant moi.

– Ma vie privée ne devrait pas être un sujet de plaidoirie.

– Mais c'est sur le point de le devenir, répondis-je, revenant à mon sujet. Que penses-tu que Carrie va faire ?

Lucy ouvrit une autre bière et s'assura d'un coup d'œil que la mienne était à peine entamée.

– Envoyer des lettres à la presse ? supputai-je. Mentir sous serment ? Sauter sur l'occasion et raconter à la barre, dans les détails les plus crus, tout ce que vous avez fait ensemble ?

– Mais, bordel, comment veux-tu que je le sache ? rétorqua Lucy. Pendant cinq ans, elle n'a eu rien d'autre à faire que réfléchir et échafauder des plans, alors que nous, nous étions pour le moins occupées.

– Que sait-elle d'autre, que pourrait-elle déballer ?

Il fallait que je pose cette question.

Lucy se leva et arpenta la chambre.

– Tu lui as fait confiance, continuai-je. Tu t'es confiée à elle et pendant tout ce temps, elle était la complice de Gault. Tu leur as servi de canal d'information, Lucy. Direct, sur tout ce que nous faisions.

– Je suis vraiment trop fatiguée pour parler de ça, dit-elle.

Mais elle allait en parler. J'y étais décidée. Je me levai et éteignis le plafonnier, parce que j'ai toujours trouvé qu'il est plus facile de discuter dans une atmosphère tamisée et adoucie par des ombres. Après quoi, je retapai les oreillers sur nos lits, puis je défis les draps. Tout d'abord, elle ne répondit pas à mon invitation, et continua de faire les cent pas comme une bête en cage tandis que je la regardais sans mot dire. Elle finit par s'asseoir à contrecœur sur son lit et se laissa aller contre les oreillers.

– Oublions ta réputation pour l'instant, commençai-je calmement. Parlons plutôt de ce que sera ce procès à New York.

– Je le sais très bien.

J'allais, de toute façon, attaquer avec un premier argument, aussi levai-je la main pour qu'elle m'écoute.

— Temple Gault a tué au moins cinq personnes en Virginie, commençai-je. Et nous savons que Carrie a été impliquée dans au moins l'un de ces crimes, puisque nous avons trouvé une vidéo qui la montre tuant un homme d'une balle dans la tête. Tu t'en souviens.

Lucy resta silencieuse.

— Tu étais là lorsque nous avons visionné cette effrayante cassette.

— Je sais tout cela.

La colère montait à nouveau dans sa voix.

— Nous en avons parlé un million de fois, ajouta-t-elle.

— Tu l'as vue tuer, continuai-je. Cette femme était ton amante, tu avais dix-neuf ans, tu étais innocente. Tu créais la programmation de CAIN pendant ton internat à l'ERF.

Je sentais qu'elle se recroquevillait à mesure que le récit devenait plus pénible. L'ERF était l'unité de recherches en ingénierie du FBI, qui abritait un système informatique connu sous le nom de CAIN, une sorte de banque de données qui permettait de ficher et de pister les meurtriers d'un bout à l'autre de la planète. Lucy l'avait conçu et s'était occupée de sa mise en place. Et puis elle en avait été écartée et ne supportait plus d'entendre prononcer ce nom.

— Tu as vu ton amante tuer après t'avoir attirée dans un piège échafaudé de sang-froid. Tu n'étais pas de taille contre elle.

— Pourquoi me fais-tu subir cela ? demanda Lucy d'une voix étouffée, le visage enfoui dans ses bras.

— Un retour dans la réalité.

— Je n'en ai pas besoin.

— Je crois que si. Et au fait, nous n'allons même pas entrer dans les détails personnels que Carrie et Gault ont appris à mon sujet. Ceci nous amène à New York, où Gault a assassiné sa propre sœur et au moins un policier. Les récents examens de laboratoire indiquent qu'il ne l'a pas fait seul. Les empreintes de Carrie ont été découvertes un peu plus tard sur certains effets personnels de Jayne Gault. Quand Carrie a été arrêtée, on a trouvé du sang de Jayne sur son pantalon. Selon nous, Carrie a aussi appuyé sur la détente dans le cas de Jayne.

– C'est probable, dit Lucy. Et je le sais déjà.

– Mais tu ne sais pas pour Eddie Heath. Tu te souviens de la barre de chocolat et de la boîte de sauce qu'il a achetées au 7-Eleven ? Le sac qu'on a retrouvé près de son corps mutilé et agonisant ? Depuis, on y a décelé l'empreinte du pouce de Carrie.

– Non, ce n'est pas possible ! s'exclama Lucy, bouleversée.

– Et ce n'est pas tout.

– Pourquoi tu ne m'en as jamais parlé ? Elle faisait tout ça avec lui. Et elle l'a probablement aussi aidé à s'évader de prison à l'époque.

– Cela ne fait aucun doute. Ils étaient les nouveaux Bonnie and Clyde avant que tu ne la connaisses, Lucy. Elle tuait quand tu avais dix-sept ans et que personne ne t'avait encore jamais embrassée.

– Qu'est-ce que tu en sais ? rétorqua sottement ma nièce.

Personne ne prononça un mot pendant un moment.

Puis Lucy reprit, d'une voix tremblante :

– Alors tu penses qu'elle a passé deux ans à échafauder un plan pour me rencontrer et devenir... Et faire ce qu'elle a fait pour...

– Pour te séduire, achevai-je. Je ne sais pas si elle a planifié si longtemps à l'avance. Franchement, je m'en moque. (Je sentais ma colère monter.) Nous avons remué ciel et terre pour l'extrader jusqu'en Virginie, et c'est impossible. New York ne veut pas la livrer.

Ma bouteille de bière pendait dans ma main, oubliée. Je fermai les yeux et des images fugaces des morts défilèrent dans ma tête. Je vis Eddie Heath appuyé contre une benne à ordures, la pluie diluant le sang qui coulait de ses blessures. Je vis le shérif et le gardien de prison tués par Gault et probablement par Carrie. J'avais touché leurs corps et traduit leurs souffrances en diagrammes, protocoles d'autopsie et fiches dentaires. Je n'y pouvais rien. Je voulais que Carrie meure pour payer ce qu'elle leur avait fait, à eux, à ma nièce et à moi.

– C'est un monstre, dis-je d'une voix tremblante de chagrin et de fureur. Je ferai tout ce que je peux pour qu'elle soit punie.

– Alors pourquoi me fais-tu ce sermon ? demanda Lucy

en haussant la voix, exaspérée. Tu penses peut-être que je ne veux pas la même chose ?

— Je suis sûre que si.

— Laisse-moi appuyer sur le bouton ou lui planter l'aiguille dans le bras.

— Votre ancienne relation ne doit pas te faire perdre ton sens de la justice, Lucy.

— Mon Dieu...

— C'est déjà un combat trop lourd pour toi. Et si tu perds ton sang-froid, Carrie aura gagné.

— Mon Dieu, répéta Lucy. Je ne veux pas en entendre davantage.

J'étais incapable de m'arrêter :

— Tu te demandes ce qu'elle veut ? Je peux te le dire très précisément. Manipuler. C'est ce qu'elle fait le mieux. Ensuite, elle sera déclarée non coupable pour raisons psychiatriques et le juge la renverra à Kirby. Et là, son état s'améliorera brusquement et considérablement et les médecins concluront qu'elle n'est plus folle. Double danger. On ne peut pas la juger deux fois pour le même crime et on la libérera.

— Si jamais elle sort, dit froidement Lucy, je la retrouve et je lui fais exploser la tête.

— Et tu crois que c'est une réponse ?

Je la vis se redresser contre les oreillers. Elle était très raide, et j'entendais sa respiration bruyante et la haine qui vibrait en elle.

— Le monde se fiche complètement d'avec qui tu couches, sauf si toi ça te préoccupe, dis-je sur un ton plus calme. En fait, je pense que le jury comprendra comment cela a pu se produire. Tu étais si jeune. Et elle était plus âgée, brillante, séduisante. À l'époque, elle était charismatique et pleine d'attentions pour toi. Et c'était ton supérieur hiérarchique.

— Comme Teun, dit Lucy.

Je ne pus déceler si elle se moquait de moi.

— Teun n'est pas une psychopathe, dis-je.

## 4

L E LENDEMAIN MATIN, je m'endormis dans la Ford de
location et me réveillai au milieu des champs de maïs,
des silos et de bosquets d'arbres aussi vieux que la guerre de
Sécession. Marino conduisait et nous longeâmes de vastes
champs en friche cernés de barbelés et de lignes téléphoniques. À l'entrée des maisons se dressaient des boîtes aux
lettres peintes qui évoquaient toutes des jardins de fleurs. Il
y avait des mares, des ruisseaux, des fermes et des pâturages
aux herbes hautes. Je remarquai surtout les petites maisons
aux clôtures penchées et les cordes à linge ployant sous le
poids des vêtements que gonflait la brise.

J'étouffai un bâillement d'un revers de main et détournai
la tête, car j'avais toujours considéré que c'était un signe de
faiblesse d'avoir l'air fatigué ou ennuyé. Quelques minutes
plus tard, nous bifurquâmes sur la 715, Beaver Dam Road, et
commençâmes à voir des vaches. Les granges étaient grises
à force d'avoir été délavées par les intempéries, et on aurait
dit que l'idée de se débarrasser de leurs vieux camions ne
venait jamais aux gens. Le propriétaire d'Hootowl Farm
habitait une vaste demeure de briques blanches entourée
à perte de vue de prairies clôturées. La maison avait été
construite en 1730, si l'on en croyait le panneau qui se balançait à l'entrée. Depuis, elle s'était dotée d'une piscine et
d'une antenne satellite qui semblait suffisamment imposante
pour capter des messages venant d'autres galaxies.

Betty Foster sortit pour nous accueillir avant même que
nous ne soyons descendus de voiture. Elle avait la cinquan-
taine, des traits bien dessinés et aristocratiques, et une peau
profondément marquée par le soleil. Ses longs cheveux
blancs étaient ramassés en chignon. Mais elle allait du pas

sportif de quelqu'un qui aurait eu la moitié de son âge et me serra la main d'une poigne puissante et ferme en me regardant de ses tristes yeux noisette.

— Je suis Betty, dit-elle. Vous devez être le docteur Scarpetta. Et vous le capitaine Marino.

Elle lui serra également la main d'un geste rapide et assuré. Betty Foster portait des jeans, une chemise en denim sans manches et des bottes élimées aux talons maculés de boue. Sous ses dehors hospitaliers se cachaient d'autres émotions et elle paraissait un peu étourdie par notre présence, comme si elle ne savait pas par où commencer.

— Kenneth est au manège, dit-elle. Il vous attend, je vais aller le prévenir, mais je dois vous dire qu'il est complètement dévasté. Il adorait ses chevaux, tous, et bien sûr il est catastrophé d'apprendre que quelqu'un est mort dans sa maison.

— Quelle est exactement la nature de votre relation avec lui ? demanda Marino alors que nous prenions le chemin poussiéreux qui menait aux écuries.

— J'élève et je dresse ses chevaux depuis des années, dit-elle. Depuis qu'il est revenu à Warrenton. Il avait les plus beaux Morgans du Commonwealth. Sans parler des quarter-horses et des pur-sang.

— Il vous amenait ses chevaux ? demandai-je.

— Parfois, oui. Parfois c'étaient des yearlings qu'il m'achetait et qu'il laissait ici pendant deux ans pour que je les dresse. Ou alors des chevaux de course qu'il vendait quand ils étaient assez vieux pour être entraînés. Et puis je suis aussi allée à sa ferme, parfois deux ou trois fois par semaine. Grosso modo, je supervisais.

— Et il n'avait pas de garçon d'écurie ? demandai-je.

— Le dernier a démissionné il y a quelques mois. Depuis lors, Kenny faisait presque tout lui-même. Il ne pouvait pas engager n'importe qui pour ça. Il faut faire attention.

— J'aimerais en savoir plus sur ce garçon d'écurie, dit Marino qui prenait des notes.

— Un charmant vieil homme avec un cœur très malade, dit-elle.

— Il est possible qu'un cheval ait survécu à l'incendie, lui appris-je.

Elle ne répondit rien. Nous approchions d'une vaste

grange rouge et d'un panneau de barrière sur lequel on lisait :
*Attention au chien.*

— Je crois que c'est un jeune, dis-je. Noir.

— Une pouliche ou un poulain ? demanda-t-elle.

— Je ne sais pas. Je n'ai pas pu voir le sexe.

— Est-ce qu'il aurait une étoile et une bande ? demanda-t-elle, faisant allusion à une tache blanche sur le front de l'animal.

— Je n'étais pas assez près.

— Eh bien, Kenny avait un poulain du nom de Windsong, dit Foster. La mère, Wind, a couru le Derby et est arrivée dernière, mais rien que le fait qu'elle y ait participé était déjà bien. Et puis le père avait gagné de grandes courses. Windsong était donc le cheval le plus précieux du haras de Kenny.

— Eh bien, Windsong a dû sortir d'une façon ou d'une autre, dis-je. Il a été épargné.

— J'espère qu'il n'est pas encore là-bas à courir dans la nature.

— Si c'est le cas, ça ne durera pas longtemps. La police en a été informée.

Marino semblait se désintéresser de la conversation. En entrant dans le manège couvert, nous fûmes accueillis par le bruit des sabots et les caquètements de coqs et de pintades qui se promenaient en liberté. Marino toussa et plissa les yeux à cause de l'épaisse poussière en suspension dans l'air, soulevée par le trot d'une jument alezane. Les chevaux restés dans leurs boxes hennissaient et s'ébrouaient à chaque passage du cavalier et de sa monture. Je reconnus immédiatement Kenneth Sparkes sur sa selle anglaise, mais c'était la première fois que je le voyais avec un jean sale et des bottes. Il se révélait excellent cavalier. Quand il croisa mon regard en passant, il garda un visage parfaitement impassible. Je compris immédiatement que nous n'étions pas les bienvenus.

— Y a-t-il un endroit où nous puissions parler ? demandai-je à Betty.

— Il y a des sièges dehors, dit-elle en nous les montrant. Sinon, vous pouvez prendre mon bureau.

Le cavalier accéléra et passa devant nous dans une cavalcade de sabots. Les poules battirent des ailes et s'écartèrent au plus vite de sa trajectoire.

— Étiez-vous au courant de la présence d'une dame à Warrenton ? demandai-je alors que nous ressortions. Avez-vous jamais vu quiconque lorsque vous alliez travailler là-bas ?

— Non, répondit Betty.

Nous nous installâmes sur les sièges en plastique, dos au manège, face au bois.

— Mais Dieu sait que Kenny aime les femmes et qu'il ne me les présente pas toutes, dit Betty en tournant son siège pour regarder le manège. À moins que vous ne vous soyez pas trompée concernant Windsong, le cheval que monte Kenny en ce moment est le seul qui lui reste. Black Opal. On l'appelle Pal, c'est plus court.

Sans faire de commentaires, Marino et moi tournâmes la tête pour voir Sparkes démonter et tendre les rênes à l'un des garçons d'écurie.

— Bon travail, Pal, dit-il en flattant l'encolure et la splendide tête de l'animal.

— Y a-t-il une raison particulière pour que celui-ci n'ait pas été avec les autres à la ferme ? demandai-je à Betty.

— Il n'est pas tout à fait assez âgé. C'est un hongre d'à peine trois ans qui a encore besoin d'être débourré. C'est pour ça qu'il est toujours ici, il a eu de la chance.

L'espace d'un éclair, son visage se crispa de chagrin et elle baissa les yeux. Après s'être éclairci la gorge, elle prit congé alors que Sparkes sortait du manège et ajustait sa ceinture. Marino et moi nous levâmes et lui serrâmes respectueusement la main. Sa chemise Izod rouge était trempée de sueur, et il s'essuya le visage à l'aide du bandana jaune qu'il portait autour du cou.

— Je vous en prie, installez-vous, dit-il aimablement, comme s'il nous accordait une audience.

Nous reprîmes place et il s'installa dans un fauteuil qu'il tourna vers nous. Ses yeux injectés de sang nous fixaient avec détermination.

— Laissez-moi commencer en vous disant que je suis fermement convaincu que cet incendie n'est pas accidentel.

— C'est ce que nous sommes venus élucider, monsieur, dit Marino, plus poliment qu'à son habitude.

— Je crois que le mobile est le racisme.

Les mâchoires de Sparkes se serrèrent et la fureur envahit sa voix.

– Et ils – quels qu'ils soient – ont intentionnellement tué mes chevaux, détruisant tout ce qui m'est cher.

– Si le mobile est le racisme, dit Marino, pourquoi n'ont-ils pas vérifié que vous étiez chez vous ?

– Certaines choses sont pires que la mort. Peut-être qu'ils veulent que je survive pour souffrir. C'est facile à deviner.

– C'est ce qu'on essaie de faire, dit Marino.

– N'essayez surtout pas de me coller ça sur le dos, répondit-il en nous désignant de l'index. Je sais précisément ce que les gens comme vous pensent, continua-t-il. Que j'ai foutu le feu à ma ferme et à mes chevaux pour une histoire de fric. Maintenant, écoutez-moi bien...

Il se pencha en avant.

– ... Je vous affirme que je ne suis pas coupable. Je refuserais de faire une chose pareille, j'en serais incapable. Je n'ai rien à voir avec ce qui est arrivé. C'est moi la victime, et j'ai probablement de la chance d'être encore en vie.

– Parlons de l'autre victime, intervins-je doucement. Une femme blanche avec de longs cheveux blonds, d'après ce que nous savons pour l'instant. Quelqu'un d'autre aurait-il pu se trouver chez vous ce soir-là ?

– Personne n'aurait dû se trouver chez moi ! s'exclama-t-il.

– Nous pensons que cette personne a pu trouver la mort dans votre chambre, poursuivis-je. Peut-être dans la salle de bains attenante.

– Qui qu'elle soit, elle n'a pu entrer que par effraction, dit-il. Ou bien c'est elle qui a mis le feu, et elle n'a pas pu sortir.

– Rien n'indique qu'il y ait eu effraction, monsieur, répondit Marino. Et si votre alarme était branchée, elle ne s'est jamais déclenchée cette nuit-là. Il n'y a eu que l'alarme à incendie.

– Je ne comprends pas, dit Sparkes d'un air sincère. Bien sûr, j'ai enclenché l'alarme quand j'ai quitté la maison.

– Et où alliez-vous ? demanda Marino.

– À Londres. En arrivant, j'ai été immédiatement prévenu. Je n'ai même pas quitté l'aéroport d'Heathrow, j'ai repris le premier vol de retour, dit-il. Je suis descendu à Washington et j'ai récupéré ma voiture.

Il fixa le sol d'un air absent.

– Quelle voiture conduisiez-vous ? interrogea Marino.

– Ma Cherokee. Je l'avais laissée à Dulles sur le parking longue durée.

– Vous avez le reçu ?

– Oui.

– Et la Mercedes garée chez vous ?

– Quelle Mercedes ? demanda Sparkes en fronçant les sourcils. Je n'ai pas de Mercedes. J'ai toujours acheté des voitures américaines.

Je me rappelai que c'était l'un de ses principes et qu'il en faisait volontiers état.

– Il y a une Mercedes garée derrière chez vous. Elle a également brûlé, on ne sait donc pas grand-chose à son sujet pour l'instant, dit Marino. Mais ça n'a pas l'air d'un modèle bien récent. C'est une cinq portes, un peu carrée, comme on les faisait avant.

Sparkes se contenta de secouer la tête.

– Donc c'était peut-être la voiture de la victime, déduisit Marino. Peut-être que quelqu'un était venu vous voir sans prévenir ? Qui d'autre a les clés de chez vous et le code de votre alarme antivol ?

– Seigneur, dit Sparkes en réfléchissant. Josh les avait. Mon garçon d'écurie, honnête comme pas un. Il a démissionné pour des raisons de santé et je n'ai jamais pris la peine de changer les serrures.

– Vous devrez nous dire où nous pouvons le trouver, dit Marino.

– Il n'aurait jamais..., commença Sparkes.

Il n'acheva pas, alors qu'une expression incrédule se peignait sur son visage.

– Mon Dieu, murmura-t-il en poussant un affreux soupir. Oh, mon Dieu. (Il me regarda.) Vous disiez qu'elle était blonde ?

– Oui.

– Pouvez-vous m'en dire davantage sur elle ? demanda-t-il d'une voix que la panique envahissait.

– Elle avait l'air mince, probablement blanche. Vêtue d'un jean, d'une sorte de chemise et de bottes. Des bottes lacées, pas des bottes de cow-boy.

– De quelle taille ?

– Je ne peux pas l'affirmer tant que je ne l'ai pas examinée.

– Des bijoux ?

– Elle n'avait plus de mains.

Il soupira à nouveau.

– Avait-elle les cheveux très longs, lui descendant jus-qu'au milieu du dos, d'un blond très pâle ? demanda-t-il d'une voix tremblante.

– C'est ce qu'il semble pour l'instant, répondis-je.

– Je connais une jeune femme, commença-t-il en s'éclair-cissant la voix. Mon Dieu, je ne l'ai pas vue depuis plus d'un an. J'ai une maison à Wrightsville Beach, c'est là que je l'ai rencontrée. Elle était étudiante à l'université, ou du moins elle y allait de temps en temps. Ça n'a pas duré longtemps, six mois, peut-être. Et elle est effectivement venue séjourner à plusieurs reprises à la ferme. La dernière fois que je l'y ai vue, j'ai rompu, parce que ça ne pouvait plus continuer.

– Avait-elle une vieille Mercedes ? demanda Marino.

Sparkes secoua la tête. Il se couvrit le visage de ses mains, cherchant à reprendre contenance.

– Une Volkswagen de je ne sais plus quel modèle. Bleu ciel, parvint-il à dire. Elle n'avait pas un sou. Je lui ai donné un peu d'argent à la fin, avant de la quitter. Mille dollars en liquide. Je lui ai conseillé de retourner à l'université finir ses études. Elle s'appelle Claire Rawley et je pense qu'elle a pu prendre un des doubles des clés à mon insu un jour qu'elle était chez moi. Peut-être qu'elle a vu le code de l'alarme quand je l'enclenchais.

– Et vous n'avez eu aucune nouvelle de Claire Rawley pendant plus d'un an ? demandai-je.

– Pas un mot, répondit-il. Ça me paraît tellement lointain. C'était une amourette idiote, en fait. Je l'ai vue surfer et j'ai commencé à lui parler sur la plage, à Wrightsville. Je dois dire que c'était la plus jolie femme que j'avais jamais vue. Pendant un certain temps, j'ai perdu la tête, puis j'ai repris mes esprits. Il y avait des tas et des tas de complications. Claire avait besoin d'une nounou et je ne pouvais pas l'être pour elle.

– Il faut que vous me disiez tout ce que vous savez, dis-je avec conviction. Tout sur ses origines, sa famille. Tout ce qui pourrait m'aider à identifier le corps ou à écarter Claire Rawley. Je vais aussi contacter l'université, bien entendu.

– Je dois vous confier la triste vérité, docteur Scarpetta,

me dit-il. Je n'ai jamais su grand-chose d'elle, en fait. Notre relation était surtout sexuelle, je l'aidais financièrement et je faisais mon possible pour résoudre ses problèmes. J'avais vraiment de l'affection pour elle. (Il marqua une pause.) Mais ça n'a jamais été sérieux, du moins de ma part. Je veux dire par là que le mariage n'a jamais été envisagé.

Il n'avait pas besoin d'en dire davantage. Sparkes avait du pouvoir. Il l'exsudait. Et il avait toujours eu les femmes qu'il voulait. Mais je n'éprouvais aucune envie de le juger.

— Je suis désolé, dit-il en se levant. Je ne peux que vous dire que c'était plutôt une artiste ratée. Elle aurait voulu être actrice, mais elle passait le plus clair de son temps à surfer ou à se balader sur la plage. Et après l'avoir fréquentée un certain temps, j'ai commencé à voir ce qui clochait chez elle. Elle semblait manquer de motivation et elle agissait d'une manière incohérente, lunatique, parfois.

— Buvait-elle ? demandai-je.

— Non, pas de façon chronique. L'alcool contient trop de calories.

— Des drogues ?

— C'est ce que j'ai commencé à soupçonner, et c'est une chose à laquelle je ne veux pas être mêlé. Mais je ne peux pas l'affirmer.

— Il faut que vous me donniez l'orthographe exacte de son nom, dis-je.

Du ton qu'il adoptait lorsqu'il voulait jouer au méchant flic, Marino intervint :

— Avant que vous filiez, vous êtes sûr que ce ne pourrait pas être une sorte de meurtre suicide ? Sauf qu'elle tue tout ce que vous possédez et qu'elle part en fumée avec ? Vous êtes sûr qu'elle n'avait aucune raison de faire ça, monsieur Sparkes ?

— Je ne suis plus sûr de rien, répondit Sparkes en s'arrêtant sur le seuil de la grange.

Marino se leva à son tour.

— Bon, eh ben, ça colle pas du tout, dit Marino, sauf votre respect. Il faut que vous me donniez toutes les factures prouvant votre voyage à Londres. Et celles de l'aéroport de Dulles. En plus, je sais que l'ATF aimerait bien savoir pourquoi votre sous-sol était bourré de bourbon et d'armes automatiques.

— Je collectionne des armes de la Seconde Guerre et elles sont toutes enregistrées et légales, dit-il sobrement. J'ai acheté le bourbon à une distillerie du Kentucky qui a fait faillite il y a cinq ans. Ils n'auraient pas dû me le vendre ni moi l'acheter, mais c'est comme ça.

— Je crois que l'ATF a d'autres chats à fouetter que vos histoires de contrebande, dit Marino. Donc, si vous avez vos factures de voyage sur vous aujourd'hui, je vous serais reconnaissant de me les donner.

— Et ensuite, vous livrerez-vous à une fouille rapprochée, capitaine ? demanda Sparkes en durcissant son regard, que soutint Marino. Vous pouvez vous adresser à mon avocat, ajouta-t-il. Après quoi, je serai heureux de coopérer.

— Marino, dis-je à mon tour, pouvez-vous me laisser une minute en tête à tête avec M. Sparkes.

Marino fut pris de court et sembla très ennuyé. Sans un mot, il partit d'un pas lourd vers la grange. Sparkes et moi restâmes face à face. C'était un homme extrêmement séduisant, grand, mince, avec d'épais cheveux gris. Il avait des yeux couleur d'ambre, des traits aristocratiques, un nez droit à la Jefferson, et une peau sombre, aussi lisse que celle d'un homme qui aurait eu la moitié de son âge. Il tenait sa cravache serrée dans sa main d'une manière qui cadrait avec son caractère. Kenneth Sparkes était certainement capable de violence, mais il n'y avait jamais cédé, pour autant que je sache.

— Très bien. Qu'avez-vous derrière la tête ? me demanda-t-il d'un air soupçonneux.

— Je voulais simplement m'assurer que vous compreniez que nos différends passés...

Il secoua la tête et ne me laissa pas terminer.

— Le passé est le passé, dit-il d'un ton cassant.

— Non, Kenneth, ce n'est pas vrai. Et il importe que vous sachiez que je n'ai aucune dent contre vous, répondis-je. Ce qui s'est produit n'influera pas sur cette affaire.

À l'époque où il s'impliquait davantage dans ses journaux, il m'avait, ni plus ni moins, accusée de racisme lorsque j'avais publié des statistiques sur les homicides commis dans la communauté noire. J'avais démontré au public que nombre de ces morts étaient liées à la drogue ou à la prostitution, ou motivées par une simple haine entre Noirs.

Ses journalistes avaient repris certains de mes propos en les sortant de leur contexte et avaient déformé le reste. Du coup, à la fin de la journée, Sparkes m'avait convoquée dans son luxueux bureau du centre-ville. Je n'oublierai jamais le moment où l'on m'avait fait entrer dans cette pièce tout en acajou, décorée de bouquets de fleurs fraîches, de meubles et de lampes de style colonial. Il m'avait ordonné, comme si cela avait été en son pouvoir, de faire montre d'une plus grande sensibilité envers la communauté afro-américaine et de me rétracter publiquement de mes propos réactionnaires. À présent que je l'avais en face de moi, avec son visage trempé de sueur et ses bottes couvertes de fumier, je n'avais plus l'impression de parler au même homme. Ses mains tremblaient et son attitude autoritaire paraissait n'être qu'une façade.

— Me direz-vous ce que vous avez découvert ? demanda-t-il, les yeux embués de larmes, en redressant la tête.

— Je vous le dirai dès que je pourrai, promis-je évasivement.

— Je veux juste savoir si c'est elle et si elle n'a pas souffert, dit-il.

— Il est très rare que les gens souffrent lors d'un incendie. Le monoxyde de carbone plonge les victimes dans l'inconscience avant qu'elles ne soient gagnées par les flammes. En général, c'est une mort paisible et sans douleur.

— Oh, Dieu merci. (Il leva les yeux au ciel.) Dieu merci, murmura-t-il à nouveau.

## 5

CE SOIR-LÀ, je rentrai chez moi assez tôt pour un dîner que je n'avais pas envie de préparer. Benton avait laissé trois messages et je ne l'avais pas rappelé. Je me sentais bizarre. J'avais le sentiment curieux d'être soumise à la fatalité et j'éprouvais, malgré tout, une sorte de légèreté qui me poussa à jardiner jusqu'à la tombée de la nuit, à arracher les mauvaises herbes, à couper des roses et à en faire un bouquet pour la cuisine. Celles que je choisis étaient roses et jaunes, encore en boutons serrés comme des drapeaux pliés avant le salut aux couleurs. Je sortis me promener un peu plus tard, au crépuscule, regrettant de ne pas avoir de chien. Je laissai mon imagination vagabonder un moment, m'interrogeant sur la race que je choisirais si les circonstances le permettaient.

Je me décidai pour un lévrier devenu trop âgé pour les pistes de courses et sauvé de l'inévitable extermination. Mais bien sûr, ma vie était bien trop compliquée pour que j'aie un animal familier. J'en étais à ce point de mes pensées lorsque l'un de mes voisins sortit de sa splendide maison de pierre pour promener son petit chien blanc.

— Bonsoir, docteur Scarpetta, dit-il d'un ton lugubre. Pour combien de temps êtes-vous en ville ?

— Je ne sais jamais, dis-je, mon lévrier toujours en tête.

— J'ai appris, pour l'incendie.

Mon voisin était un chirurgien en retraite. Il secoua la tête :

— Pauvre Kenneth.

— Vous le connaissez ? demandai-je.

— Oh, oui.

— C'est une triste affaire. Quelle est la race de votre chien ?

– C'est une véritable salade russe, un mélange d'un peu de tout, répondit le voisin.

Il continua sa promenade, sortant une pipe qu'il alluma parce que, sans doute, sa femme ne le laissait pas fumer à l'intérieur. Je passai devant les maisons voisines, toutes différentes mais toutes bâties de brique ou de stuc et assez récentes. Il semblait dans la nature des choses que la vague rivière mollassonne qui coulait derrière notre quartier continue de passer, comme deux siècles plus tôt, sur les mêmes rochers. La ville de Richmond n'avait jamais été réputée pour son goût du changement.

J'atteignis l'endroit où j'avais retrouvé Wesley après qu'il s'était emporté contre moi. Je m'arrêtai près du même arbre, et bientôt il fit trop sombre pour repérer un aigle ou distinguer les rochers de la rivière. Je contemplai un moment les maisons de mes voisins dans la nuit. Brusquement, je n'avais plus la force de bouger tandis que je me demandais si Kenneth Sparkes était une victime ou un assassin. C'est alors que des pas lourds résonnèrent derrière moi. Je sursautai et fis volte-face en refermant mes doigts, dans ma poche, sur la mini-bombe antiagression de mon porte-clés.

La voix de Marino s'éleva, immédiatement suivie de sa silhouette imposante.

– Doc, vous devriez pas traîner dehors à cette heure, dit-il.

J'étais trop fatiguée pour lui en vouloir de se mêler de la façon dont je passais mes soirées.

– Comment avez-vous su que j'étais là ? demandai-je.

– Par un de vos voisins.

Cela n'avait aucune importance.

– Ma bagnole est pas loin, continua-t-il. Je vous ramène.

– Marino, m'est-il possible d'avoir un moment de paix ? demandai-je sans agressivité, sachant qu'il était plein de bonnes intentions.

– Pas ce soir, dit-il. J'ai vraiment de sales nouvelles et je me demande s'il vaudrait pas mieux que vous vous asseyiez pour les entendre.

Je songeai immédiatement à Lucy et je sentis mes jambes se dérober sous moi. Je vacillai, me rattrapai d'une main à son épaule, tandis que mon esprit semblait exploser en mille morceaux. J'avais toujours su qu'un jour quelqu'un

86

viendrait m'annoncer sa mort et j'étais incapable de parler ni même de penser. J'étais emportée, aspirée par un affreux et ténébreux tourbillon. Marino m'empoigna le bras pour me redresser.

— Seigneur Dieu, s'exclama-t-il. Laissez-moi vous amener à la voiture et on pourra s'asseoir.

— Non, dis-je faiblement, parce qu'il fallait que je sache. Comment va Lucy ?

Il sembla pris de court et se tut un instant.

— Eh ben, elle est pas encore au courant, sauf si elle a écouté les infos, dit-il.

— Au courant de quoi ? demandai-je alors que mon sang semblait couler à nouveau dans mes veines.

— Carrie Grethen s'est échappée de Kirby, dit-il. Dans la fin de l'après-midi. Ils s'en sont aperçus qu'à l'heure du dîner des femmes.

Nous nous dirigeâmes vers sa voiture. La peur rendait Marino furieux.

— Et vous êtes là à vous balader dans le noir avec juste votre petit porte-clés, continua-t-il. Merde. La foutue salope. Ne recommencez plus, c'est clair ? On a même pas idée de l'endroit où cette salope se trouve, mais y a bien une chose que je sais, c'est que tant qu'elle est dehors, vous, vous êtes pas en sécurité.

— Personne au monde ne l'est, murmurai-je en montant dans sa voiture et en pensant à Benton, seul au bord de la mer.

Carrie Grethen le détestait presque autant qu'elle me haïssait, j'en étais convaincue. Benton avait établi son profil, il avait joué arrière dans l'équipe qui avait contribué à sa capture et à la mort de Temple Gault. Il avait utilisé toutes les ressources du Bureau pour faire enfermer Carrie, et jusqu'à maintenant, cela avait marché.

— A-t-elle un moyen d'apprendre où se trouve Benton ? demandai-je dans la voiture. Il est tout seul sur une île de vacances. Il se promène sûrement sur la plage sans arme, sans se douter que quelqu'un puisse être à sa recherche...

— J'en connais une autre comme ça, coupa Marino.

— J'ai compris le message.

— Je suis sûr que Benton est déjà au courant, mais je vais l'appeler, dit Marino. Et je pense vraiment pas que Carrie connaisse votre retraite de Hilton Head. Vous l'aviez pas à l'époque où Lucy lui déballait tous vos secrets.

— C'est injuste de dire ça, répondis-je alors qu'il manœuvrait et arrêtait brutalement la voiture dans mon allée. Lucy ne cherchait ni à me trahir ni à me faire du mal.

Je posai la main sur la poignée.

— Au point où nous en sommes, peu importent les intentions qu'elle avait, dit-il.

Il souffla la fumée par sa vitre.

— Comment Carrie s'est-elle échappée ? demandai-je. Kirby est sur une île et difficile d'accès.

— Mystère. Il y a trois heures, elle était censée descendre au réfectoire avec toutes ces charmantes dames, et c'est là que les gardiennes se sont rendu compte qu'elle était partie. Boum, plus trace d'elle. Une ancienne passerelle enjambe l'East River et donne dans Harlem à environ deux kilomètres...

Il jeta son mégot dans mon allée de garage et poursuivit :

— ... Tout ce qu'on peut se dire, c'est qu'elle s'est peut-être tirée par là. Les flics sont partout et on a sorti les hélicos pour s'assurer qu'elle se cachait pas quelque part sur l'île. Mais moi, je crois pas. Je crois qu'elle projetait ça depuis longtemps et qu'elle l'a planifié avec soin. On aura de ses nouvelles. Je vous le parie.

J'étais profondément troublée lorsque je rentrai chez moi et je vérifiai toutes les issues avant de brancher l'alarme. Ensuite, je fis quelque chose de totalement inhabituel. Je sortis mon pistolet Glock 9 mm d'un tiroir de mon bureau et vérifiai tous les placards de toutes les pièces à chaque étage. Je passai dans chacune, le pistolet serré à deux mains, le cœur battant. Carrie Grethen devenait une sorte de monstre doué de pouvoirs surnaturels. Je finissais par imaginer qu'elle pourrait franchir n'importe quel système de sécurité et surgir silencieusement hors de l'ombre alors que je ne m'y attendrais pas, me croyant en sécurité.

Il n'y avait, de toute évidence, nul autre que moi dans ma maison en pierre de deux étages. J'emportai un verre de bourgogne dans ma chambre et enfilai mon peignoir. Je téléphonai à nouveau à Wesley et un frisson me parcourut lorsqu'il ne décrocha pas. Je rappelai vers minuit. Toujours pas de réponse.

— Mon Dieu, murmurai-je, seule dans ma chambre.

La lumière douce de la lampe dessinait des ombres sur les vieilles commodes et les tables que j'avais fait décaper pour révéler le vieux chêne gris : j'aimais les taches et les marques d'usure laissées par le temps. Les tentures rose pâle frémissaient sous le courant d'air et le moindre mouvement me paralysait encore davantage. La peur prenait possession de moi, quand bien même j'essayais de repousser les images de ce passé que je partageais avec Carrie Grethen. J'avais envie que Benton m'appelle. Je me disais qu'il allait bien et que tout ce dont j'avais besoin, c'était de sommeil. Je pris donc un recueil de poèmes de Seamus Heaney et je m'assoupis au milieu de *The Spoonbait*. Le téléphone sonna à 2 h 20, et mon livre tomba par terre.

— Scarpetta, bafouillai-je à l'appareil, le cœur battant la chamade, comme chaque fois que j'étais réveillée en sursaut.

— Kay, c'est moi, dit Benton. Désolé de t'appeler aussi tard, mais j'avais peur que tu aies essayé de me joindre. Le répondeur s'est débranché et... eh bien, je suis sorti dîner et me promener deux heures sur la plage. Pour réfléchir. Je suppose que tu es au courant.

— Oui, dis-je, cette fois totalement réveillée.

— Ça va ? demanda-t-il, me connaissant.

— J'ai fouillé chaque recoin de la maison ce soir avant de me coucher. J'avais mon arme, et j'ai inspecté chaque placard et regardé derrière chaque rideau de douche.

— J'aurais pu le parier.

— C'est comme de savoir qu'on va recevoir un colis piégé.

— Mais non, pas exactement, Kay. Parce que nous ne savons pas si quelque chose va arriver, ni quand ni sous quelle forme. J'aimerais bien. Mais cela fait partie de son petit jeu. Nous obliger à deviner.

— Benton, tu connais ses sentiments à ton égard. Je n'aime pas te savoir là-bas tout seul.

— Tu veux que je rentre ?

Je réfléchis à la question sans trouver de réponse adéquate.

— Je peux reprendre la voiture immédiatement, ajouta-t-il, si c'est ce que tu veux.

C'est alors que je lui parlai du corps trouvé dans les décombres de la maison de Kenneth Sparkes. Je lui racontai par le menu mon entrevue à Hootowl Farm avec le magnat de la presse. Il écouta patiemment toutes mes explications et mes digressions.

— Le problème, conclus-je, c'est que tout cela se révèle terriblement compliqué, pour ne pas dire bizarre, et qu'il y a tant de choses à régler. Ce serait ridicule que tu gâches aussi tes vacances. Et Marino a raison. Il n'y a pas de raison de penser que Carrie connaisse notre maison de Hilton Head. Tu es probablement plus en sécurité là-bas qu'ici, Benton.

— J'aimerais bien qu'elle vienne, dit-il d'une voix dure. Je l'accueillerais avec mon Sig Sauer et on pourrait enfin mettre un terme à tout cela.

Je savais que Benton voulait vraiment l'abattre et, d'une certaine façon, c'était l'un des ravages les plus affreux auxquels elle était parvenue. Ça ne ressemblait pas à Benton, cette envie de violence, de tolérer que l'ombre du mal qu'il traquait contamine son cœur et sa conscience et, en l'écoutant, je me sentis moi aussi coupable.

— Sens-tu à quel point tout cela est destructeur? dis-je, bouleversée. Nous en sommes à parler de l'abattre, de l'attacher sur la chaise électrique ou de lui administrer la piqûre mortelle. Elle a réussi à prendre possession de nous, Benton. Car, vois-tu, moi aussi, je l'avoue, je veux qu'elle meure.

— Je me demande s'il ne serait pas préférable que je rentre, répéta-t-il.


Nous raccrochâmes peu de temps après, et l'insomnie se révéla ma seule ennemie de la nuit. Elle me priva des quelques heures qui restaient jusqu'à l'aube et déchira mon cerveau en lambeaux de rêves horribles et angoissants. Je rêvais que j'étais en retard pour un rendez-vous important et que j'étais coincée par la neige, sans pouvoir téléphoner. Dans cet état de demi-sommeil, je n'arrivais pas à procéder à mes autopsies et j'avais l'impression que ma vie était finie, puis brusquement, je tombais sur un épouvantable accident de voiture. Des corps ensanglantés étaient prisonniers de l'habitacle et j'étais incapable de faire quoi que ce soit pour leur porter secours.

Je ne cessais de me retourner dans mon lit, de retaper mon oreiller, de réarranger mes couvertures, jusqu'à ce que la couleur du ciel vire à un bleu de fumée et que les étoiles disparaissent. Je me levai et préparai du café.

Je partis au travail et allumai l'autoradio pour écouter les flashes d'information qui ressassaient les nouvelles concernant l'incendie de Warrenton et la découverte du corps. Les journalistes supposaient sans raison et de façon très théâtrale que la victime était le célèbre magnat de la presse, et je ne pus m'empêcher de me demander si cela amuserait Sparkes, ne fût-ce qu'un peu. J'aurais bien voulu savoir pourquoi il n'avait pas fait de contre-déclaration officielle pour annoncer qu'il était toujours vivant et, à nouveau, des doutes à son sujet envahirent mon esprit.

La Mustang rouge du docteur Jack Fielding était garée derrière notre nouveau bâtiment de Jackson Street, entre les maisons restaurées de Jackson Ward et le campus de la faculté de médecine de l'État de Virginie, qui dépendait de la Virginia Commonwealth University. Ce nouveau bâtiment, qui abritait également les labos de la police scientifique, était le point de départ d'un grand complexe de quatorze hectares, baptisé « Biotech Park », réunissant des instituts de recherches.

Nous nous étions seulement installés à cette nouvelle adresse deux mois plus tôt, et je m'habituais tout juste à cet ensemble moderne de briques et de verre ainsi qu'aux linteaux qui ornaient le haut des fenêtres, comme un rappel des anciennes architectures qu'avait connues le quartier.

Notre nouveau domaine était clair, avec ses sols en laque ocre et des murs aisément lavables au jet. Il restait encore pas mal de choses à sortir des cartons, à trier et à installer, et si ravie que je fusse de disposer enfin d'une morgue moderne, je me sentais plus dépassée que jamais. Alors que le soleil encore bas dardait déjà ses rayons, je me garai à l'emplacement réservé à la direction dans la baie de chargement couverte de Jackson Street, et pénétrai dans le bâtiment par la porte de derrière.

Le couloir était immaculé et sentait le désodorisant industriel. Il y avait encore des cartons de câblage électrique, de connecteurs et des boîtes de peinture alignés le long des murs. Fielding avait ouvert la chambre froide en acier inoxydable, plus grande qu'un salon de réception, ainsi que les portes de la salle d'autopsie. Je remis mes clés dans mon sac à main et me dirigeai vers les vestiaires. J'ôtai ma veste de tailleur et la suspendis sur un cintre, puis enfilai une blouse de labo boutonnée jusqu'au cou et chaussai les sinistres Reebok noires que j'appelais mes chaussures d'autopsie. Tachées et usées, elles étaient sans doute également devenues un vrai danger biologique. Mais elles avaient le mérite de soutenir mes jambes et mes pieds qui n'étaient plus si jeunes, et elles ne quittaient jamais la morgue.

La nouvelle salle d'autopsie était plus grande que la précédente, avec une meilleure répartition de l'espace. Les grandes tables d'autopsie en acier n'étaient plus fixées au sol, et il était possible de les reléguer contre les murs lorsqu'elles ne servaient pas. Nous disposions de cinq tables mobiles que l'on pouvait manœuvrer jusque dans la chambre froide. Elles étaient pourvues de plateaux élévateurs grâce auxquels nous n'avions plus à nous éreinter pour déplacer ou soulever les corps. Des bacs de dissection étaient scellés dans les murs des deux côtés pour permettre le travail des anatomopathologistes, qu'ils soient gauchers ou droitiers. Nous avions aussi des aspirateurs pourvus d'un système évitant les engorgements, des dispositifs permettant un nettoyage immédiat des yeux des opérateurs en cas de contamination ou de projections, et un conduit d'aération double relié au système de ventilation général du bâtiment.

Au bout du compte, la Commonwealth University m'avait accordé presque tout ce dont j'avais besoin pour faire passer en douceur l'institut médico-légal de Virginie dans le troisième millénaire, mais rien ne change vraiment, en tout cas rien ne s'améliore. Chaque année nous arrivaient toujours plus de morts par balles et armes blanches. De plus en plus de gens nous intentaient de futiles procès. Les tribunaux rendaient une justice inique, puisque les avocats mentaient et que les jurés ne semblaient plus s'intéresser aux preuves ou aux faits.

L'air glacé me souffla au visage quand j'ouvris la porte massive de la chambre froide, et je passai devant des housses à cadavres et des draps plastiques tachés de sang d'où dépassaient des pieds rigides. Les mains enveloppées d'un sac en kraft marron indiquaient une mort violente, et les petites housses me signalaient une mort subite de nourrisson ou un bébé noyé dans la piscine de la maison familiale. Ma victime de l'incendie était toujours enveloppée, telle que je l'avais laissée, débris de verre inclus. Je fis rouler la civière sous les néons aveuglants. Puis je changeai de nouveau de chaussures et je me rendis à l'autre bout du couloir, où se trouvaient nos bureaux et salles de réunion, nettement séparés des morts.

Il était presque 8 h 30. Les internes et les administratifs prenaient leur café et se promenaient dans les couloirs. Nous échangeâmes nos habituels saluts détachés tandis que je gagnais la porte ouverte du bureau de Fielding. Je frappai puis j'entrai alors qu'il était au téléphone et griffonnait à la hâte sur un bloc.

— Redites-moi ça ? dit-il de sa forte voix bourrue en coinçant l'appareil entre sa joue et son épaule pour passer une main distraite dans ses cheveux bruns hirsutes. Quelle est l'adresse ? Le nom du policier ?

Il ne leva pas les yeux, continua d'écrire, puis reprit :

— Vous avez un numéro de téléphone ?

Il relut ses notes pour s'assurer qu'il l'avait bien inscrit :

— Vous avez une idée de la cause du décès ? OK, OK. Quelle rue ? Je verrai votre voiture ? D'accord, vous pouvez y aller.

Il raccrocha, l'air déjà hagard pour une heure si matinale.

— Qu'est-ce qu'on a ? demandai-je, voyant que la liste des tâches de la journée s'allongeait.

— On dirait une asphyxie mécanique. Une femme noire avec un passé d'alcoolique et de droguée. Elle a basculé de son lit, la tête contre le mur, le cou incliné dans une position incompatible avec la vie. Elle est nue. Je pense qu'il vaut mieux que j'aille jeter un coup d'œil pour être sûr que ce n'est pas autre chose.

— Il faut que *quelqu'un* aille y jeter un coup d'œil, en effet, dis-je.

Il comprit ce que je sous-entendais.

— Nous pouvons envoyer Levine, si vous voulez.

— Bonne idée. Je vais commencer par la victime de l'incendie et je vais avoir besoin de vous. En tout cas, au début.

— C'est une affaire qui roule.

Fielding repoussa son siège et déplia sa grande carcasse. Il portait un pantalon de toile et une chemise blanche aux manches relevées, des Rockports et une vieille ceinture en cuir tressé autour de sa taille étroite et ferme. Il avait passé la

93

quarantaine et était toujours aussi vigilant sur sa forme physique, laquelle n'était pas moins remarquable qu'à l'époque où je l'avais engagé, peu de temps après ma nomination. Si seulement il avait pu mettre autant d'énergie dans son travail. Mais il s'était toujours montré respectueux et fidèle envers moi et, bien qu'il fût lent et laborieux, il n'était pas homme à commettre des erreurs ou à se lancer dans des déductions sans fondement. Pour moi, il était agréable, digne de confiance et bon collaborateur, et je n'avais nulle intention de le remplacer.

Nous entrâmes ensemble dans la salle de réunion et je m'assis à ma place au bout de la longue table vernie. Les tableaux anatomiques, les modélisations représentant muscles et organes et l'écorché constituaient l'unique décoration, en dehors de quelques photographies datées représentant les anciens directeurs qui nous observaient déjà dans nos précédents locaux. Ce matin-là, l'interne, mes trois adjoints et assistants, le toxicologue et mes administrateurs étaient présents. Nous comptions dans nos rangs une étudiante en médecine à la faculté de Virginie qui faisait son UV optionnelle chez nous, ainsi qu'un anatomopathologiste de Londres qui visitait les morgues américaines pour se former sur les meurtres en série et les blessures par balles.

– Bonjour, dis-je. Voyons ce que nous avons à faire, ensuite nous aborderons notre incendie et tout ce que cela implique.

Fielding commença par l'éventuelle asphyxie, puis Jones, l'administrateur du district central où nous nous trouvions, passa rapidement en revue les autres affaires. Nous avions un homme blanc qui avait abattu de cinq balles dans le crâne sa petite amie avant de faire sauter sa cervelle dérangée. Il y avait ce nourrisson décédé d'une mort subite et le bébé noyé, ainsi qu'un jeune homme, probablement en train de changer de chemise et de cravate au volant de sa Miata rouge juste avant qu'elle ne s'écrase contre un arbre.

– Mince, lâcha Sanford, l'étudiante en médecine. Comment vous avez deviné ce qu'il faisait ?

– Il avait à moitié enfilé son débardeur, et une chemise et une cravate étaient chiffonnées sur le siège passager, expliqua Jones. Selon toute évidence, il venait de quitter son bureau pour rejoindre des amis dans un bar. Ce n'est pas la première fois que nous avons ce genre de cas : des gens qui se changent, se rasent, se maquillent au volant.

— C'est dans ces cas-là que l'on regrette que la case « mort idiote » n'existe pas sur les certificats de décès, dit Fielding.

— Vous savez tous, je suppose, que Carrie Grethen s'est évadée de Kirby hier soir, dis-je. Bien que cela n'ait pas une influence directe sur notre institut, il est évident que nous devrions nous inquiéter.

J'essayais de me limiter aux faits dans la mesure du possible et achevai :

— Les médias risquent d'appeler.

— C'est déjà fait, dit Jones en me jetant un regard par-dessus ses lunettes. Le répondeur du standard a reçu cinq appels depuis hier soir.

— Concernant Carrie Grethen ? demandai-je.

— Oui, madame, dit-il. Et quatre autres à propos de l'affaire de Warrenton.

— Occupons-nous de cela. Aucune information ne doit filtrer d'ici pour l'instant, que ce soit au sujet de l'évasion de Kirby ou de la victime de Warrenton. Fielding et moi serons en bas la majeure partie de la journée et je ne veux être dérangée qu'en cas d'absolue nécessité. Cette affaire est très délicate.

Je jetai un regard circulaire sur les visages assombris mais énergiques.

— Pour l'heure, j'ignore si nous avons affaire à un accident, un suicide ou un homicide, et les restes n'ont pas été identifiés. Tim, continuai-je pour le toxicologue, procédez à une alcoolémie et à un dosage de monoxyde de carbone. Cette femme était peut-être toxicomane. Je veux une recherche d'opiacés, amphétamines, métamphétamines, barbituriques, cannabis et dérivés, et le plus vite possible.

Il nota le tout en hochant la tête. Je restai encore un peu, le temps de lire en diagonale les coupures de presse préparées par Jones, puis repris le couloir qui conduisait à la morgue. Dans le vestiaire des dames, j'ôtai mon chemisier et ma jupe et pris dans un placard un système radio que Lanier avait spécialement conçu pour moi. La ceinture de l'appareil se nouait au-dessus de la taille, sous les blouses bleues de chirurgie à manches longues. De cette façon, le micro n'entrait jamais en contact direct avec des mains souillées de sang. Ensuite, je fixai le micro sans fil à mon col, rechaussai mes chaussures d'autopsie avant de les recouvrir de guêtres plastiques, et ajustai mon masque et ma visière chirurgicale.

Fielding pénétra dans la salle d'autopsie au même moment.

— Passons-la aux rayons X, dis-je.

Nous poussâmes la table roulante dans le couloir jusqu'à la salle de radiologie et nous soulevâmes par les quatre coins le drap qui soutenait le corps et les débris. Nous déposâmes le tout sur la table, sous l'objectif de l'appareil digital d'imagerie médicale, une machine à rayons X doublée d'un fluoroscope contrôlés par ordinateur. J'exécutai les différentes procédures de mise en route en branchant plusieurs câbles, avant d'allumer l'appareil avec une clé. Des diodes et un compteur s'allumèrent sur le tableau de commande. J'introduisis une cassette dans l'enregistreur et appuyai sur une pédale qui déclencha le moniteur vidéo.

— Tabliers, dis-je à Fielding.

Je lui tendis un tablier bleu vif doublé de plomb. Je nouai le mien, qui me sembla lourd et comme bourré de sable.

— Je crois que nous sommes prêts, annonçai-je en appuyant sur un bouton.

En déplaçant le bras de l'objectif, nous pûmes explorer les restes de cette femme en temps réel sous tous les angles, sauf qu'à la différence des examens réalisés sur des patients hospitalisés, ce que nous voyions était parfaitement inerte. Des images immobiles d'organes morts et d'os défilèrent en noir et blanc sur le moniteur, et je ne repérai ni projectile ni anomalie. Alors que nous faisions de nouveau pivoter le bras de l'objectif, nous découvrîmes plusieurs zones d'opacité, sans doute des fragments de métal mélangés aux débris. Nous suivions sur l'écran les mouvements de nos mains gantées qui fouillaient les restes, et c'est alors que mes doigts se refermèrent sur deux objets durs. L'un était de la taille et de la forme d'une pièce de cinquante cents, l'autre plus petit et carré. J'entrepris de les laver dans l'évier.

— Ce qui reste d'une petite boucle de ceinture en argent, dis-je en la déposant dans une boîte en carton plastifié que je numérotai à l'aide d'un marqueur indélébile.

Mon autre trouvaille fut plus facile à identifier : je n'eus aucune peine à deviner que c'était une montre. Le bracelet avait brûlé et le verre était couvert de suie et fendillé. Mais le cadran me fascina : une fois rincé, je vis qu'il était orange vif et orné d'un curieux motif abstrait.

– On dirait une montre d'homme, observa Fielding.

– Les femmes portent des montres aussi grosses que celle-là, dis-je. Moi, par exemple, comme ça je vois mieux l'heure.

– Une montre de sport, peut-être ?

– Peut-être.

Nous inclinâmes encore le bras, le tournant en tous sens, continuant de creuser à mesure que le tube à rayons X traversait le corps et tous les débris calcinés qui l'entouraient. Je repérai quelque chose qui avait la forme d'un anneau quelque part sous la fesse droite, mais c'est en vain que j'essayai de le saisir. Le corps avait été découvert gisant sur le dos et la plupart des régions postérieures avaient été épargnées par le feu, y compris les vêtements. Je glissai ma main sous les fesses et passai les doigts dans la poche arrière du jean, d'où je sortis une demi-carotte et ce qui apparut comme une alliance faite d'acier. Je me rendis compte ensuite qu'il s'agissait de platine.

– On dirait aussi une alliance d'homme, dit Fielding. À moins qu'elle ait eu de très gros doigts.

Il prit l'anneau pour l'examiner de plus près. La puanteur de la chair brûlée en voie de putréfaction commença à s'élever de la table tandis que je découvrais plusieurs détails étranges, révélateurs de ce que cette femme avait fait avant de mourir. Il y avait des poils d'animaux sombres collés au jean sale et, sans en être certaine, j'étais prête à parier qu'il s'agissait de ceux d'un cheval.

– Il n'y a rien de gravé dessus, dit-il en glissant l'anneau dans un sachet plastique.

– Non, confirmai-je avec une curiosité grandissante.

– Je me demande pourquoi elle l'avait dans sa poche arrière de jean au lieu de la porter.

– Bonne question.

– À moins qu'elle ait fait quelque chose qui l'ait obligée à l'enlever, continua-t-il, pensant tout haut. Vous savez, comme les gens qui retirent leurs bijoux pour se laver les mains.

– Peut-être avait-elle donné à manger aux chevaux.

Je recueillis plusieurs poils avec une pince et poursuivis :

– Peut-être s'agissait-il du poulain noir échappé ?

– OK, dit-il d'un ton très sceptique. Et alors ? Elle s'occupe du petit animal, lui offre des carottes mais ne le reconduit pas dans son box ? Un peu plus tard, tout s'enflamme, y compris les écuries et les chevaux enfermés ? Et le poulain s'en sort ?

Il me dévisagea de l'autre côté de la table.

– Un suicide ? continua-t-il de spéculer. Et elle n'aurait pas pu se résigner à tuer le poulain ? Comment s'appelle-t-il ? Windsong, c'est ça ?

Mais il n'y avait aucune réponse à toutes ces questions pour le moment, et nous continuâmes à passer les effets personnels et le cadavre aux rayons X, afin de conserver une trace matérielle de notre travail. Nous retrouvâmes des rivets provenant de son jean ainsi qu'un stérilet.

Nous découvrîmes un briquet et une masse noircie de la taille d'une balle de base-ball qui se révéla être un bracelet en acier à petites mailles, ainsi qu'un porte-clés en forme de serpent avec trois clés en laiton. En dehors de la configuration des sinus, qui est aussi unique que les empreintes digitales chez chaque individu, ainsi qu'une couronne en porcelaine à la place de la deuxième incisive droite inférieure, rien d'évident ne devait faciliter une identification.

Vers midi, nous la poussâmes dans le couloir jusqu'à la salle d'autopsie et nous fixâmes sa table à un bac de dissection dans le coin le plus éloigné de la salle. Les autres bacs étaient occupés, l'eau coulait bruyamment sur les parois d'acier inoxydable et tous les tabourets à roulettes glissaient autour des paillasses alors que d'autres médecins pesaient, sectionnaient des organes et dictaient leurs conclusions dans leurs minuscules micros devant des inspecteurs de police. La conversation était comme d'habitude sèche, fragmentaire, aussi décousue et imprévisible que les vies qu'avaient menées nos victimes.

– Excuse-moi, il faut que tu saches précisément où tu te trouves.

– Merde, j'ai besoin d'une pile.

– Quel genre ?

– Celui qui va dans cet appareil.

– Vingt dollars, poche droite de devant.

– C'est probablement pas un vol.

98

– Qui c'est qui va compter les cachets ? Putain, il y en a une tonne.

– Docteur Scarpetta, on vient d'avoir un autre cas. Un éventuel homicide, lança un interne en raccrochant le téléphone réservé aux mains propres.

– On risque de devoir le faire attendre jusqu'à demain, dis-je en voyant que notre charge de travail s'aggravait.

– On a l'arme du meurtre suicide, cria l'un de mes adjoints.

– Déchargée ? demandai-je.

– Oui.

J'allai m'en assurer, car je ne prenais rien pour argent comptant lorsque l'arme arrivait avec le cadavre. Le mort était un grand type encore vêtu de son jean Faded Glory, dont les poches avaient été retournées par la police. Ses mains étaient enveloppées dans des sacs en papier kraft pour protéger les résidus potentiels de poudre. Du sang coula de son nez lorsque l'on redressa sa tête pour la poser sur un support en bois.

– Puis-je manipuler l'arme ? demandai-je au policier tandis qu'une scie Stryker gémissait.

– Vous gênez pas. J'ai déjà relevé les empreintes.

Je ramassai le Smith & Wesson et fis glisser le chargeur pour voir s'il y avait encore une cartouche, mais la chambre était vide. Je tamponnai la blessure à la tête avec une serviette pendant que mon directeur de la morgue, Chuck Ruffin, affûtait un couteau à grands gestes en le frottant contre une pierre à aiguiser.

– Vous voyez la trace noire et l'empreinte du canon ? dis-je au policier et à l'interne qui se penchaient. Ici, elle est bien visible. Il s'agit d'un coup de feu à bout touchant, et de la main droite. La balle est ressortie par là. On voit au filet de sang qui a coulé que l'homme était couché sur le flanc droit.

– C'est comme ça qu'on l'a trouvé, dit le policier alors que la scie gémissait toujours et que de la poussière d'os s'élevait dans l'air.

– Assurez-vous de bien noter le calibre, la marque et le modèle, dis-je avant de retourner à ma pénible besogne. Ce sont des balles blindées ou Hollow Point ?

– Blindées. Remington 9 mm.

Fielding avait approché une autre table parallèlement à la

nôtre, et l'avait couverte d'un drap sur lequel il avait entassé les débris de l'incendie que nous avions déjà fouillés. Je commençai à mesurer les fémurs carbonisés dans l'espoir de pouvoir estimer la taille de la victime. Le reste de ses jambes, des genoux jusqu'aux chevilles, avait disparu, mais les pieds étaient intacts, protégés par les chaussures. Le feu l'avait en outre amputée des avant-bras et des mains. Nous recueillîmes des fragments de tissu et de poils d'animaux et traçâmes des diagrammes, essayant d'en faire le plus possible avant de nous atteler à la difficile tâche de décoller les morceaux de verre.

— Faisons couler de l'eau chaude, dis-je à Fielding. Peut-être qu'on pourra réussir à ne pas déchirer la peau.

— C'est pire qu'un rôti qui a attaché au plat.

— Pourquoi vous faites toujours des analogies avec la bouffe, vous autres ? dit une voix grave et assurée que je reconnus.

Teun McGovern, revêtue d'une tenue de protection complète, s'approchait de notre table. Derrière la visière, ses yeux brillaient et pendant un instant nos regards se rivèrent l'un à l'autre. Je n'étais pas le moins du monde surprise que l'ATF ait envoyé un enquêteur spécialisé dans les incendies pour assister à l'autopsie. Mais je ne m'attendais pas que ce soit McGovern.

— Comment ça se passe à Warrenton ? demandai-je.

— Ça avance, répondit-elle. On n'a pas trouvé le corps de Sparkes, ce qui est plutôt une bonne chose puisqu'il n'est pas mort.

— Amusant, commenta Fielding.

McGovern se plaça en face de moi, suffisamment loin de la table pour me laisser penser qu'elle n'avait que rarement assisté à ce genre d'examen post mortem.

— Alors, vous faites quoi, au juste ? demanda-t-elle en me voyant m'emparer d'un tuyau.

— Nous allons faire couler de l'eau chaude entre la peau et les bouts de vitre en espérant que ça les décollera sans trop de dégâts, répondis-je.

— Et si ça ne marche pas ?

— Eh bien, dans ce cas, on est dans une belle merde, dit Fielding.

— Nous utiliserons le scalpel, expliquai-je.

Mais ce ne fut pas nécessaire. Au bout de quelques minutes d'irrigation à l'eau chaude, je commençai à décoller très lentement et très doucement les épais éclats de verre du visage de la morte. La peau se soulevait et se déformait au fur et à mesure, rendant cette vision encore plus horrible. Fielding et moi travaillâmes en silence pendant un moment, posant délicatement chaque fragment de verre dans un bac en plastique. Il nous fallut une heure de travail pour venir à bout de cette tâche. L'odeur de décomposition s'était intensifiée. Ce qui restait de la pauvre femme paraissait encore plus pitoyable et dérisoire, et ses blessures à la tête semblaient plus évidentes.

— Mon Dieu, dit McGovern en s'approchant. C'est le truc le plus bizarre que j'aie jamais vu.

La partie inférieure du visage était réduite à de l'os blanchi, un crâne humain à peine identifiable aux mâchoires ouvertes et aux dents branlantes. Les oreilles avaient presque complètement disparu, mais des yeux jusqu'au front la chair avait été cuite et si remarquablement conservée qu'on distinguait encore le duvet blond qui couvrait le haut de son front presque intact. L'abrasion consécutive au retrait des morceaux de verre l'avait légèrement écorché, et il n'était plus lisse. Si jamais elle avait eu des rides, il était impossible de les discerner désormais.

Fielding examinait des fragments d'un matériau dans ses cheveux.

— Je ne parviens pas à trouver ce que c'est, dit-il. Il y en a partout, jusque dans le cuir chevelu.

On aurait dit du papier brûlé pour certains morceaux, alors que d'autres étaient parfaitement préservés et d'un rose fluorescent. J'en grattai quelques échantillons avec mon scalpel que je déposai dans une autre boîte plastique.

— On demandera au labo de nous donner son avis, dis-je à McGovern.

— Absolument, répondit-elle.

Les cheveux mesuraient quarante-sept centimètres. J'en conservai une mèche pour une analyse d'ADN, au cas où nous disposerions d'un échantillon ante mortem pour faire une comparaison.

— Si nous réussissons à la rapprocher d'une personne signalée disparue, dis-je à McGovern, et que vous pouvez mettre la main sur sa brosse à dents, nous pourrons chercher des cellules buccales. Elles sont partout dans les mucosités de la bouche et on peut les utiliser pour une comparaison d'ADN. Une brosse à cheveux conviendrait aussi bien.

Elle en prit note. J'approchai une lampe chirurgicale de la zone temporale gauche pour examiner minutieusement avec une loupe ces traces qui semblaient signer une hémorragie à proximité des tissus épargnés.

— On dirait qu'on a une sorte de blessure, ici, dis-je. En tout cas, ce n'est clairement pas une déchirure de l'épiderme due au feu. Peut-être est-ce une incision causée par cette espèce de fragment brillant qui se trouve dans la blessure.

— Aurait-elle pu être asphyxiée par le monoxyde de carbone, tomber et se cogner la tête ? demanda McGovern, formulant la question qui était sur toutes les lèvres.

— Laissez-moi regarder, dit Fielding. (Je lui tendis la loupe.) La blessure est nette, pas de bords inégaux ou des déchirures, fit-il remarquer.

— Non, ce n'est pas une lacération, opinai-je. On dirait plus une blessure infligée par un instrument tranchant.

Il me rendit la loupe et je pris une pince en plastique pour gratter les fragments brillants qui se trouvaient dans la plaie. J'essuyai l'instrument sur un morceau de gaze propre. Une loupe binoculaire se trouvait sur le bureau voisin : je déposai la compresse sur la plaque et déplaçai la source lumineuse pour qu'elle se reflète sur le dépôt, puis je réglai l'appareil, l'œil collé à l'objectif.

De petits fragments argentés et striés, de forme plate, semblables à des copeaux de métal comme ceux qu'une fraiseuse produit, apparurent dans le cercle des reflets. Je branchai une MicroCam Polaroïd au microscope et pris des photos instantanées en couleurs haute résolution.

— Regardez, dis-je.

Fielding et McGovern se penchèrent l'un après l'autre sur le microscope.

— Est-ce que l'un de vous a déjà vu quelque chose de ce genre ? demandai-je.

Je décollai la pellicule protectrice des photos pour vérifier que les clichés étaient corrects.

— On dirait une vieille guirlande de Noël, dit Fielding.

– Ç'a été laissé par ce qui l'a coupée, se contenta de déclarer McGovern.

– Je crois aussi, convins-je.

Je retirai le carré de gaze de la plaque et protégeai les fragments de métal entre deux morceaux de coton que j'enfermai dans une sorte de pilulier en métal réservé aux pièces à conviction.

– Et un truc de plus pour le labo, dis-je à McGovern.

– Combien de temps ça va prendre ? demanda-t-elle. Parce que s'il y a un problème, on peut faire faire le boulot dans nos labos de Rockville.

– Il n'y aura pas de problème, dis-je avant de me tourner vers Fielding. Je crois que je peux m'en débrouiller toute seule, maintenant.

– OK, répondit-il. Je vais m'occuper du suivant.


Je procédai à une incision du cou pour rechercher les marques d'éventuels traumatismes aux organes et aux muscles, en commençant par la langue, que je retirai sous le regard stoïque de McGovern. C'est au cours de ce genre de tâche macabre que l'on distingue les faibles des forts.

– Rien ici, dis-je en rinçant la langue et en la tamponnant avec une serviette pour la sécher. Aucune marque de morsure pouvant indiquer une crise d'épilepsie. Aucune autre blessure.

J'examinai les parois luisantes du conduit respiratoire et je ne trouvai pas de suie, ce qui signifiait qu'elle ne respirait déjà plus lorsque les flammes l'avaient atteinte. Mais j'y trouvai du sang, ce qui était une autre mauvaise nouvelle.

– Un autre traumatisme ante mortem, dis-je.

– Est-ce qu'il se peut que quelque chose lui soit tombé sur la tête alors qu'elle était déjà morte ? demanda McGovern.

– Ça ne s'est pas passé de cette façon.

Je notai la blessure sur le diagramme et la dictai dans mon micro.

– La présence de sang dans les voies respiratoires indique qu'elle l'a inhalé – ou aspiré, expliquai-je. Ce qui signifie, évidemment, qu'elle respirait quand le traumatisme s'est produit.

– Quel genre de traumatisme ? demanda-t-elle.

– Une blessure pénétrante. La gorge coupée ou poignardée. Je ne vois aucun autre signe de traumatisme dans le cou, ni de contusion ni d'os brisé. Son hyoïde est intact et il y a fusion de la grande corne et du corps, ce qui peut indiquer qu'elle a plus de vingt ans et qu'elle n'a pas été étranglée manuellement ou à l'aide d'un lien.

Je repris ma dictée.

– La peau sous le menton ainsi que les muscles superficiels sont carbonisés, dis-je dans le petit micro accroché à ma blouse. Sang coagulé par la chaleur dans la trachée distale et dans les bronches primaires, secondaires et tertiaires. Hémoaspiration et sang dans l'œsophage.

Je procédai à une incision en Y pour ouvrir le corps déshydraté et ravagé. Le reste de l'autopsie se révéla en grande partie une affaire de routine. Bien que les organes aient été cuits, ils l'étaient dans des limites normales. L'analyse des organes reproducteurs confirma le sexe féminin. Elle avait également du sang dans l'estomac. En dehors de cela, il était vide, ce qui indiquait qu'elle n'avait pas beaucoup mangé. Mais je ne trouvai aucun indice de pathologie ni de blessure récente ou ancienne.

Je ne pouvais être certaine de la taille de la victime, mais du moins pouvais-je l'estimer en utilisant les équations de régression de Trotter et Gleser, qui permettaient de corréler la longueur du fémur à la stature de la victime. Je m'installai à un bureau voisin et feuilletai l'*Ostéologie humaine* de Bass pour trouver la table correspondant aux femmes américaines caucasiennes. Pour un fémur de cinquante centimètres, la taille corporelle déduite était un mètre soixante-dix-sept.

La détermination du poids ne pouvait être aussi précise, puisqu'il n'existait aucune table ni procédé de calcul scientifique pour me l'indiquer. En réalité, nous avions généralement une indication du poids grâce à la taille des vêtements et, dans le cas présent, la victime portait des jeans taille 38. En conséquence, d'après les données dont je disposais, je devinai qu'elle devait peser entre cinquante-cinq et soixante kilos.

– En d'autres termes, dis-je à McGovern, elle était grande et mince. Nous savons aussi qu'elle avait des cheveux longs et blonds, qu'elle était probablement sexuellement active,

104

avait l'habitude des chevaux et était déjà morte, dans la maison de Sparkes, avant d'être atteinte par le feu. Je sais aussi qu'elle a reçu une blessure importante au cou et qu'elle a une coupure sur la tempe gauche, juste ici, dis-je en la lui montrant du doigt. Mais comment lui ont-elles été infligées, cela, je l'ignore.

Je me levai et rassemblai mes papiers devant McGovern qui me fixait d'un regard pensif. Elle ôta sa visière et son masque et dénoua sa blouse.

— Si elle prenait de la drogue, y a-t-il une possibilité de le déceler ? demanda-t-elle alors que le téléphone sonnait.

— Le labo de toxicologie n'aura aucun mal à nous dire si elle avait pris de la drogue, dis-je. Il peut aussi y avoir des cristaux dans ses poumons, ou des granulomes déformés par les produits qui servent à la couper, comme le talc, ou des fibres de coton qui sont utilisées pour filtrer les impuretés. Malheureusement, les parties du corps où nous pourrions rechercher des marques d'injection ont disparu.

— Et le cerveau ? Est-ce qu'une toxicomanie chronique peut causer des dégâts visibles ? Par exemple, si elle commençait à avoir de graves problèmes mentaux, si elle devenait psychotique, etc. ? J'ai l'impression que Sparkes pensait qu'elle était atteinte d'une sorte de maladie mentale, dit McGovern. Et si elle était dépressive ou maniaco-dépressive, vous pourriez le voir ?

Le crâne avait déjà été ouvert et le cerveau, caoutchouteux et réduit par le feu, extrait de la boîte crânienne, attendait sur la table à dissection.

— Pour commencer, répondis-je, nous ne pourrons rien obtenir par l'autopsie parce que le cerveau a cuit. Mais même dans le cas contraire, chercher une corrélation morphologique à un syndrome psychiatrique particulier reste dans la plupart des cas du domaine de la théorie. Un élargissement du sillon, par exemple, ou une réduction de la masse de matière grise consécutive à une atrophie peuvent être un indice si nous connaissons le poids initial du cerveau, je veux dire alors qu'elle était en bonne santé. Là, nous pourrions dire : « OK, son cerveau pèse cent grammes de moins qu'à l'époque, donc elle a dû souffrir d'un désordre mental quelconque. » À moins que nous ne découvrions une lésion ou une ancienne blessure à la tête qui puisse impliquer un

105

problème, la réponse à votre question est : Non, je ne peux pas le diagnostiquer.

McGovern ne fit pas de commentaire. Elle sentait que j'adoptais avec elle un ton froidement professionnel sans aucune chaleur. Bien que j'aie parfaitement conscience de mon attitude, je me sentais incapable de faire mieux. Je cherchai Ruffin du regard. Il était au premier bac de dissection et suturait une incision en Y à grands points. Je lui fis un signe et m'approchai de lui. Il était trop jeune pour se soucier de la trentaine qui approchait, et avait été formé dans les pompes funèbres.

— Chuck, pourriez-vous la terminer pour moi et la reconduire en chambre froide ?

— Oui, madame.

Il se concentra à nouveau sur sa tâche pendant que je retirais mes gants et les jetais avec mon masque dans l'un des nombreux containers rouges réservés aux déchets biologiques à risques et disséminés dans la salle d'autopsie.

Tentant de me montrer un peu plus courtoise, je proposai à McGovern :

— Allons prendre un café dans mon bureau. Nous pourrons terminer notre discussion.

Dans le vestiaire, nous nous lavâmes au savon antibactérien et nous rhabillâmes. J'avais des questions à poser à McGovern, mais en vérité j'avais aussi envie de la cuisiner un peu.

— Pour en revenir à la possibilité d'une maladie mentale provoquée par une toxicomanie, reprit McGovern en me suivant dans le couloir, les gens atteints de ce genre de problèmes sont généralement autodestructeurs, n'est-ce pas ?

— D'une manière ou d'une autre.

— Ils meurent par accident, se suicident — et cela nous ramène à la grande question, dit-elle. Est-ce que c'est ce qui lui est arrivé ? Est-il possible qu'elle ait pété les plombs et se soit suicidée ?

— Tout ce que je sais, c'est qu'elle a été blessée avant de mourir, soulignai-je à nouveau.

— Mais elle a pu se l'infliger, si elle avait perdu la boule, dit McGovern. Dieu sait le genre d'automutilations que nous avons déjà constatées chez les psychotiques.

C'était vrai. J'avais travaillé sur des affaires où des gens s'étaient eux-mêmes égorgés, poignardés en pleine poitrine, amputés d'un membre ou tiré une balle dans les organes sexuels, ou s'étaient noyés de sang-froid dans une rivière. Sans parler de ceux qui se jetaient dans le vide ou qui s'immolaient par le feu. La liste des choses atroces que les gens étaient capables de se faire était trop longue et chaque fois que je me disais que j'avais tout vu, quelque chose de nouveau et d'encore plus horrible était poussé dans notre parking.

Le téléphone sonnait au moment où j'ouvris ma porte, et je décrochai juste à temps.

– Scarpetta.

– J'ai quelques résultats pour vous, dit Tim Copper, le toxicologue. L'éthanol, le méthanol, l'isopropanol et l'acétone : zéro. Monoxyde de carbone : moins de sept pour cent. Je continue les examens.

– Merci. Que ferais-je sans vous, Tim ?

Je levai les yeux vers McGovern en raccrochant et lui communiquai les résultats.

– Elle était morte avant l'incendie, expliquai-je. La mort a été causée par exsanguination et une asphyxie consécutive à l'aspiration du sang qui se répandait de la profonde blessure de son cou. En ce qui concerne le procédé, j'attends les autres résultats, mais je crois que nous devrions faire comme s'il s'agissait d'un homicide. Pour l'instant, il faut que nous la fassions identifier, et je vais faire mon possible pour avancer de ce côté-là.

– Que suis-je censée penser ? Que cette femme a fichu le feu à la maison et s'est tranché la gorge avant que les flammes ne l'atteignent ? dit-elle d'une voix que la colère faisait trembler.

Je ne répondis pas et continuai à doser le café dans la cafetière posée sur une paillasse voisine.

– Vous ne trouvez pas que c'est un peu tiré par les cheveux ? poursuivit-elle.

Je remplis le réservoir d'eau minérale et allumai la cafetière.

– Kay, personne ne veut entendre parler d'homicide, dit-elle. À cause de Kenneth Sparkes et de tout ce que cela risque d'impliquer. J'espère que vous savez ce que vous allez affronter.

— Et ce que devra affronter l'ATF, dis-je en m'asseyant à mon bureau désespérément encombré de piles de dossiers.

— Écoutez, je me fiche de Sparkes, dit-elle. Quelle que soit l'affaire que l'on me confie, mon but est d'arrêter le coupable. Ce n'est pas moi qui dois me préoccuper de politique.

Mais je n'avais pas envie de penser aux médias ou à Sparkes pour le moment. Cette affaire me troublait bien plus profondément, et d'une manière inexplicable.

— Combien de temps vos hommes resteront-ils encore sur place ? demandai-je.

— Une journée. Deux tout au plus, dit-elle. Sparkes et l'assurance nous ont communiqué l'inventaire de ce que contenait la maison. Rien que les meubles anciens, les parquets et les lambris ont fourni du combustible en quantité suffisante.

— Et la salle de bains, alors ? dis-je. On a dit que le départ de feu se situait là.

— Alors ça, c'est le problème, dit-elle après une hésitation.

— Absolument. Et si aucun comburant n'a été utilisé, en tout cas pas un distillat de pétrole, comment le feu a-t-il pris ?

— Mes gars se creusent la cervelle, dit-elle, dépitée. Et moi aussi. Si j'essaie de calculer combien d'énergie était nécessaire pour que cette pièce flambe, je ne trouve pas assez de combustible. D'après Sparkes, il n'y avait rien d'autre qu'un tapis de bain et des serviettes. Les placards et appareillages étaient en acier brossé et faits sur mesure. La douche avait une porte en verre et la fenêtre un simple voilage.

Elle se tut tandis que la machine à café gargouillait.

— Si nous résumons, de quoi sommes-nous en train de parler ? poursuivit-elle. De cinq ou six cents kilowatts au total pour une pièce de trois mètres sur cinq ? Il est évident qu'il y a d'autres variables. Comme le flux d'air qui passait par la porte...

— Et le reste de la maison ? Vous venez de dire qu'il y avait suffisamment de combustible ailleurs, n'est-ce pas ?

— Une seule pièce nous intéresse, Kay : celle du départ de feu. Et sans départ de feu, tout le combustible disponible ailleurs n'a aucune importance.

— Je vois.

— Je sais qu'on a retrouvé la trace d'une flamme sur le plafond de cette salle de bains, et je sais la hauteur que devait avoir cette flamme et la quantité d'énergie nécessaire pour la provoquer. Et un tapis, quelques serviettes et des voilages ne suffisent pas à produire un tel effet.

Je savais que ses équations étaient rigoureusement mathématiques et je ne mettais pas ses déductions en doute. Mais cela n'avait pas d'importance. Le problème restait entier pour moi. J'avais des raisons de croire que nous avions affaire à un homicide et que lorsque le feu s'était déclaré, le corps de la victime était encore dans la salle de bains, avec son dallage en marbre ininflammable, ses grands miroirs et ses meubles en acier. En fait, elle était peut-être même dans la baignoire.

– Et la verrière ? demandai-je. Est-ce qu'elle cadre avec votre théorie ?

– C'est possible. Parce que, encore une fois, les flammes devaient être très hautes pour briser le verre, après quoi, la chaleur se serait engouffrée dans cette ouverture comme dans une cheminée. Chaque feu a sa propre personnalité, mais certains comportements sont toujours identiques parce qu'ils se conforment aux lois de la physique.

– Je comprends.

– Il y a quatre stades, continua-t-elle comme si je n'y connaissais rien. Le premier est le feu en panache, c'est-à-dire une colonne de gaz brûlants, de flammes et de fumée. Cela aurait été le cas, disons, si le tapis de sol s'était enflammé. Plus les gaz s'élèvent au-dessus des flammes, plus ils se densifient et se refroidissent. Ils se mélangent aux sous-produits de la combustion, puis ils retombent et le cycle se reproduit, créant des tourbillons de fumée qui se répandent horizontalement. En pareil cas, ce qui se serait ensuite produit, c'est que cette couche de fumée brûlante aurait continué à descendre jusqu'au moment où elle aurait trouvé une bouche de ventilation – disons ici la porte de la salle de bains. Ensuite, la couche de fumée sort par l'ouverture pendant que de l'air frais entre. S'il contient assez d'oxygène, la température au plafond peut monter au-dessus de six cents degrés et là, boum, nous avons l'embrasement, c'est-à-dire un feu déclaré.

– Un feu déclaré dans une salle de bains, dis-je.

– Qui se propage ensuite dans des pièces remplies d'oxygène où le combustible est assez abondant pour alimenter un incendie capable de réduire la maison en cendres, répondit-elle. Ce n'est donc pas sa propagation qui m'ennuie. C'est son départ. Comme je vous l'ai dit, un tapis et des serviettes ne suffisent pas, il fallait autre chose.

— Peut-être qu'il y avait autre chose, dis-je en me levant pour servir le café. Vous voulez le vôtre comment ?

— Sucre et lait.

Elle me suivit du regard avant d'ajouter :

— Pas ces machins artificiels, s'il vous plaît.

Je prenais le mien noir. Je posai nos tasses sur le bureau tandis que McGovern parcourait la pièce du regard. Elle était, bien sûr, plus claire et plus moderne que celle que j'occupais dans les anciens locaux de la 14ᵉ Rue et de Franklin Street, mais, en réalité, je n'avais pas davantage d'espace. On m'avait fait l'honneur de me gratifier d'un bureau directorial avec des fenêtres, alors que tous les gens qui connaissent les médecins savent que nous avons besoin de murs pour y aligner des étagères dans lesquelles ranger nos livres, et certainement pas de vitres blindées donnant sur un parking et l'échangeur de l'autoroute. Mes centaines de revues médicales, légales et scientifiques, mes journaux et mes énormes livres étaient empilés les uns sur les autres, et, dans certains cas, s'entassaient sur deux rangs dans les rayonnages. Il n'était pas rare que Rose, ma secrétaire, m'entende jurer quand je ne parvenais pas à trouver un livre précis dont j'avais besoin immédiatement.

— Teun, dis-je en prenant une gorgée de café. Je voudrais profiter de cette occasion pour vous remercier de vous occuper de Lucy.

— Lucy s'occupe très bien d'elle-même, répondit-elle.

— Cela n'a pas toujours été le cas.

Je souris, tentant de me montrer plus aimable, de dissimuler le dépit et la jalousie qui m'envahissaient.

— Mais vous avez raison, poursuivis-je. Je crois qu'elle s'en sort admirablement bien maintenant. Je suis sûre que Philadelphie lui fera beaucoup de bien.

McGovern percevait parfaitement mon manège et j'étais consciente qu'elle sentait beaucoup plus de choses que je ne le souhaitais.

— Kay, son parcours ne va pas être facile, commença-t-elle alors. Quoi que je fasse.

Elle fit tourner le café dans sa tasse, comme si elle s'apprêtait à goûter un vin fin.

— Je suis sa supérieure hiérarchique, pas sa mère.

Cette réflexion me contraria considérablement, et cela se vit quand je décrochai pour demander à Rose de ne pas me passer d'appels. Puis je me levai et fermai la porte.

— J'ose en effet espérer qu'elle n'a pas demandé sa mutation dans votre service parce qu'elle avait besoin d'une mère, dis-je d'un ton sec en revenant à mon bureau qui servait maintenant de rempart entre nous. Plus qu'autre chose, Lucy est une professionnelle accomplie.

McGovern leva la main pour m'arrêter.

— Hé ! protesta-t-elle. Bien sûr que oui. Seulement je ne promets rien. C'est une grande fille, mais elle doit aussi affronter d'énormes obstacles. Certains lui reprocheront son passé au FBI en décrétant sans chercher plus loin que c'est une fille arrogante qui n'est jamais vraiment allée au charbon.

— Un tel stéréotype ne devrait pas faire long feu, dis-je en réalisant que j'avais beaucoup de mal à discuter objectivement avec elle de ma nièce.

— Oh, juste le temps qu'on la voie faire atterrir son hélicoptère ou programmer un robot pour qu'il désamorce une bombe, gloussa-t-elle. Ou qu'elle ait achevé mentalement un calcul Q-dot en moins de deux alors que les autres en sont encore à se demander comment faire avec une calculette.

Le terme argotique Q-dot désignait les équations mathématiques et les estimations scientifiques utilisées pour estimer les caractéristiques chimiques et physiques d'un incendie d'après les observations d'un enquêteur ou de témoins. Je doutais que Lucy se fasse beaucoup d'amis en se montrant capable de résoudre mentalement des formules aussi ésotériques.

— Teun, dis-je d'un ton radouci, Lucy est différente, et ce n'est pas toujours simple. En fait, à bien des égards, c'est aussi handicapant d'être un génie que d'être un attardé mental.

— Absolument. J'en suis plus consciente que vous ne l'imaginez.

— Du moment que vous comprenez, dis-je, comme si je lui passais à contrecœur le relais pour qu'elle soutienne Lucy dans sa difficile évolution.

— Et du moment que vous comprenez qu'elle a été traitée

et continuera de l'être comme tout le monde. Ce qui inclut les réactions des autres agents vis-à-vis de ses connaissances et de son passé, mais également les rumeurs qui circulent concernant les raisons de son départ du FBI et sa vie privée, enfin du moins celle qu'on lui prête, déclara-t-elle franchement.

Je lui lançai un long regard sans aménité en me demandant ce qu'elle savait au juste. À moins que McGovern ait été renseignée par quelqu'un du Bureau, je ne voyais aucune raison pour qu'elle soit au courant de la liaison de ma nièce avec Carrie Grethen ni de ce que cela impliquait une fois l'affaire devant le tribunal, à condition qu'on attrape Carrie. Cette simple pensée projeta une nouvelle ombre sur une journée déjà bien sombre, et mon silence gêné conduisit McGovern à vouloir le combler.

— J'ai un fils, dit-elle tranquillement en fixant le fond de sa tasse. Je sais ce que c'est d'avoir des enfants qui grandissent et disparaissent brusquement. Qui partent de leur côté et sont trop occupés pour venir vous voir ou vous téléphoner.

— Lucy est une adulte depuis longtemps, répliquai-je précipitamment, refusant qu'elle s'apitoie sur mon sort. De plus, elle n'a jamais vécu avec moi, en tout cas, pas de manière permanente. D'une certaine façon, elle a toujours été partie.

Mais McGovern se contenta de sourire tout en se levant.

— Je dois inspecter mes troupes, dit-elle. Je crois qu'il vaut mieux que j'y aille.

# 6

CET APRÈS-MIDI-LÀ, à 16 heures, mon personnel était toujours occupé dans la salle d'autopsie lorsque j'y pénétrai pour trouver Chuck. Lui et deux de mes internes travaillaient encore sur le corps brûlé de la femme. Ils retiraient les lambeaux de chair du cadavre du mieux qu'ils pouvaient avec des spatules en plastique afin de ne pas érafler les os.

Chuck raclait les tissus crâniens et ruisselait de sueur sous son bonnet et son masque de chirurgien. Son regard brun était presque fixe derrière la visière. C'était un homme de haute taille, noueux, dont les courts cheveux blonds étaient rebelles à toute tentative de discipline, quelle que soit la quantité de gel utilisée. Il était séduisant, avec un côté adolescent, et, bien qu'il ait déjà passé un an chez nous, je le pétrifiais encore de peur.

– Chuck? demandai-je en observant l'une des tâches les plus macabres de la médecine légale.

– Oui, madame.

Il s'interrompit et me jeta un regard furtif. La puanteur devenait de plus en plus épouvantable à mesure que la chair se décomposait à la température ambiante, et ce qui m'attendait ne m'enthousiasmait pas.

– Récapitulons encore une fois, lui dis-je.

Il était tellement grand qu'il avait tendance à se voûter et à tendre son cou en avant comme une tortue lorsqu'il parlait à quelqu'un.

– ... Nos bons vieux pots et marmites n'ont pas survécu au déménagement.

– Je crois qu'ils ont été jetés, dit-il.

– C'était ce qu'il y avait de mieux à faire, dis-je. Ce qui veut dire que nous avons des courses à faire, vous et moi.

– Maintenant ?

– Maintenant.

Il ne perdit pas une seconde et alla au vestiaire ôter sa blouse sale et puante avant de prendre une douche expéditive. Il transpirait encore, le visage rose de s'être récuré, quand nous nous retrouvâmes dans le couloir et que je lui tendis un trousseau de clés. La Tahoe rouge foncé du bureau était garée dans le parking et je montai côté passager, laissant Ruffin conduire.

– Allons chez Cole's, les fournitures pour restaurants, lui dis-je alors qu'il démarrait. C'est à deux rues à l'ouest de Parham, sur Broad. Prenez le 64 et la sortie de West Broad. Ensuite, je vous indiquerai le chemin.

Il appuya sur la télécommande et le portail se souleva, laissant pénétrer un soleil que je n'avais pas remarqué de toute la journée. Ruffin conduisait comme une vieille dame, lunettes noires sur le nez, courbé sur le volant, maintenant sa vitesse cinq à six kilomètres sous la limite autorisée.

– Vous pouvez aller un peu plus vite, lui dis-je calmement. Ils ferment à 17 heures, alors il vaudrait mieux qu'on se presse un peu.

Il appuya sur l'accélérateur tout en cherchant des jetons de péage dans le cendrier.

– Je peux vous demander quelque chose, docteur Scarpetta ? dit-il.

– Je vous en prie, allez-y.

– C'est un peu bizarre.

– Ce n'est pas grave.

– Vous savez, j'ai vu des tas de choses, à l'hôpital, dans les morgues et dans les compagnies de pompes funèbres et tout, commença-t-il, mal à l'aise. Et ça ne m'a jamais rien fait, voyez-vous.

Il ralentit en arrivant au péage et jeta le jeton dans le panier. La barrière rouge et blanc se souleva et nous continuâmes dans le flot des voitures pressées qui nous dépassaient. Ruffin remonta sa vitre.

– Il est normal que ce que vous voyez aujourd'hui vous tracasse, dis-je, achevant sa pensée pour lui, ou du moins croyant le faire.

Mais ce n'était pas de cela qu'il voulait me parler.

– Vous voyez, la plupart du temps, j'arrive à la morgue le matin avant vous, dit-il, les yeux rivés sur la route. Donc,

114

c'est moi qui réponds au téléphone et qui prépare tout pour vous, d'accord ? Vous comprenez, c'est parce que je suis seul à ce moment-là.

Je hochai la tête, me demandant où il voulait en venir.

– Eh bien, il y a deux mois, quand nous étions encore dans les anciens locaux, le téléphone s'est mis à sonner vers 6 h 30, juste après mon arrivée. Et chaque fois que je décrochais, il n'y avait personne au bout du fil.

– C'est arrivé souvent ? demandai-je.

– Disons trois fois par semaine. Parfois, c'était tous les jours. Et ça continue encore.

Il avait éveillé mon attention, à présent.

– Ça continue maintenant que nous avons déménagé, répétai-je, voulant en être sûre.

– Évidemment, nous avons gardé le même numéro, me rappela-t-il. Mais, oui, madame, ça continue. En fait, ça a recommencé ce matin, et je commence à avoir un peu les jetons. Je me demandais si nous ne devrions pas essayer de repérer les appels, savoir ce qui se passe.

– Dites-moi ce qui se produit exactement quand vous décrochez, répondis-je tandis que nous continuions notre route sur la voie express, juste à la vitesse autorisée.

– Je dis : « L'institut médico-légal », expliqua-t-il. Et à l'autre bout, personne ne parle. Il y a un silence, comme si la ligne ne fonctionnait pas. Alors je dis : « Allô ? » plusieurs fois et je finis par raccrocher. Je suis sûr qu'il y a quelqu'un au bout du fil. Je le sens.

– Pourquoi ne m'en avez-vous jamais parlé ?

– Je voulais être sûr que ce n'était pas moi qui me faisais des idées ou qui prenais ça trop au sérieux, parce que je dois quand même vous dire que c'est un peu les boules à la morgue, à 6 heures du matin, quand il fait encore nuit et qu'il n'y a personne.

– Et vous dites que cela a commencé il y a deux mois ?

– Plus ou moins. Je n'ai pas vraiment fait attention aux premiers appels, vous savez.

J'étais irritée qu'il ait attendu aussi longtemps pour m'en informer, mais cela ne servait à rien de le ressasser.

– Je vais en parler au capitaine Marino, dis-je. En attendant, Chuck, il faut que vous me préveniez si cela se reproduit, d'accord ?

Il hocha la tête, les mains crispées sur le volant, les jointures blanchies.

— Juste après le prochain feu, vous verrez un grand bâtiment beige. Ce sera sur votre gauche, vers les numéros 9 000 et quelques, après Jopa's.

Cole's allait fermer d'ici un quart d'heure, et il n'y avait que deux autres voitures sur le parking quand nous arrivâmes. Ruffin et moi descendîmes et un air conditionné glacial nous accueillit quand nous entrâmes dans le vaste magasin rempli d'étagères métalliques qui montaient jusqu'au plafond. Elles étaient chargées de toutes les fournitures de cuisine possibles, depuis les cuillers et les louches énormes jusqu'aux chauffe-plats de cafétérias en passant par les machines à café et mixers géants. Mais c'étaient les casseroles et les marmites qui m'intéressaient et, après un rapide coup d'œil, je trouvai le rayon, presque au fond, près des friteuses électriques et des verres gradués.

Je commençai à inspecter les marmites et casseroles en aluminium quand un vendeur fit son apparition. Bedonnant, le front dégarni, il portait sur l'avant-bras droit un tatouage représentant une femme nue jouant aux cartes.

— Je peux vous renseigner ? demanda-t-il à Ruffin.

— J'ai besoin de votre plus grosse marmite, dis-je.

— Ce sera une quatre cents litres.

Il tendit le bras vers une étagère trop haute pour moi et en descendit une énorme casserole qu'il donna à Ruffin.

— Il me faut un couvercle, dis-je.

— On va devoir le commander.

— Auriez-vous un récipient profond et rectangulaire ? demandai-je en songeant aux os longs.

D'une autre étagère, il tira avec un fracas métallique un plat probablement destiné à cuire des tonnes de purée ou de légumes.

— J'imagine que vous n'avez pas non plus de couvercle pour celui-ci ? dis-je.

— Si.

Il déplaça bruyamment des couvercles de différentes tailles avant d'en sortir un.

— Là, vous avez une encoche pour la louche. Vous avez sans doute besoin d'une louche, non ?

— Non, merci, dis-je. Juste quelque chose de long pour

remuer, soit en bois, soit en plastique. Et des gants résistants à la chaleur. Deux paires. Quoi d'autre ? dis-je pensivement en regardant Ruffin. Peut-être une marmite de deux cents litres pour les petits trucs ?

— Ce serait une bonne idée, opina-t-il. Cette grosse casserole risque d'être sacrément lourde une fois remplie d'eau. Et ça ne sert à rien de l'utiliser quand on peut prendre plus petit, mais je pense que cette fois, il va en falloir une grande, sinon on ne pourra pas tout y mettre, non ?

Le vendeur était de plus en plus perplexe en écoutant notre conversation nébuleuse.

— Dites-moi ce que vous avez l'intention de préparer, je pourrai peut-être vous conseiller, proposa-t-il en s'adressant de nouveau à Ruffin.

— Différentes choses, répondis-je. Mais je vais surtout faire bouillir.

— Oh, je vois, dit-il alors qu'il ne voyait rien du tout. Eh bien, voulez-vous autre chose ?

— C'est tout, répondis-je avec un sourire.

La caisse enregistreuse totalisa cent soixante-dix-sept dollars d'ustensiles de cuisine. Je fouillai dans mon portefeuille pour sortir ma MasterCard.

— Est-ce que par hasard vous feriez des réductions aux fonctionnaires ? demandai-je tandis qu'il prenait ma carte.

— Non, dit-il en se frottant le menton.

Il fronça les sourcils en voyant mon nom sur la carte.

— Je crois que j'ai déjà entendu votre nom à la télé, dit-il en me dévisageant d'un air soupçonneux. Je sais ! fit-il en claquant des doigts. Vous êtes la dame qui s'est présentée au poste de sénateur il y a quelques années. Ou alors, c'était comme adjointe au gouverneur ? dit-il, tout content de sa trouvaille.

— Non, ce n'était pas moi, répondis-je. J'essaie de rester en dehors de la politique.

— On est deux, cria-t-il derrière nous tandis que nous emportions nos achats. C'est tous des escrocs, du premier au dernier !

Lorsque nous arrivâmes à la morgue, je demandai à Ruffin de sortir les restes de la brûlée de la chambre froide et de les apporter avec les casseroles dans la pièce que nous appelions la « salle de décomposition ». Je parcourus mes messages, la plupart émanant de journalistes, et je me rendis compte que je me tiraillais les cheveux avec angoisse lorsque Rose apparut à la porte séparant son bureau du mien.

— On dirait que vous avez eu une sale journée, me dit-elle.

— Pas pire que d'habitude.

— Une tasse d'infusion de cannelle, ça vous dirait ?

— Je ne crois pas, non. Mais merci quand même.

Rose posa sur mon bureau une pile de certificats de décès qui s'ajoutèrent à la liste interminable de documents que je devais parapher ou signer. Rose portait un élégant tailleur-pantalon bleu marine, un chemisier violet vif et des souliers en cuir noir à lacets, comme à son habitude.

Elle avait largement dépassé l'âge de la retraite, bien que cela ne se vît pas sur son visage racé et subtilement maquillé. Mais sa chevelure était devenue plus fine, plus clairsemée et désormais totalement blanche. L'arthrite lui rongeait les doigts, les reins et les hanches, et la position assise lui devenait de plus en plus pénible, comme son rôle auprès de moi, rôle qu'elle avait assumé depuis le début de ma carrière.

— Il est presque 18 heures, dit-elle avec un regard aimable.

Je jetai un coup d'œil à la pendule et entrepris de signer mes paperasses.

— J'ai un dîner paroissial, ajouta-t-elle diplomatiquement.

— C'est bien, dis-je en fronçant les sourcils. Bon sang, combien de fois faudra-t-il que je dise au docteur Carmichael que « arrêt cardiaque » n'est pas une cause de décès. Seigneur, mais tout le monde meurt d'un arrêt cardiaque. Quand on meurt, le cœur s'arrête, non ? Et quand ce n'est pas ça, c'est « arrêt respiratoire », j'ai beau le lui répéter et corriger constamment, ajoutai-je en soupirant d'agacement. Et ça fait combien de temps qu'il est expert médical du comté d'Halifax ? repris-je en continuant ma diatribe. Vingt-cinq ans au moins ?

— Docteur Scarpetta, n'oubliez pas que c'est un obstétricien. Et de la vieille école, qui plus est, me rappela Rose. Un homme charmant qui n'est pas capable d'apprendre quoi que ce soit de nouveau. Il continue de taper ses rapports sur une vieille Royal mécanique, en majuscules, et tout ça. Et la raison pour laquelle je vous ai parlé du dîner paroissial, c'est que je dois partir dans dix minutes.

Elle se tut et me regarda par-dessus ses lunettes.

– Mais je peux rester si vous avez besoin de moi, ajouta-t-elle.

– J'ai des choses à faire, lui répondis-je. Et je ne voudrais surtout pas contrarier un dîner paroissial. Que ce soit le vôtre ou celui d'une autre. J'ai assez d'ennuis avec Dieu comme ça.

– Alors je vous souhaite une bonne soirée, dit Rose. Les documents que vous m'aviez demandé de vous taper vous attendent dans votre corbeille. À demain.


Une fois que ses pas se furent évanouis dans le couloir, je fus enveloppée d'un silence seulement troublé par le froissement des papiers que je déplaçais sur mon bureau. Je songeai à plusieurs reprises à Benton, me retenant de l'appeler. Je n'étais pas en état de me détendre, ou peut-être n'avais-je pas envie de me sentir trop humaine. Après tout, il est difficile d'être un individu normal avec des émotions normales quand on s'apprête à faire bouillir les restes d'un être humain dans ce qui n'est, finalement, qu'une grosse marmite à soupe. Peu après 19 heures, je suivis le couloir jusqu'à la salle de décomposition, deux portes plus loin et en face de la chambre froide.

Je déverrouillai la porte et entrai dans une petite salle d'autopsie pourvue d'un congélateur et d'une ventilation spéciale. Les restes étaient sur la table roulante, recouverts d'un drap. La marmite de quatre cents litres toute neuve, remplie d'eau, chauffait sur un réchaud électrique installé sous une hotte aspirante. J'enfilai un masque et des gants et réglai le réchaud à basse température pour que la chaleur ne détériore pas les os. Puis je versai dans l'eau deux doses de lessive et une d'eau de Javel pour accélérer la désagrégation des membranes, des cartilages et de la graisse.

J'ôtai les draps, découvrant les os débarrassés des tissus musculaires, dont les extrémités étaient pitoyablement tronquées comme des bâtons brûlés. Je déposai délicatement les fémurs et tibias dans la marmite, puis le pelvis et les parties du crâne. Les vertèbres et les côtes suivirent, à mesure que l'eau chauffait et qu'une vapeur âcre commençait à se dégager. Il fallait que je voie ses os parfaitement nus et propres, car ils avaient peut-être quelque chose à m'apprendre et je n'avais aucun autre moyen de procéder.

119

Je restai assise dans cette petite salle pendant un moment. La hotte aspirait bruyamment l'air tandis que je rêvassais dans mon fauteuil. J'étais fatiguée, vidée émotionnellement et accablée par la solitude. L'eau chauffait, et ce qui restait d'une femme que, selon moi, on avait assassinée, subit dans la marmite une dernière indignité.

– Oh, mon Dieu, soupirai-je, comme si Dieu avait pu m'entendre d'une manière ou d'une autre. Bénissez-la, où qu'elle soit.

Il est difficile d'imaginer qu'un être soit réduit à quelques ossements cuisant dans une grosse marmite et plus j'y pensais, plus cela me déprimait. Quelque part, quelqu'un avait aimé cette femme, et elle avait accompli des choses en ce monde avant d'être si cruellement privée de son corps et de son identité. J'avais passé mon existence à essayer de me protéger de la haine, mais désormais, il était trop tard. J'admettais que je haïssais les individus maléfiques et sadiques qui détruisaient la vie et en disposaient comme si elle leur appartenait. J'admettais que les exécutions capitales me choquaient profondément, mais simplement parce qu'elles faisaient écho aux crimes impitoyables et aux victimes dont la société se souvenait à peine.

La vapeur s'élevait, brûlante et humide, souillant l'air d'une puanteur nauséabonde qui diminuerait au fur et à mesure que les os seraient nettoyés. Je m'imaginais une femme mince, grande et blonde, portant un jean et des bottes lacées, avec un anneau en platine fourré dans sa poche arrière. Elle n'avait plus de mains, et je ne connaîtrais probablement jamais la taille de ses doigts, pas plus que je ne saurais si l'anneau lui allait, mais c'était très improbable. Fielding avait sans doute raison, et j'allais devoir demander encore une chose à Sparkes.

Je pensai à ses blessures en essayant de déduire comment elles lui avaient été faites, et pourquoi son cadavre totalement habillé s'était retrouvé dans cette salle de bains. Si toutefois nous ne nous étions pas trompés, le lieu, en lui-même, était étrange. Son jean n'avait pas été défait, comme en témoignait la fermeture Éclair que nous avions trouvée remontée, et ses fesses étaient très certainement couvertes. D'après le tissu synthétique qui s'était incrusté en fondant dans les chairs, je n'avais également aucune raison de penser que ses seins étaient découverts. Même si ces indices ne pou-

120

vaient écarter définitivement la possibilité d'une agression sexuelle, ils plaidaient en défaveur d'une telle hypothèse.

J'examinais l'état des os à travers un voile de vapeur lorsque la sonnerie du téléphone me fit sursauter. Je pensais d'abord qu'il s'agissait d'un appel des pompes funèbres qui venaient livrer un corps, mais me rendis compte, en regardant clignoter la diode, que l'appel était bien destiné à la salle d'autopsie. Je ne pus m'empêcher de repenser à ce que Ruffin m'avait dit concernant les appels bizarroïdes qu'il recevait le matin, et m'attendis à n'entendre aucun son à l'autre bout de la ligne.

– Oui, dis-je d'un ton brusque.

– Mince, qui c'est qu'a pissé dans vos corn flakes ? répliqua Marino.

– Oh, dis-je, soulagée. Excusez-moi, je croyais que c'était quelqu'un qui me faisait une mauvaise blague.

– Comment ça, *une mauvaise blague* ?

– Je vous expliquerai plus tard, dis-je. Que se passe-t-il ?

– Je suis dans votre parking et j'espérais que vous me laisseriez entrer.

– J'arrive tout de suite.

En fait, j'étais ravie d'avoir de la compagnie. Je courus au parking souterrain et appuyai sur un bouton. L'énorme porte commença à se soulever et Marino passa dessous en se pliant en deux. La nuit était trouée de lampes à vapeur de sodium, et je me rendis compte que le ciel s'était couvert de nuages annonçant la pluie.

– Pourquoi vous êtes restée si tard ? demanda Marino de son habituel ton bourru en tirant sur sa cigarette.

– Mon bureau est non fumeur, lui rappelai-je.

– Comme si les mecs qui sont là-dedans risquaient de subir le tabagisme passif.

– Certains d'entre nous respirent encore.

Il jeta sa cigarette sur le sol en ciment et l'écrasa d'un pied agacé, comme si je lui faisais le coup pour la première fois. En fait, ce manège était devenu une habitude entre nous, et ce petit affrontement répété confirmait et renforçait en quelque sorte nos liens. J'étais tout à fait certaine que Marino se serait senti offensé si je ne l'avais pas asticoté.

– Vous pouvez m'accompagner jusqu'à la salle de décomposition, dis-je en refermant la porte. Je suis en plein travail.

– Si j'avais su, se plaignit-il, je me serais contenté de vous appeler.

– Ne vous inquiétez pas. Ce n'est pas grand-chose. Je nettoie simplement quelques os.

– Peut-être que c'est pas grand-chose pour vous, dit-il, mais moi, je m'habituerai jamais à votre cuisine.

Nous entrâmes dans la salle et je lui tendis un masque chirurgical. Je vérifiai où en était le processus, et baissai encore la température du réchaud pour être sûre que l'eau ne bouille pas et n'engendre pas de chocs des os les uns contre les autres ou contre les parois du récipient. Marino pinça la patte du masque afin qu'il couvre bien son nez et sa bouche et le noua maladroitement. Il repéra une boîte de gants jetables, en rafla une paire et les enfila. Qu'il soit aussi obsessionnel vis-à-vis des microbes pouvant mettre en péril sa santé ne manquait pas de sel alors que le plus grave danger venait de son style de vie. Il transpirait dans son pantalon de toile, sa chemise blanche et sa cravate et avait de toute évidence fait face à une attaque de ketchup dans la journée.

– J'ai deux ou trois choses intéressantes à vous apprendre, Doc, dit-il, s'adossant à un évier en acier rutilant. On a vérifié les plaques de la Mercedes qui a brûlé derrière la maison de Kenneth Sparkes : c'est une Benz 240D bleue de 1981. Elle a dû faire au moins deux fois le tour du compteur. La carte grise fait un peu peur : elle est au nom d'un certain docteur Newton Joyce de Wilmington, en Caroline du Nord. Il est dans l'annuaire, mais j'ai eu que son répondeur.

– Wilmington, c'est là que Claire Rawley a fait ses études, et c'est tout près de l'endroit où Sparkes a sa maison au bord de la mer, lui rappelai-je.

– Exact. Pour l'instant, tous les indices pointent dans cette direction.

Il fixa pensivement la marmite fumante sur le réchaud et poursuivit :

– Elle vient à Warrenton au volant de la voiture de quelqu'un d'autre, se fait assassiner et finit brûlée dans un incendie, dit-il en se frottant les tempes. Je vous dis, ce truc pue autant que ce que vous êtes en train de cuire, Doc. Il doit nous manquer une grosse pièce du puzzle, parce que ça veut rien dire.

– Est-ce qu'il y a des Rawley dans la région de Wilmington? demandai-je. Y a-t-il une possibilité qu'elle ait de la famille là-bas?

– Il y en a deux dans l'annuaire, mais aucun n'a jamais entendu parler d'une Claire.

– Et à l'université?

– Je m'y suis pas encore mis, répondit-il alors que je surveillais le contenu de ma marmite. Je pensais que vous alliez vous en occuper.

– Demain matin.

– Bon. Vous allez rester toute la nuit ici à cuisiner cette saloperie?

– Pour tout vous dire, répondis-je en éteignant le réchaud, je vais le laisser tel quel et rentrer chez moi. Quelle heure est-il, d'ailleurs? Oh, mon Dieu, presque 21 heures. Et je dois aller au tribunal demain matin.

– Cassons-nous d'ici, dit-il.

Je verrouillai la porte de la salle de décomposition et rouvris celle du parking. D'énormes nuages noirs passaient devant la lune, comme des bateaux toutes voiles dehors. Le vent soufflait en furie et produisait des bruits irréels en glissant sur les murs de mon bâtiment. Marino me raccompagna jusqu'à ma voiture. Il n'avait pas l'air très pressé. Il sortit son paquet de cigarettes et en alluma une.

– Je veux pas vous fourrer de drôles d'idées dans le crâne, dit-il, mais il y a quelque chose qu'il faut que je vous dise. C'est juste un truc auquel je pense.

J'ouvris ma portière et me glissai au volant.

– Je crains le pire, Marino, répondis-je, et j'étais sincère.

– J'ai eu un coup de fil vers 16h30, Doc, de Rex Willis. L'éditorialiste.

– Je sais qui c'est, dis-je en bouclant ma ceinture.

– Apparemment, il a reçu une lettre anonyme aujourd'hui, formulée comme un communiqué de presse. Et c'est pas du joli.

– De quoi s'agit-il? demandai-je, brusquement alarmée.

– Eh bien, elle est censée provenir de Carrie Grethen, et elle dit qu'elle s'est évadée de Kirby parce qu'elle avait été piégée par les feds et qu'elle savait qu'on allait l'exécuter pour quelque chose qu'elle n'avait pas fait. Elle prétend qu'au moment des meurtres, vous aviez une liaison avec le chef des profileurs qui travaillait sur cette affaire, Benton

123

Wesley, et que toutes les prétendues preuves contre elle ont été trafiquées, montées de toutes pièces, que c'est une conspiration que vous avez montée tous les deux pour faire mousser le Bureau.

— Et d'où a-t-elle été postée ? demandai-je en sentant l'indignation me gagner.

— Manhattan.

— Elle était adressée nommément à Rex Willis ?

— Ouais.

— Et bien sûr, il ne va rien en faire.

— Allons, Doc, dit-il après une hésitation. Vous avez déjà vu des journalistes ne pas tirer profit de ce qu'on leur fournit ?

— Oh, bordel ! m'exclamai-je en démarrant. Est-ce que les médias sont devenus fous ? Ils reçoivent une lettre d'une dingue et ils l'impriment ?

— J'ai un exemplaire, si vous voulez voir...

Il sortit une feuille pliée de sa poche arrière et me la tendit :

— Tenez, c'est un fax, expliqua-t-il. L'original est déjà au labo. Le service des documents va voir ce qu'on peut en tirer.

Je dépliai le fax d'une main tremblante et ne reconnus pas les lettres proprement tapées à l'encre noire. Cela n'avait rien à voir avec l'étrange écriture rouge de la lettre que j'avais reçue de Carrie Grethen. Cette fois, son style était parfaitement cohérent. Je lus pendant un moment, passant rapidement sur la grotesque accusation de machination, et m'arrêtai, glacée d'horreur, sur le dernier paragraphe.

*Quant à l'agent spécial Lucy Farinelli, elle fait une brillante carrière simplement parce que l'influente docteur Scarpetta, médecin légiste expert de l'État de Virginie et sa tante, a couvert les fautes et les transgressions de sa nièce pendant des années. Quand Lucy et moi étions toutes les deux à Quantico, c'est elle qui est venue à moi, et non le contraire, comme certains voudront probablement le faire accroire au tribunal. Bien qu'il soit vrai que nous avons été amantes pendant un certain temps, il ne s'agissait que d'une manipulation de sa part destinée à m'amener à la couvrir chaque fois qu'elle bousillait CAIN. Après quoi, elle a récolté tous les mérites d'un travail qu'elle n'a jamais accompli. Je jure devant Dieu que c'est la stricte vérité. J'en*

*fais le serment. Je vous demande de bien vouloir publier*
*cette lettre pour que tout le monde en prenne connaissance.*
*Je ne veux pas devoir me cacher pendant le reste de ma vie,*
*condamnée par la société pour des actes affreux que je n'ai*
*pas commis. Mon seul espoir de liberté et de justice réside*
*dans le fait que tout le monde apprenne la vérité et agisse en*
*conséquence.*
   *Ayez pitié,*

*Carrie* GRETHEN

Marino continua tranquillement à fumer pendant que je lisais, puis :

– L'auteur de cette lettre sait beaucoup de choses. Ça ne fait aucun doute pour moi que c'est bien cette salope qui l'a écrite.

– Elle m'écrit une lettre déjantée, et ensuite elle envoie ceci, qui paraît totalement rationnel ? demandai-je, si bouleversée que je commençais à me sentir mal. Vous trouvez cela logique, Marino ?

Il haussa les épaules tandis que les premières gouttes de pluie se mettaient à tomber.

– Je vais vous dire ce que je pense, dit-il. Elle vous a envoyé un signal. Elle veut que vous sachiez qu'elle se paie la tête de tout le monde. Ce ne serait pas marrant pour elle si elle ne pouvait pas vous emmerder et vous gâcher la vie.

– Benton est au courant ?

– Pas encore.

– Et vous pensez vraiment que le journal va publier ce message ? demandai-je à nouveau, espérant qu'il répondrait autre chose, cette fois.

– Vous savez comment ça se passe.

Il jeta son mégot qui s'éparpilla en étincelles sur le sol avant de conclure :

– L'article dira que cette célèbre et sinistre psychopathe les a contactés alors que la moitié des forces de police essaie de trouver cette salope. Et l'autre mauvaise nouvelle, c'est qu'il n'y a pas moyen de savoir si elle n'a pas envoyé la même lettre à d'autres journaux.

– Pauvre Lucy, murmurai-je.

– Ouais, pauvre tout le monde, ajouta Marino.

# 7

LORSQUE JE PRIS le chemin du retour, une pluie battante tombait et brouillait tout. J'avais éteint la radio, car je ne voulais pas en savoir davantage aujourd'hui, et j'étais certaine que je n'arriverais pas à dormir dans cet état de tension. À deux reprises, je dus ramener à quarante-cinq kilomètres à l'heure ma lourde Mercedes, qui faisait jaillir des gerbes d'eau comme un hors-bord. Sur West Cary Street, les creux et les nids-de-poule étaient remplis d'eau, et les balises clignotantes rouges et bleues me rappelèrent qu'il valait mieux que je prenne mon temps.

Il était presque 22 heures lorsque je remontai enfin mon allée. Je fus saisie de peur en voyant que le détecteur de mouvement ne déclenchait pas les lumières de sécurité près de la porte du garage. L'obscurité était totale, et je n'avais pour m'orienter que le ronronnement du moteur et la pluie qui tambourinait. L'espace d'un instant, je me demandai si j'allais ouvrir la porte ou repartir à toute vitesse.

— C'est ridicule, me dis-je en appuyant sur le déclencheur.

Mais la porte ne bougea pas.

— Merde !

Je passai en marche arrière et reculai sans pouvoir distinguer l'allée, la bordure de briques ni même les plantes. L'arbuste que je frôlai était petit et ne causa aucun dégât, mais j'étais sûre d'avoir saccagé un bout de pelouse en manœuvrant devant la maison. À l'intérieur, en tout cas, l'interrupteur automatique venait d'allumer la lumière dans l'entrée ainsi que quelques lampes. En revanche, les détecteurs de mouvement de chaque côté de la maison étaient eux aussi hors service. Je me raisonnai en songeant que c'étaient les intempéries qui avaient provoqué une panne un peu plus tôt dans la soirée, mettant hors d'usage un coupe-circuit.

La pluie s'engouffra dans la voiture quand j'ouvris ma portière. Je m'emparai de mon sac et de mon attaché-case et fonçai jusqu'aux marches du perron. Le temps d'ouvrir la porte, j'étais trempée jusqu'aux os, et le silence qui m'accueillit me glaça de terreur. Les lumières qui clignotaient sur le clavier près de la porte indiquaient que l'alarme était éteinte, à moins que ce ne fût une coupure de courant qui ne l'ait déconnectée. Mais cela n'avait pas d'importance. À présent, j'étais terrorisée et incapable de bouger. Du coup, je restai pétrifiée dans l'entrée, tandis que l'eau dégoulinait sur le sol, me demandant frénétiquement où était l'arme la plus proche.

Je ne me rappelais pas si j'avais rangé le Glock dans un tiroir de la cuisine. C'était certainement plus près que mon bureau ou la chambre, situés chacun à un bout de la maison. Le vent et la pluie s'acharnaient sur les murs de pierre et les fenêtres, et je tendis l'oreille pour guetter d'autres bruits éventuels, le grincement d'une lame de parquet à l'étage ou l'écho d'un pas sur le tapis. Dans un accès de panique, je laissai brusquement tomber mon attaché-case et mon sac, et me ruai dans la salle à manger pour atteindre la cuisine, mes pieds mouillés se dérobant sous moi. J'entrouvris le tiroir du bas et étouffai un cri de soulagement en m'emparant du Glock.

Je pris le temps de fouiller à nouveau la maison en allumant dans chaque pièce. Après m'être assurée que je n'avais aucun visiteur indésirable, je vérifiai les fusibles dans le garage et remplaçai ceux qui avaient grillé. L'ordre revenu, l'alarme à nouveau enclenchée, je me servis un whiskey Black Bush avec de la glace et attendis que mes nerfs se disciplinent d'eux-mêmes. Puis j'appelai le Johnson's Motel de Warrenton, mais Lucy n'était pas rentrée. J'essayai l'appartement de Washington. Ce fut Janet qui répondit.

– C'est Kay. J'espère que je n'ai réveillé personne.

– Oh, bonsoir docteur Scarpetta, dit Janet qui ne pouvait se résoudre à m'appeler par mon prénom, bien que je le lui aie demandé je ne sais combien de fois. Non, j'étais en train de boire une bière en attendant Lucy.

– Je vois, dis-je, très déçue. Elle est censée rentrer de Warrenton ?

127

– Pas pour longtemps. Si vous voyiez le chantier, ici. Il y a des cartons partout. Une vraie pagaille.

– Comment tenez-vous le coup dans tout ça, Janet ?

– Je ne sais pas encore, répondit-elle, et je sentis un frémissement dans sa voix. Il faudra s'y faire. Dieu sait le nombre de fois où j'ai dû me faire à quelque chose.

– Et je suis sûre que vous vous en tirerez encore haut la main cette fois-ci.

Je pris une gorgée de whiskey, sachant que j'avais parlé sans conviction, mais pour l'instant, cela me faisait du bien d'entendre une autre voix.

– Quand j'étais mariée – il y a des siècles de cela –, Tony et moi étions sur des longueurs d'ondes totalement différentes, repris-je. Mais nous trouvions du temps à nous consacrer mutuellement, des moments privilégiés. D'une certaine façon, c'était mieux ainsi.

– Et vous avez également divorcé, souligna-t-elle poliment.

– Au bout d'un certain temps, seulement.

– Lucy ne sera pas là avant au moins une heure, docteur Scarpetta. Y a-t-il un message à lui transmettre ?

J'hésitai, me demandant que répondre.

– Est-ce que tout va bien ? demanda alors Janet.

– En fait, non. Je suppose que vous n'êtes pas au courant. Et elle non plus, d'ailleurs.

Je lui donnai les grandes lignes de la lettre que Carrie avait envoyée à la presse, et quand j'eus terminé, Janet garda un silence pesant.

– Je vous en parle pour que vous soyez préparée, ajoutai-je. Vous auriez pu vous réveiller demain et le lire dans le journal. Ou l'entendre à la télévision aux dernières nouvelles de la nuit.

– Il valait mieux que vous me le disiez, répondit Janet d'une voix si basse que je l'entendis à peine. J'en ferai part à Lucy dès qu'elle arrivera.

– Dites-lui de m'appeler, si elle n'est pas trop fatiguée.

– Je le ferai.

– Bonne nuit, Janet.

– Non, ça ne risque pas. Ce ne sera pas une bonne nuit du tout. Cette salope nous gâche la vie depuis des années. D'une manière ou d'une autre. Et j'en ai plein le cul ! Excusez-moi du terme.

— Il m'est arrivé de l'employer moi aussi.

— Mais j'y étais, bordel ! (Elle se mit à pleurer.) Carrie lui a fait un rentre-dedans inimaginable, cette espèce de dingue manipulatrice. Lucy n'avait aucune chance. Mon Dieu, ce n'était qu'une gamine, une gosse surdouée qui aurait probablement dû rester à l'université, c'était sa place, au lieu de venir faire un stage à ce foutu Bureau. Je suis toujours du FBI, d'accord ? Mais je vois où ça merde. Et ils ne se sont pas très bien comportés avec elle, ce qui la rend d'autant plus vulnérable aux manigances de Carrie.

J'avais bu la moitié de mon whiskey, et il n'y en aurait pas eu assez dans le monde entier pour me remonter le moral à cet instant.

— Elle n'a pas besoin qu'on la perturbe encore plus, continua Janet dans un accès de franchise tout à fait inhabituel. Je ne sais pas si elle vous en a parlé. En fait, je pense même qu'elle n'a jamais eu l'intention de vous en faire part, mais Lucy consulte un psychiatre depuis deux ans, docteur Scarpetta.

— Tant mieux. Je suis heureuse de l'apprendre, dis-je en dissimulant ma peine. Non, elle ne me l'a pas confié, mais je ne m'attendais pas qu'elle le fasse, ajoutai-je avec la voix parfaite de l'objectivité tandis que mon cœur se serrait encore davantage.

— Elle a fait des tentatives de suicide, dit Janet. Plus d'une.

— Je suis contente qu'elle voie quelqu'un, parvins-je tout juste à dire alors que les larmes me montaient aux yeux.

J'étais effondrée. Pourquoi Lucy ne m'avait-elle pas demandé de l'aider ?

— La plupart des gens qui font de grandes choses ont des moments très noirs, repris-je. Je ne peux que me féliciter qu'elle réagisse. Est-ce qu'elle prend des médicaments ?

— De la Wellbutrine. Le Prozac la faisait dérailler. Elle se comportait comme un zombie puis, l'instant d'après, passait son temps à courir les bars.

— Oh, parvins-je tout juste à articuler.

— Elle n'a pas besoin qu'on la stresse, qu'on la rejette ou qu'on la perturbe plus qu'elle ne l'est déjà, continua Janet. Vous ne savez pas ce que c'est. Il suffit que quelqu'un la déséquilibre un peu et elle est déprimée pendant une semaine. Elle est en dents de scie, dépressive un moment puis surexcitée la minute suivante.

Elle posa la main sur le combiné et se moucha. J'aurais voulu connaître le nom du psychiatre de Lucy, mais je n'osais pas poser la question. Je me demandai si ma nièce était cyclothymique sans que personne ne s'en soit aperçu.

— Docteur Scarpetta, je ne veux pas qu'elle... (Sa voix s'étrangla.) Je ne veux pas qu'elle meure.

— Elle ne mourra pas. Ça, je vous le promets.

Nous raccrochâmes et je restai un certain temps assise sur mon lit, tout habillée, trop terrifiée par le chaos qui régnait en moi pour dormir. Pendant un moment, je pleurai de rage et de chagrin. Lucy pouvait me blesser plus que quiconque, et elle le savait. Elle pouvait me fendre le cœur, et ce que Janet venait de m'apprendre était de loin le coup le plus douloureux. Je ne pus m'empêcher de repenser à l'attitude inquisitrice de Teun McGovern lorsque nous avions parlé dans mon bureau. Elle m'avait semblé en savoir tellement long sur les difficultés de Lucy. Ma nièce avait-elle pu lui en parler à elle et pas à moi ?

J'attendis qu'elle m'appelle. En vain. Comme je n'avais pas contacté Benton, il finit par téléphoner à minuit.

— Kay ?

— Tu as appris la nouvelle ? demandai-je. Ce que Carrie a fait ?

— Je suis au courant de la lettre.

— Bon sang, Benton. Bon sang !

— Je suis à New York, me dit-il, à ma grande surprise. Le Bureau m'a fait venir.

— Très bien. C'est ce qu'il y avait de mieux à faire. Tu la connais.

— Malheureusement.

— Je suis heureuse que tu sois là-bas, décrétai-je avec force. D'une certaine manière, cela me paraît plus sûr. Si ce n'est pas une ironie de dire ça ! Depuis quand New York est-elle un lieu sûr ?

— Tu es bouleversée.

— En sais-tu davantage sur l'endroit où elle se trouve ? demandai-je en faisant tourner les restes de glaçons dans mon verre.

— Nous savons qu'elle a posté sa dernière lettre d'un

endroit dont le code postal est 10036, c'est-à-dire Times Square. Le cachet est du 10 juin, soit hier. Mardi.

– Le jour de son évasion.

– Oui.

– Et nous ne savons toujours pas comment elle s'y est prise.

– Non, nous ne savons pas. C'est comme si elle s'était télétransportée de l'autre côté de la rivière.

– Non, certainement pas, dis-je, lasse et de mauvaise humeur. Quelqu'un a forcément vu quelque chose et on l'a aidée. Elle a toujours été douée pour manipuler les gens.

– L'unité de profilage a reçu un nombre incroyable d'appels. Apparemment, elle a procédé à un sacré mailing, et inondé tous les grands quotidiens, y compris le *Post* et le *New York Times*.

– Et ?

– Et c'est trop juteux pour qu'ils jettent ça au panier, Kay. La chasse qu'on a déclenchée pour la retrouver est aussi importante que celle pour Unabomber ou Cunanan*, et maintenant Carrie écrit aux médias. Ils vont tous y aller de leur article. Tu parles, ils seraient prêts à publier la liste de ses courses ou à diffuser ses rots. Pour eux, c'est de l'or. C'est de la couverture de magazines et du scénario de films.

– Je refuse d'en entendre davantage.

– Tu me manques.

– Tu ne dirais pas ça si tu me voyais en ce moment, Benton.

Nous nous souhaitâmes bonne nuit et raccrochâmes. Je retapai mon oreiller dans mon dos, envisageai de prendre un autre whiskey, puis me ravisai. Je tentai d'imaginer ce que Carrie allait faire, et ses desseins tortueux me ramenaient toujours à Lucy. D'une manière ou d'une autre, cela représenterait l'apothéose de Carrie, parce qu'elle était rongée par l'envie. Lucy était plus douée, plus honorable, plus « tout », et Carrie n'aurait de cesse de s'approprier cette beauté farouche et de lui sucer jusqu'à la dernière goutte de son sang. Il m'apparaissait à présent clairement que Carrie n'avait même pas besoin d'être là pour réussir. Nous nous rapprochions tous de plus en plus de son trou noir, et son attraction était effroyablement puissante.

Je dormis d'un sommeil torturé, et je rêvai de catastrophes

* L'assassin de Versace.

aériennes et de draps trempés de sang. Je me trouvais dans une voiture, puis dans un train, et quelqu'un me poursuivait. Quand je me réveillai à 6 h 30, le soleil s'annonçait dans un ciel bleu roi et des flaques brillaient dans l'herbe. J'emportai mon Glock dans la salle de bains, verrouillai la porte et pris une douche rapide. Quand je fermai le robinet, je tendis l'oreille pour m'assurer que l'alarme ne s'était pas déclenchée, puis je vérifiai sur le clavier de la chambre que le système était toujours armé. En même temps, je me rendais compte que mon comportement était totalement paranoïaque et irrationnel. Mais je ne pouvais rien y faire : j'étais terrorisée.

Brusquement, Carrie était partout. Elle était la femme mince qui descendait ma rue avec des lunettes noires et une casquette de base-ball, le conducteur qui me colla au péage de l'autoroute ou la sans-abri en manteau informe qui me fixa alors que je traversais Broad Street. Elle était n'importe qui avec une coiffure punk décolorée ou des piercings, androgyne ou bizarrement vêtu – et pendant tout ce temps, je me répétais que je n'avais pas vu Carrie depuis plus de cinq ans. Je n'avais aucune idée de son allure actuelle et je ne la reconnaîtrais probablement pas, jusqu'au moment où il serait trop tard.

Le portail du parking était ouvert lorsque je me garai derrière mon bureau, et les pompes funèbres Bliley chargeaient un corps à l'arrière d'un corbillard d'un noir luisant : on continuait d'apporter et d'emporter des cadavres.

– Beau temps, dis-je à l'employé vêtu d'un impeccable costume sombre.

– Très bien, et vous ? répondit-il, l'esprit ailleurs.

Un autre homme bien habillé descendit pour l'aider, les pieds d'une civière roulante se replièrent, puis on claqua le hayon. J'attendis qu'ils s'éloignent et refermai le vantail derrière eux.

Je m'arrêtai d'abord dans le bureau de Fielding. Il n'était pas encore tout à fait 8 h 15.

– Comment ça se passe ? demandai-je en frappant à la porte.

– Entrez.

Il passait en revue les livres dans sa bibliothèque. Ses larges épaules faisaient presque craquer sa blouse blanche.

132

Mon adjoint n'avait pas la vie facile : il trouvait rarement des vêtements qui lui allaient, puisqu'il n'avait grosso modo ni taille ni hanches. Je me souvenais du premier pique-nique où j'avais invité chez moi mes collègues. Il s'était allongé au soleil, simplement vêtu d'un jean. J'étais restée stupéfaite et un peu gênée de ne pouvoir le quitter du regard, non parce que je ressentais pour lui un désir sexuel, mais plutôt parce que sa beauté animale m'avait captivée. Je n'arrivais pas à comprendre comment quelqu'un pouvait trouver le temps de se forger un corps comme celui-là.

— J'imagine que vous avez vu le journal, dit-il.

— La lettre, répondis-je, démoralisée.

— Oui. (Il sortit un vieil annuaire de la police et le posa par terre.) Il y a une photo de vous et un ancien portrait d'elle à la une. Je suis désolé que vous soyez obligée de subir des saloperies comme ça, dit-il en continuant à fouiller dans sa bibliothèque. Le téléphone n'arrête pas de sonner à la réception.

— Qu'est-ce que nous avons, ce matin ? demandai-je pour changer de sujet.

— Un accident de voiture sur le Midlothian Turnpike, conducteur et passager tués. Il s'agit juste d'examens et DeMaio a déjà commencé à travailler dessus. À part ça, rien.

— C'est déjà bien assez. Je dois me rendre au tribunal.

— Je croyais que vous étiez en vacances.

— Moi aussi.

— Sérieusement, ça n'a pas été ajourné ? Vous auriez été obligée de revenir de Hilton Head pour ça ?

— Le juge Bowls.

— Beuh, fit Fielding d'un air dégoûté. Combien de fois vous a-t-il fait le coup ? J'ai l'impression qu'il attend de connaître vos dates de vacances pour décider d'un procès qui va tout foutre en l'air. Et vous, vous vous grouillez de rappliquer, et, la moitié du temps, il classe l'affaire.

— Mon Pager est branché.

— Moi, vous vous doutez bien de ce que je vais faire.

Il désigna les monceaux de paperasses qui s'accumulaient sur son bureau avant de poursuivre en gloussant :

— Je suis tellement en retard qu'il me faudrait des journées de quarante-huit heures.

— Je ne me donnerai pas la peine de vous gronder, ça ne sert à rien.

L'immeuble des John Marshall Courts se trouvait à dix minutes à pied de nos nouveaux locaux, et je me dis que l'exercice me ferait du bien. La matinée était claire, l'air frais et pur, tandis que je descendais Leigh Street vers le sud et prenais la 9e, passant devant le poste de police, mon sac en bandoulière et un dossier à soufflets sous le bras.

L'affaire de ce matin était banale : un dealer qui en avait tué un autre. Je fus donc surprise de voir au moins une douzaine de journalistes au troisième étage, devant la porte de la salle d'audience. D'abord, je pensai que Rose s'était trompée dans mon emploi du temps, l'idée que les médias puissent être là pour moi ne m'ayant pas effleuré l'esprit.

Mais à peine m'eurent-ils repérée qu'ils se précipitèrent, caméras à l'épaule, micros brandis et flashes crépitants. Je fus prise de court, puis la colère m'envahit.

— Docteur Scarpetta, quelle est votre réaction à la lettre de Carrie Grethen ? demanda un journaliste de Channel 6.

— Sans commentaire, répondis-je en cherchant frénétiquement du regard le procureur qui m'avait convoquée pour témoigner dans l'affaire.

— Que pensez-vous de l'allégation de complot ?

— Entre vous et votre amant agent du FBI ?

— C'est-à-dire Benton Wesley ?

— Comment a réagi votre nièce ?

Je dépassai en trombe un cameraman, les nerfs à fleur de peau et le cœur battant. Je m'enfermai dans la petite pièce sans fenêtre réservée aux témoins et m'assis sur une chaise en bois. Je me sentais prise au piège comme une idiote, et je me demandai comment j'avais pu être assez bête pour ne pas envisager qu'une telle chose puisse arriver après ce qu'avait fait Carrie. J'ouvris le dossier à soufflets et entrepris de relire les différents rapports et schémas pour revoir les points d'impact et de sortie des balles et repérer celles qui avaient été mortelles. Je restai dans cet endroit confiné pendant presque une demi-heure avant que le procureur ne vienne me trouver. Nous discutâmes quelques minutes avant que je ne témoigne.

Ce qui s'ensuivit fut la conséquence de ce qui s'était passé dans le hall l'instant d'avant. Pour surmonter ce qui n'était rien de plus qu'une impitoyable agression, je me retrouvai obligée de me dissocier totalement de moi-même.

– Docteur Scarpetta, demanda l'avocat de la défense Will Lampkin, qui essayait d'avoir ma peau depuis des années. Combien de fois avez-vous témoigné devant ce tribunal ?

– Objection, dit le procureur.

– Objection rejetée, fit le juge Bowls, qui n'était pas non plus de mes fans.

– Je n'ai jamais compté, répliquai-je.

– Mais vous pouvez certainement nous donner un ordre de grandeur. Plus d'une douzaine de fois ? D'une centaine ? Un million ?

– Plus d'une centaine, répondis-je en sentant qu'il s'apprêtait à me sauter à la gorge.

– Et vous avez toujours dit la vérité aux jurés comme aux juges ?

Lampkin arpentait la salle à pas lents, une expression confite sur son visage rougeaud, les mains derrière le dos.

– J'ai toujours dit la vérité.

– Et vous ne considérez pas, docteur Scarpetta, que coucher avec un membre du FBI soit un comportement malhonnête ?

– Objection ! s'écria le procureur en bondissant sur ses pieds.

– Objection retenue, dit le juge qui baissa les yeux vers Lampkin, l'incitant du regard à continuer dans cette voie. Que cherchez-vous à démontrer, monsieur Lampkin ?

– Ce que je cherche à démontrer, Votre Honneur, est un conflit d'intérêts. Il est de notoriété publique que le docteur Scarpetta entretient une relation avec au moins un agent de la force publique avec lequel elle a collaboré sur des affaires, tout comme il est connu qu'elle a également influencé les organes officiels – le FBI comme l'ATF – afin de faciliter la carrière de sa nièce.

– Objection !

– Objection rejetée. Veuillez en venir au fait, monsieur Lampkin, l'encouragea le juge en tendant la main vers sa carafe d'eau.

– Je vous remercie, Votre Honneur, dit Lampkin avec une déférence insupportable. Ce que j'essaie d'illustrer, c'est une conduite répétitive.

Les regards des quatre Blancs et des huit Noirs assis dans le box des jurés allaient poliment de Lampkin à moi comme s'ils assistaient à un match de tennis. Certains fronçaient les sourcils. L'un d'eux se curait les ongles tandis qu'un autre semblait endormi.

— Docteur Scarpetta, est-il exact que vous avez tendance à manipuler les situations à votre avantage ?

— Objection ! La défense harcèle le témoin !

— Objection rejetée, dit le juge. Docteur Scarpetta, veuillez répondre à la question.

— Non, je n'ai absolument pas tendance à agir ainsi, affirmai-je avec chaleur en regardant les jurés.

Lampkin prit un papier sur la table à laquelle était installé son client, un délinquant de dix-neuf ans.

— Selon les journaux de ce matin, poursuivit précipitamment Lampkin, vous avez manipulé les autorités pendant des années...

— Votre Honneur ! Objection ! C'est scandaleux !

— Objection rejetée, répliqua froidement le juge.

— Il est dit ici noir sur blanc que vous avez conspiré avec le FBI pour envoyer une femme innocente à la chaise électrique !

Lampkin s'approcha des jurés et agita la photocopie sous leur nez.

— Mais enfin, Votre Honneur ! s'exclama le procureur, en sueur dans son costume.

— Monsieur Lampkin, veuillez continuer vos questions, dit le juge à l'énorme avocat.

C'est dans le brouillard le plus complet que je récitai ce que je savais sur les distances, les trajectoires et les organes vitaux qui avaient été atteints par les balles de 10 mm. Après avoir dévalé l'escalier du tribunal et m'être éloignée précipitamment sans regarder personne, je me souvenais à peine de ce que j'avais dit. Deux journalistes opiniâtres me suivirent un moment puis rebroussèrent chemin en constatant qu'il aurait été plus facile de parler à un mur. L'injustice de ce qui s'était déroulé dans le box des témoins défiait toute description. Carrie n'avait eu qu'à lever le petit doigt et j'étais déjà touchée. Je compris que ce serait sans fin.

Lorsque je déverrouillai l'accès à l'arrière de mon bâtiment, le passage de la lumière crue à l'obscurité m'aveugla.

J'ouvris la porte du couloir et fus soulagée d'apercevoir Fielding, qui se dirigeait vers moi. Il portait des linges de protection propres, ce qui me fit supposer qu'un autre corps avait été livré.

– On tient le coup ? demandai-je en fourrant mes lunettes de soleil dans mon sac.

– Un suicide à Powhatan. Une gamine de quinze ans qui s'est tiré une balle dans la tête. Apparemment, papa ne voulait plus qu'elle voie son zonard de petit copain. Vous avez l'air dans un drôle d'état, Kay.

– Ça s'appelle une attaque de requins.

– Aïe. Foutus salopards d'avocats. C'était qui, cette fois ? demanda-t-il, apparemment prêt à exercer des représailles.

– Lampkin.

– Oh, ce bon vieux Lampkin la Lamproie ! Ça va aller, dit-il en me rassurant d'une bourrade à l'épaule. Croyez-moi, ça va aller. Il suffit de balayer ces saloperies et de continuer à foncer.

– Je sais, dis-je avec un sourire. Je serai dans la salle de décomposition si vous avez besoin de moi.

Travailler sur les os est une tâche solitaire, mais ce fut un agréable répit, car je ne voulais pas que quiconque parmi mes subordonnés s'aperçoive de mes craintes et de mon abattement. J'allumai la lumière et refermai la porte. Je passai une blouse par-dessus mes vêtements, enfilai deux paires de gants en latex l'une sur l'autre, puis j'allumai le réchaud électrique et soulevai le couvercle. Les os avaient continué à blanchir durant la nuit, et je les tâtai du bout d'une cuiller en bois. Je déployai une bâche plastique sur une table. Le crâne avait été scié pour l'autopsie, et je sortis de l'eau tiède et grasse la calotte crânienne ruisselante et les os faciaux ainsi que les dents calcinées, que je déposai à sécher sur la bâche.

Je préférais les abaisse-langue en bois aux tiges plastiques pour gratter les restes de tissu sur les os. On ne pouvait utiliser d'instruments en métal, car ils auraient causé des dégâts risquant de nous empêcher de trouver d'authentiques traces de violence. Je travaillai très précautionneusement à soulever et ôter les chairs pendant que les restes du squelette continuaient de mijoter tranquillement dans la marmite fumante. Pendant deux heures, je nettoyai et rinçai à en avoir mal aux

137

doigts et aux poignets. Je sautai le déjeuner, que j'oubliai en fait totalement. Il était presque 14 heures quand je trouvai une brèche dans l'os sous la région temporale où j'avais découvert l'hémorragie. Je m'interrompis et fixai l'os, incrédule.

J'approchai les lampes chirurgicales pour inonder la table de lumière. L'entaille dans l'os était droite et nette, d'à peine vingt-cinq millimètres de long et si superficielle qu'elle aurait pu facilement passer inaperçue. La seule fois où j'avais vu une blessure similaire, c'était sur le crâne d'individus qui avaient été scalpés au XIX$^e$ siècle. Dans ces cas-là, les brèches ou les entailles n'étaient pas faites sur l'os temporal, mais on ne pouvait vraiment rien en conclure.

Scalper n'est pas une procédure chirurgicale exacte, et tout était possible. Bien que je n'aie pas trouvé d'indices indiquant qu'il manquait des portions de cuir chevelu ou de cheveux à la victime de Warrenton, je ne pouvais pas non plus jurer du contraire. La tête n'était de toute évidence pas intacte lorsque nous l'avions découverte et, si un scalp impliquait généralement la majeure partie du crâne, il pouvait parfois s'agir de l'excision d'une simple boucle de cheveux.

Comme mes gants étaient sales, je décrochai le téléphone avec une serviette et bipai Marino. En attendant qu'il rappelle, je continuai de gratter avec précaution pendant quelques minutes mais ne trouvai pas d'autres marques. Ce qui ne signifiait pas, bien entendu, que d'autres blessures ne soient pas passées inaperçues, étant donné qu'un tiers au moins des vingt-deux os crâniens avait été brûlé. Je réfléchis rapidement à ce qu'il fallait faire. J'ôtai mes gants et les jetai dans la poubelle, et j'étais en train de feuilleter un carnet d'adresses que j'avais pris dans mon sac lorsque Marino appela.

— Bon sang, où êtes-vous ? demandai-je d'une voix altérée par les toxines que le stress accumulait en moi.

— Chez Liberty Valance, je déjeunais.

— Merci d'avoir rappelé aussi rapidement, dis-je d'un ton irrité.

— Hé, Doc, votre appel a dû se perdre dans la nature, parce que je viens de l'avoir. Qu'est-ce qui se passe ?

J'entendais, en bruit de fond, la conversation de clients attablés devant une cuisine garantie grasse et riche, mais qui en valait la peine.

— Vous êtes dans une cabine ?

— Ouais, et je suis pas de service, au cas où vous sauriez pas.

Il prit une gorgée de quelque chose qui devait être de la bière.

— Il faut que j'aille à Washington demain. J'ai trouvé quelque chose d'intéressant.

— Aïe. J'aime pas quand vous dites ça.

— J'ai trouvé autre chose.

— Vous allez me le dire, ou il faut que je passe ma nuit à faire les cent pas ?

Il avait bu, et je ne voulais pas lui en parler pour l'instant.

— Écoutez, pouvez-vous venir avec moi, à condition que le docteur Vessey soit libre pour nous recevoir ?

— Le type des os du Smithsonian ?

— Je vais l'appeler chez lui dès que nous aurons raccroché.

— Je suis pas de service demain, donc je vais sûrement pouvoir vous caser dans mon emploi du temps.

Je ne répondis rien, je surveillais la marmite fumante et baissais légèrement le feu.

— Ce que je veux dire, c'est que vous pouvez me compter partant, dit Marino en reprenant une gorgée de bière.

— Retrouvez-moi chez moi, dis-je. À 9 heures.

— Je serai là, pile poil.

Après quoi, j'appelai le docteur Vessey à son domicile de Bethesda. Il décrocha à la première sonnerie.

— Dieu merci, dis-je. Alex ? C'est Kay Scarpetta.

— Oh ! Comment allez-vous ?

Pour la foule de ceux qui ne passaient pas leur temps à reconstituer les autres, le docteur Vessey avait toujours l'air un peu ahuri, un peu dans les nuages, mais c'était un des meilleurs spécialistes en médecine légale anthropologique, de réputation mondiale, et il m'avait déjà rendu service bien des fois.

— J'irai beaucoup mieux si vous me dites que vous êtes en ville demain.

— Je serai fidèle au poste, comme d'habitude.

— J'ai une entaille sur un crâne. J'ai besoin de vous. Vous êtes au courant de l'incendie de Warrenton ?

— Il faudrait être sourd pour ne pas l'être.

— OK. Donc vous comprenez.

— Je ne serai pas là avant 10 heures et il n'y a pas de place pour se garer, m'avertit-il. J'ai reçu une dent de cochon avec du papier d'alu coincé dedans, dit-il distraitement pour m'informer de ses dernières occupations. Ça devait venir d'un cochon rôti, découvert enterré dans le jardin de quelqu'un. Le coroner du Mississippi a cru que c'était un homicide, un type sur qui on aurait tiré en fourrant l'arme dans sa bouche.

Il toussa et s'éclaircit bruyamment la gorge. Je l'entendis boire quelque chose.

— Je continue de recevoir des pattes d'ours de temps en temps. Il y a de plus en plus de coroners qui s'imaginent que ce sont des mains humaines.

— Je sais, Alex. Rien ne change jamais.

# 8

MARINO ARRIVA en avance, à 8 h 45, parce qu'il voulait prendre un café et manger un morceau. Comme il n'était pas officiellement de service, il portait un jean, un T-shirt de la police de Richmond et des santiags qui avaient bien vécu. Avec son ventre et le peu de cheveux qui lui restaient plaqués en arrière avec du gel, il avait l'air d'un vieux célibataire qui vient chercher sa petite amie pour l'emmener chez Billy Bob.

— Nous allons à un rodéo ? demandai-je en le faisant entrer.

— Je vous ai jamais dit que vous aviez le don de me foutre en boule ?

Il me lança un regard noir qui ne me trompa guère : il n'en pensait pas un mot.

— Eh bien, je trouve que vous avez l'air très cool, comme dirait Lucy. J'ai du café et du muesli.

— Faudra que je vous le dise combien de fois, que je mange pas ces foutues graines pour oiseaux ? grommela-t-il en me suivant.

— Et moi que je ne prépare pas des pancakes bien riches et épais comme des biftecks ?

— Eh bien, si vous en faisiez, peut-être que vous passeriez pas toutes vos soirées toute seule.

— Je n'avais pas vu les choses sous cet angle.

— Est-ce que le Smithsonian vous a dit où on allait pouvoir se garer ? Parce que c'est pas possible, à Washington.

— Nulle part, dans tout le district ? Le président devrait faire quelque chose.

Nous étions dans la cuisine, et le soleil dorait les fenêtres tout en faisant scintiller la rivière à travers les arbres côté

141

sud. J'avais mieux dormi la veille, sans trop savoir pourquoi d'ailleurs, à moins que ce ne fût parce que j'avais le cerveau tellement surchargé qu'il s'était tout simplement déconnecté. En tout cas, je ne me rappelais pas du moindre rêve, et c'était tant mieux.

— J'ai deux coupe-file qui datent de la dernière fois où Clinton est venu, dit Marino en se servant du café. Donnés par le bureau du maire.

Il me servit du café et fit glisser la tasse vers moi comme une chope de bière sur un comptoir.

— Je me suis dit qu'avec votre Mercedes et les coupe-file, peut-être que les flics croiraient qu'on a l'immunité diplomatique ou un truc de ce genre, continua-t-il.

— Je suppose que vous avez déjà vu les sabots qu'ils mettent aux voitures, là-bas.

Je coupai en deux un bagel au pavot, puis ouvris le réfrigérateur pour faire l'inventaire de ce que j'avais.

— Emmenthal, fromage du Vermont et jambon cru. (J'ouvris un autre tiroir plastique.) Et du parmesan reggiano – ce ne sera pas très bon. Pas de crème de gruyère, désolée. Mais je crois que j'ai du miel, si vous préférez.

— Et de l'oignon Vidalia ? demanda-t-il en jetant un coup d'œil par-dessus mon épaule.

— Ça, j'en ai.

— De l'emmenthal, du jambon cru et une rondelle d'oignon, c'est exactement ce qu'il faut pour ce que j'ai, dit joyeusement Marino. Voilà ce que j'appelle un petit déjeuner.

— Mais pas de beurre. Il faut bien que je mette une limite si je ne veux pas me sentir responsable quand vous tomberez raide mort.

— De la moutarde, ça ira.

J'étalai une couche de moutarde jaune et épicée, ajoutai le jambon et l'oignon avec le fromage par-dessus et, le temps que le toaster chauffe, me sentis moi aussi prise de fringale. Je me préparai la même chose et remis le muesli dans sa boîte. Nous nous assîmes à la table de cuisine en érable pour boire du café de Colombie et manger tandis que le soleil posait des touches de couleurs éclatantes sur les fleurs du jardin et que le ciel virait au bleu vif. À 9 h 30 nous étions sur l'I-95, et il n'y eut guère de circulation jusqu'à Quantico.

Alors que je dépassais la bretelle menant à l'Académie du FBI et la base des Marines, je me rappelai les jours enfuis, assaillie par les souvenirs des débuts de ma relation avec Benton, de mon orgueil angoissé devant les exploits de Lucy au sein d'une agence gouvernementale qui était restée le club masculin politiquement correct qu'elle était déjà sous le règne de Hoover. Sauf qu'aujourd'hui, alors que l'agence progressait comme une armée dans la nuit, accaparant sur son passage toutes les juridictions et crédits possibles, devenant effectivement ainsi la force de police fédérale officielle d'Amérique, les préjugés et les luttes de pouvoir y étaient plus sournois.

Je ne m'étais pas remise de cette découverte, et je l'avais en grande partie gardée pour moi, car je ne voulais pas blesser l'agent de terrain qui se donnait du mal et se consacrait de tout cœur à ce qu'il croyait être une noble vocation. Je sentis sur moi le regard de Marino, qui secouait sa cendre de cigarette par la fenêtre.

— Vous savez, Doc, peut-être que vous devriez démissionner...

Il faisait allusion à la fonction de consultante en médecine légale que je remplissais depuis longtemps auprès du Bureau. Marino poursuivit :

— Je sais qu'ils utilisent d'autres médecins légistes, à présent, continua-t-il. Ils les font travailler au coup par coup sur des dossiers au lieu de vous appeler. Regardez les choses en face : vous êtes pas venue ici depuis plus d'un an, et c'est pas par hasard. Ils ne veulent plus traiter avec vous à cause de ce qu'ils ont fait à Lucy.

— Je ne peux pas démissionner, Marino. Je ne travaille pas pour eux, mais pour les flics qui ont besoin d'aide et qui s'adressent au Bureau. Il est hors de question que ce soit moi qui jette l'éponge. Et les choses fonctionnent par cycles. Les directeurs et les procureurs fédéraux changent et peut-être qu'un jour, la situation s'améliorera. D'ailleurs, vous aussi vous êtes consultant pour eux, et ils n'ont pas tellement l'air de faire appel à vous non plus.

— Ouais. Bon, je suis un peu dans le même état d'esprit que vous.

Il jeta d'une pichenette sa cigarette, qui s'envola dans le sillage de la voiture.

– C'est nul, non ? On va là, bosser avec des gens bien et prendre une bière dans la salle de réunion. Ça me mine, si vous voulez tout savoir. Des gens qui détestent les flics et des flics qui le leur rendent bien. Quand j'ai commencé, les vieux, les gosses, les parents, ils étaient tous contents de me voir. J'étais fier de mettre mon uniforme et je cirais mes chaussures tous les jours. Maintenant, vingt ans après, je me prends des briques sur la gueule dans les cités et les gens répondent pas quand je leur dis bonjour. Je me suis cassé le cul pendant vingt ans, et qu'est-ce que j'ai ? On me donne ma promotion de capitaine et on me charge de la formation.

– C'est sûrement là que vous pouvez être le plus utile, lui rappelai-je.

– Ouais, mais c'est pas pour ça qu'on m'y a collé, dit-il en fixant le paysage et les panneaux verts de l'autoroute qui défilaient. Ils m'ont mis sur une voie de garage en espérant que je vais me dépêcher de prendre ma retraite ou de crever. Et je vais vous dire, Doc, j'y pense tout le temps. J'ai envie de sortir le bateau, d'aller pêcher, de partir sur la route avec le 4 × 4, d'aller visiter le Grand Canyon, Yosemite, le lac Tahoe, tous ces endroits dont j'ai toujours entendu parler. Seulement, quand j'y réfléchis vraiment, je me dis que je saurais pas quoi faire. Alors je crois bien que je vais mourir à la tâche.

– Ce n'est pas demain la veille, dis-je. Et si vous deviez prendre votre retraite, Marino, vous pourriez suivre l'exemple de Benton.

– Avec tout le respect que je vous dois, j'ai pas le genre consultant. L'Institut de la Justice et IBM risquent pas d'embaucher un plouc comme moi, même si j'ai des compétences.

Je ne le contredis pas et ne lui suggérai rien d'autre, car pour une fois, il ne se trompait pas. Benton était séduisant, il était bien élevé, il suscitait le respect quand il arrivait quelque part, et c'étaient en fait les seules différences entre lui et Pete Marino, car ils étaient tous les deux honnêtes, attentionnés et experts dans leur domaine.

– Bon, il faut qu'on prenne la 395 et qu'on se dirige vers Constitution, dis-je en guettant les panneaux et en ignorant les conducteurs pressés qui me collaient au pare-chocs et me frôlaient parce qu'ils trouvaient que rouler à la vitesse limite n'était pas suffisant. Ce qu'il ne faut pas faire, c'est aller trop loin et nous retrouver sur Maine Avenue. Ça m'est déjà arrivé. (Je mis mon clignotant à droite.) Un vendredi soir où je venais voir Lucy.

— Idéal pour se faire piquer sa bagnole, remarqua Marino.

— Ça a failli arriver.

— Sans déconner ? fit-il en se tournant vers moi. Et vous avez fait quoi ?

— Ils ont commencé à entourer ma voiture, alors j'ai appuyé sur le champignon.

— Vous avez renversé quelqu'un ?

— Presque.

— Vous auriez continué, Doc ? Je veux dire, si vous en aviez écrasé un ?

— Avec au moins une douzaine de ses copains derrière, vous pouvez parier vos bottes que oui !

— Eh bien, je vais vous dire un truc, fit-il en baissant les yeux. Elles valent pas grand-chose.

Un quart d'heure plus tard, nous étions sur Constitution et nous longions le ministère de l'Intérieur. Le Washington Monument dominait le Mall, où des tentes avaient été dressées pour une exposition d'art afro-américain, et où des marchands vendaient des crabes et des T-shirts dans des camionnettes. L'herbe entre les kiosques était jonchée des ordures de la veille et des ambulances passaient régulièrement, toutes sirènes hurlantes. Nous avions tourné en rond plusieurs fois, et le Smithsonian se dressait au loin comme un dragon rouge sombre. Il n'y avait pas la moindre place pour se garer. Comme de bien entendu, soit les rues étaient à sens unique, soit elles s'arrêtaient brusquement en plein milieu, tandis que d'autres étaient barricadées, et les banlieusards pressés au volant de leur voiture n'étaient pas prêts à céder le passage, même si cela vous obligeait à aller emboutir l'arrière d'un bus à l'arrêt.

— Je vais vous dire ce qu'on devrait faire, dis-je en prenant Virginia Avenue. Nous allons confier la voiture au voiturier du Watergate et prendre un taxi.

— Mais qui peut bien vouloir habiter dans une ville pareille ? râla Marino.

— Malheureusement, des tas de gens.

— Vous parlez d'un bled de cinglés, continua-t-il. Bienvenue en Amérique.

Le voiturier en livrée du Watergate fut charmant et ne sembla pas trouver curieux que je lui confie ma voiture et lui demande ensuite d'appeler un taxi. Mon précieux chargement reposait sur la banquette arrière, empaqueté dans une solide boîte en carton remplie de billes de polystyrène. Il était presque midi lorsque le taxi nous déposa au coin de Constitution et de la 12$^e$, et nous gravîmes l'escalier du Muséum national d'histoire naturelle envahi par la foule. La sécurité avait été renforcée depuis l'attentat d'Oklahoma, et le vigile nous informa que le docteur Vessey allait venir nous chercher.

En attendant, nous regardâmes distraitement une exposition intitulée « Joyaux de la mer » qui présentait des huîtres de l'Atlantique et des gambas géantes du Pacifique, le tout sous le regard d'un crâne d'ornithorynque fossile accroché au mur. Il y avait des anguilles, des poissons et des crabes dans des bocaux, des escargots de mer et un lézard marin mosasaure découvert dans un banc de craie du Kansas. Marino commençait à s'ennuyer lorsque les portes de cuivre rutilantes de l'ascenseur s'ouvrirent, et que le docteur Alex Vessey en sortit. Il avait peu changé depuis la dernière fois, toujours aussi menu, avec des cheveux blancs et un regard avenant qui, comme souvent chez les génies, avait toujours l'air ailleurs. Il avait le visage bronzé et peut-être un peu plus ridé, et portait toujours les mêmes lunettes à grosses montures noires.

— Vous avez l'air en pleine forme, dis-je en lui serrant la main.

— Je rentre à peine de vacances. De Charleston. Je crois que vous connaissez ? dit-il alors que nous entrions dans l'ascenseur.

— Oui. Je connais très bien le chef de la police. Vous vous souvenez du capitaine Marino ?

— Bien sûr.

Nous nous élevâmes de trois étages au-dessus de l'éléphant d'Afrique de huit tonnes qui trônait dans la rotonde. Des voix d'enfants flottaient dans le hall comme des volutes de fumée. Le musée n'était en fait guère plus qu'un immense hangar en granit. Quelque trente mille squelettes humains étaient rangés dans des tiroirs de bois peints en vert qui s'élevaient du sol au plafond. Cette collection rare permettait

146

d'étudier les peuples anciens, notamment les Indiens d'Amérique, qui avaient depuis peu décidé de récupérer les ossements de leurs ancêtres. Des lois avaient été promulguées, et Vessey en avait vu de toutes les couleurs tandis qu'on lui retirait la moitié d'une vie de travail pour la rapatrier dans un Ouest qui n'était plus sauvage depuis bien longtemps.

— Nous avons du personnel chargé du rapatriement qui rassemble des informations pour tel ou tel groupe, nous expliqua-t-il alors que nous prenions un couloir rempli de monde et faiblement éclairé. Chaque tribu doit être informée de ce que nous possédons, et c'est ensuite à elle de décider de ce qu'elle veut faire. Dans deux ans, nos collections indiennes risquent de se retrouver à nouveau enterrées, en attendant que des archéologues du siècle prochain ne les découvrent à nouveau, je suppose. Toutes ces ethnies sont tellement remontées, ces derniers temps, qu'elles ne se rendent pas compte du tort qu'elles se font. Si nous n'apprenons pas des morts, de qui pouvons-nous apprendre ?

— Alex, vous prêchez une convertie, dis-je.

— Oui, ben, si c'était mon arrière-arrière-grand-père qui était dans un de ces tiroirs, rétorqua Marino, je suis pas sûr que ça me plairait tellement.

— Mais tout le problème, c'est que nous ne savons pas *qui* est dans ces tiroirs, pas plus que tous ces gens qui remuent ciel et terre, dit Vessey. Ce que nous savons, c'est que ces spécimens nous ont permis d'en apprendre beaucoup plus sur les maladies des populations indiennes, et c'est d'évidence un bien pour ceux qui se sentent aujourd'hui menacés. Oh, et puis, inutile de me lancer là-dessus.

L'endroit où travaillait Vessey était constitué d'une série de petits laboratoires encombrés de comptoirs noirs, d'éviers et de milliers de livres, de boîtes de diapositives et de journaux professionnels. Çà et là étaient exposés les habituels crânes fracassés et têtes réduites, ainsi que divers os d'animaux pris pour des restes humains. Sur un panneau de liège étaient fixées d'immenses photos des décombres de Waco, où Vessey avait passé des semaines à retrouver et à identifier les restes en décomposition des davidiens.

— Montrez-moi ce que vous m'avez apporté, dit-il.

Je posai mon paquet sur un comptoir et il fendit le Scotch

avec son canif. Les billes de polystyrène bruissèrent lorsque je plongeai les mains pour sortir le crâne, puis la portion inférieure très fragile qui comprenait les os faciaux. Je les posai sur un linge bleu propre et il alluma les lampes avant d'aller chercher une loupe.

— Juste là, dis-je en indiquant la fine entaille sur l'os. Cela correspond à une hémorragie dans la zone temporale. Mais tout autour, la chair était trop brûlée pour que je puisse déduire de quel type de blessure il s'agissait. Je n'avais pas le moindre indice, jusqu'au moment où j'ai découvert ça sur l'os.

— Une incision très droite, dit-il en tournant lentement le crâne pour l'examiner sous différents angles. Et nous sommes sûrs que cela n'a pas été causé par erreur pendant l'autopsie, lorsque le cuir chevelu a été repoussé pour ôter la calotte crânienne, par exemple ?

— Nous en sommes certains. Et comme vous pouvez le voir en assemblant les deux parties (je joignis le geste à la parole), l'entaille est à environ trois centimètres au-dessus de l'endroit où l'on pratique l'ouverture pour l'autopsie. Et elle se présente sous un angle qui ne serait pas logique si l'on retirait le cuir chevelu. Vous voyez ?

Je trouvai mon index énorme en regardant à mon tour à travers la loupe.

— Cette incision est verticale, et non pas horizontale, conclus-je.

— Vous avez raison, dit-il l'air très intéressé. S'il s'agissait d'une fausse manœuvre lors de l'autopsie, cela n'aurait aucun sens, à moins que votre assistant n'ait été saoul.

— Est-ce que ça pourrait être une sorte de blessure qu'elle s'est faite en se défendant ? demanda Marino. Vous savez, si quelqu'un lui avait sauté dessus avec un couteau, qu'ils aient lutté et qu'elle ait pris une estafilade ?

— C'est tout à fait possible, dit Vessey tout en continuant d'examiner minutieusement l'os. Mais je trouve étrange que cette incision soit si précise et si fine. En outre, elle semble être de la même profondeur d'un bout à l'autre, ce qui serait difficile dans le cas d'un coup de couteau. En général, l'entaille est plus profonde à l'endroit où la lame s'est enfoncée, puis de plus en plus superficielle à mesure qu'elle s'éloigne, expliqua-t-il en mimant le geste avec un couteau imaginaire.

– De plus, nous ne devons pas oublier que cela dépend en grande partie de la position de l'agresseur par rapport à la victime, renchéris-je. Était-elle debout ou allongée ? L'agresseur était-il devant, derrière, sur le côté, ou au-dessus d'elle ?

– Tout à fait, dit Vessey.

Il alla à un placard de chêne sombre à portes vitrées et en sortit un vieux crâne bruni. Il nous l'apporta et me le tendit en désignant une entaille très nette dans les zones occipitale et pariétale, sur le côté gauche, très au-dessus de l'oreille.

– Vous m'avez parlé de scalp. Voici un enfant de huit ou neuf ans, scalpé et ensuite brûlé. On ne peut déterminer le sexe, mais le pauvre enfant avait une infection du pied. Il ou elle ne pouvait pas courir. Les coupures et les entailles de cette sorte sont tout à fait typiques du scalp.

Je gardai le crâne et tentai l'espace d'un instant de me représenter la scène décrite par Vessey. J'imaginai un enfant infirme, effrayé, perdant son sang tandis que les autres membres de la tribu étaient massacrés et que le camp partait en fumée.

– Merde, marmonna Marino d'un ton irrité. Comment on peut faire un truc pareil à un môme ?

– Comment peut-on faire un truc pareil, point final. L'entaille de celui-ci, continuai-je en m'adressant à Vessey et en désignant le crâne que j'avais apporté, ne serait pas caractéristique d'un scalp.

Il prit une profonde inspiration et poussa un long soupir pensif.

– Vous savez, Kay, ce n'est jamais précis. Tout dépend de la manière dont les choses se passent. Les Indiens avaient diverses manières de scalper leurs ennemis. En général, on pratiquait une incision circulaire du cuir chevelu jusqu'à la galea et au périoste pour pouvoir ensuite le détacher facilement de la calotte crânienne. Certains scalps étaient simples, d'autres incluaient les oreilles, les yeux, le visage, le cou. Dans certains cas, plusieurs scalps étaient pris sur la même victime, dans d'autres uniquement les cheveux, ou une petite zone sur le sommet de la tête. Et puis, et c'est ce qu'on voit dans les vieux westerns, la victime pouvait être violemment agrippée par les cheveux et on lui découpait le cuir chevelu d'un coup de couteau ou de sabre.

– Des trophées, dit Marino.

— Oui, et aussi le suprême symbole machiste de la bravoure et de l'adresse, commenta Vessey. Bien entendu, il y avait également des raisons religieuses, culturelles et même médicinales. Dans votre cas, ajouta-t-il à mon intention, nous savons que l'on n'a pas réussi à la scalper, puisqu'elle avait encore ses cheveux, et je peux vous dire que cette entaille me paraît de toute évidence avoir été infligée soigneusement avec un instrument très tranchant. Un couteau acéré. Peut-être une lame de rasoir ou un cutter, ou même quelque chose comme un scalpel. On a procédé à l'incision alors que la victime était encore vivante, et ce n'est pas la cause du décès.

— Non, c'est sa blessure à la nuque, opinai-je.

— Je ne trouve aucune autre entaille, sauf peut-être ici.

Il approcha la loupe d'une zone de l'arcade zygomatique gauche, c'est-à-dire l'os de la pommette.

— C'est très léger, murmura-t-il. Trop léger pour qu'on puisse être sûr. Vous voyez ?

— Peut-être, dis-je en me penchant pour regarder. C'est aussi fin qu'un fil de toile d'araignée.

— Exactement. Aussi fin que cela. Et ce n'est peut-être rien, mais ce qui est intéressant, c'est que l'angle est très proche de l'autre entaille. Vertical au lieu d'horizontal ou oblique.

— Ça devient malsain, fit Marino d'un ton qui n'annonçait rien de bon. Je veux dire : venons-en au fait. Qu'est-ce qu'on a ? Un mec qui a tranché la gorge de cette fille et qui l'a défigurée ensuite ? Avant de foutre le feu à la baraque ?

— C'est une possibilité.

— Eh bien, défigurer quelqu'un, c'est personnel, continua Marino. Sauf quand on a affaire à un timbré, les assassins défigurent pas des victimes qu'ils connaissent pas.

— En règle générale, c'est vrai, convins-je. D'après mon expérience, ce n'est pas vrai lorsque l'agresseur est très désorganisé et se révèle psychotique.

— Celui ou celle qui a incendié la ferme de Sparkes était tout sauf désorganisé, si vous voulez mon avis, rétorqua Marino.

— Donc vous envisagez que ce puisse être un meurtre d'une nature plus personnelle, souligna Vessey, qui continuait d'examiner soigneusement le crâne sous la loupe.

150

– Nous devons tout envisager, dis-je. Mais en tout cas, quand je tente d'imaginer Sparkes tuant tous ses chevaux, ça ne colle pas.

– Peut-être qu'il a été forcé de les tuer pour détourner les soupçons, dit Marino. Pour que tout le monde pense comme vous venez de le faire.

– Alex, celui qui a fait cela voulait être sûr que nous ne trouverions aucune marque. Et si une porte en verre ne lui était pas tombée dessus, nous n'aurions pratiquement rien retrouvé d'elle qui puisse nous donner le moindre indice sur ce qui s'est passé. Si nous n'avions retrouvé aucun tissu, par exemple, nous n'aurions jamais su qu'elle était morte avant le feu parce que nous n'aurions pas pu calculer la concentration de monoxyde de carbone. Du coup, qu'est-ce qui se serait passé ? On aurait classé cela comme une mort accidentelle, à moins de pouvoir prouver l'origine criminelle de l'incendie, ce dont nous sommes pour l'instant incapables.

– En ce qui me concerne, il est évident que c'est le cas classique de l'incendie utilisé pour maquiller un meurtre, remarqua Vessey.

– Alors pourquoi rester là à charcuter quelqu'un ? demanda Marino. Pourquoi ne pas l'avoir descendue, foutu le feu et filé le plus vite possible ? Et puis en général, quand ces barjots mutilent quelqu'un, ça les excite qu'on voie le résultat de leur besogne. Merde, ils exposent les cadavres dans un parc, sur un talus au bord de la route, sur une piste de jogging, au milieu d'un salon, pour que tout le monde les voie bien.

– Peut-être celui-là ne voulait-il pas que nous le voyions, dis-je. Il est très important que cette fois-ci, nous ne sachions pas qu'il a laissé une signature. Et je pense que nous allons devoir procéder à une recherche par ordinateur la plus fouillée possible, pour vérifier si nous avons quelque chose d'à peu près similaire, où que ce soit.

– Si vous faites ça, vous allez impliquer une tonne de gens, dit Marino. Des programmeurs, des analystes, des mecs qui s'occupent des ordinateurs au FBI et les gros départements de police de Houston, Los Angeles et New York. Je vous garantis que quelqu'un va vendre la mèche, et que ça va finir en première page.

– Pas forcément. Tout dépend à qui on demande.

Nous prîmes un taxi sur Constitution et demandâmes au chauffeur d'aller vers la Maison-Blanche et de couper par la 15e Rue à la hauteur des numéros 600. J'avais l'intention d'inviter Marino à déjeuner au Old Ebbitt Grill et, à 17 h 30, nous n'eûmes pas à faire la queue : on nous plaça immédiatement dans un box en velours vert. J'ai toujours trouvé un plaisir particulier aux miroirs, vitres teintées et véritables lampes à pétrole en bronze de ce restaurant. Des trophées d'antilopes, de sangliers et de tortues décoraient le mur du bar, et les serveurs ne semblaient jamais ralentir le rythme, quelle que soit l'heure.

Derrière nous, un couple d'allure distinguée parlait de billets pour le Kennedy Center et de l'entrée de leur fils à Harvard à l'automne, tandis que deux jeunes gens débattaient de la possibilité de faire passer leur déjeuner en note de frais. Je fourrai mon carton à côté de moi sur le siège. Vessey l'avait scellé avec des mètres et des mètres de Scotch.

— Je crois qu'on aurait dû demander une table pour trois, dit Marino en considérant la boîte. Vous êtes sûre que ça ne pue pas ? Et si quelqu'un sentait ce machin ?

— Ça ne sent pas, assurai-je en ouvrant mon menu. Et je pense qu'il serait sage de changer de sujet afin que nous puissions manger. Les hamburgers ici sont tellement bons que, même moi, j'y cède de temps en temps.

— Je songeais au poisson, minauda-t-il. Vous en avez déjà pris, ici ?

— Allez vous faire voir, Marino.

— OK, vous m'avez convaincu, Doc. Va pour le hamburger. Dommage qu'on soit pas en fin de journée, j'aurais pris une bière. C'est une torture de venir dans un truc comme ça et de pas avoir de Jack Black ou une grande bière dans une chope glacée. Je suis sûr qu'ils font des mintjuleps. J'en ai pas bu depuis le temps où je sortais avec cette fille du Kentucky, Sabrina. Vous vous souvenez d'elle ?

— Si vous me la décrivez, peut-être, dis-je distraitement tout en regardant autour de moi et en essayant de me détendre.

— Je l'amenais souvent à l'Association des policiers. Vous y étiez une fois avec Benton et je suis venu vous la présenter. Elle avait des cheveux blond-roux, des yeux bleus et une belle peau. Elle faisait du roller skate de compétition.

Je ne voyais pas du tout de qui il pouvait bien parler.

– Enfin, continua-t-il tout en poursuivant la lecture du menu, ça n'a pas duré longtemps. Je crois pas qu'elle m'aurait regardé si j'avais pas eu mon pick-up. Quand elle était assise là-haut dans la cabine, on aurait dit qu'elle se prenait pour la reine du Carnaval juchée sur son char.

Je me mis à rire, et son regard torve n'arrangea pas les choses. Je riais tellement que j'en avais les larmes aux yeux, et que le serveur jugea préférable de revenir un peu plus tard pour la commande. Marino prit l'air agacé.

– Qu'est-ce qui vous prend ?

– Je crois que je dois être fatiguée, hoquetai-je. Et si vous voulez une bière, ne vous gênez pas. Vous n'êtes pas de service et c'est moi qui conduis.

Son humeur se ragaillardit, et il ne tarda pas à vider sa première chope de Samuel Adams pendant qu'on nous apportait son hamburger au fromage et ma Caesar's Salad. Nous mangeâmes en échangeant quelques mots de temps en temps, assourdis par les conversations bruyantes et ininterrompues de la foule qui nous entourait.

– Je lui ai dit, tu veux aller quelque part pour ton anniversaire ? racontait un cadre. De toute façon, tu vas toujours où tu veux.

– Ma femme est pareille, répondit un autre, la bouche pleine. Elle passe son temps à gémir que je ne l'emmène nulle part. Bon sang, on va au restaurant presque toutes les semaines.

– Chez Oprah, j'ai entendu qu'une personne sur dix est endettée et insolvable, dit une vieille dame à son compagnon dont le canotier était accroché au portemanteau à côté de leur box. Tu ne trouves pas ça fou ?

– Ça ne m'étonne pas du tout. C'est comme tout, de nos jours.

– Ils ont un voiturier, ici, dit l'un des cadres. Mais en général, je viens à pied.

– Et la nuit ?

– Pfff ! Tu rigoles ? À Washington ? Il faut avoir envie de se suicider.

Je priai Marino de m'excuser un instant et je descendis aux

toilettes, une vaste pièce en marbre gris. Il n'y avait personne et j'en profitai pour prendre la cabine pour les handicapés afin d'avoir suffisamment d'espace et de me laver les mains et le visage discrètement. J'essayai d'appeler Lucy depuis mon portable, mais en sous-sol, le signal ne passait pas. J'utilisai donc le téléphone public, et fus ravie de la trouver chez elle.

– Tu fais tes bagages ?

– Tu entends déjà comme ça résonne ? fit-elle.

– Mmm... À peine.

– Eh bien, moi, si. Tu devrais voir le tableau.

– Justement, tu es d'humeur à recevoir des visiteurs ?

– Où es-tu ? demanda-t-elle d'un ton soupçonneux.

– Au Old Ebbitt Grill. Dans la cabine de téléphone du sous-sol, près des toilettes, pour tout te dire. Marino et moi étions au Smithsonian ce matin pour rendre visite à Vessey. J'aurais bien aimé passer. Pas seulement pour te voir, j'ai une question professionnelle à te soumettre.

– Pas de problème. On ne bouge pas.

– Je peux apporter quelque chose ?

– Oui. À manger.

Il était inutile de récupérer la voiture, puisque Lucy habitait au nord-ouest de la ville, juste à côté de Dupont Circle, où il était tout aussi impossible qu'ailleurs de se garer. Marino siffla un taxi devant le restaurant. L'un d'eux pila aussitôt et nous nous y engouffrâmes. L'après-midi était calme, les drapeaux pendaient à leurs mâts sur les toits et les pelouses, et, quelque part, une alarme ne cessait de hurler. Nous devions traverser George Washington University, dépasser le Ritz et Blackie's Steakhouse pour gagner le quartier de Lucy et Janet.

C'était un coin bohème et surtout gay, avec des antres comme le Fireplace ou Mister P's, toujours remplis d'hommes musclés avec des piercings. Je connaissais le quartier pour y être venue plusieurs fois rendre visite à ma nièce. Je remarquai que la librairie lesbienne avait déménagé et qu'il semblait y avoir un nouveau magasin diététique pas très loin du Burger King.

– Vous pouvez nous laisser là, dis-je au chauffeur.

Il pila de nouveau et se rangea contre le trottoir.

– Merde, dit Marino tandis que le taxi bleu s'éloignait à toute vitesse. Vous croyez qu'il y a des Américains quelque part dans cette ville ?

– S'il n'y avait pas eu des non-Américains dans des villes comme celle-ci, lui rappelai-je, ni vous ni moi ne serions ici.

– Italien, c'est pas pareil.

– Ah bon ? Pas pareil que quoi ? demandai-je en entrant dans le DC Cafe.

– Pas pareil qu'eux, dit-il. Pour commencer, quand nos familles ont débarqué à Ellis Island, elles ont appris à parler l'anglais. Et elles conduisaient pas des taxis sans savoir où elles allaient. Hé, ça a l'air sympa, ici.

Le café était ouvert vingt-quatre heures sur vingt-quatre et l'air sentait le bœuf et les oignons sautés. Aux murs étaient accrochés des panneaux représentant des gyros, du thé vert et de la bière libanaise, et un article de journal clamant que les Rolling Stones avaient déjeuné un jour dans l'établissement. Une femme balayait lentement le sol comme si cela avait été la mission de sa vie. Elle ne nous prêta aucune attention.

– Allez vous détendre, dis-je à Marino. Cela ne devrait prendre qu'une minute.

Il s'assit à une table fumeurs pendant que j'allais au comptoir et que j'examinais le menu éclairé au-dessus du gril.

– Oui, dit le cuisinier tout en écrasant un steak qu'il retourna, coupa et recouvrit d'oignons frits.

– Une salade grecque, dis-je. Et un gyros au poulet dans un pita... Et attendez voir... Un sandwich kefte kebab. Je crois que c'est comme ça qu'on dit.

– À emporter ?

– Oui.

– Je vous appelle, dit-il tandis que la femme continuait à balayer.

J'allai m'asseoir avec Marino. Il regardait la télé mal réglée où passait un épisode de *Star Trek*.

– Ce ne sera plus pareil quand elle sera à Philadelphie, dit-il.

– Oh que non.

Je fixai pensivement la silhouette floue du capitaine Kirk qui braquait son phaseur sur un Klingon ou Dieu sait quoi de ce genre.

– Je sais pas, dit-il en posant son menton dans sa main et en soufflant la fumée, mais ça ne me paraît pas juste, Doc. Elle avait tout bien planifié, et elle avait bossé dur pour y arriver. Je me fous de ce qu'elle raconte sur sa mutation. Je crois pas qu'elle en ait envie. Elle croit juste qu'elle n'a pas le choix.

— Je ne pense pas qu'elle l'ait, si elle désire rester dans le domaine qu'elle a choisi.

— Merde, moi je pense qu'on a toujours le choix. Vous voyez un cendrier quelque part ?

J'en repérai un sur le comptoir et le lui apportai.

— Maintenant, je suis complice, dis-je.

— Vous m'embêtez avec la cigarette parce que comme ça, ça vous occupe l'esprit.

— En fait, j'aimerais bien vous voir durer encore un peu, si ça ne vous fait rien. J'ai l'impression d'avoir passé la moitié de mon existence à vous garder en vie.

— Voilà qui est ironique quand on sait à quoi vous consacrez l'autre moitié, Doc.

— Votre commande ! cria le cuisinier.

— Et si vous me preniez deux de ces machins, là, les baklavas avec des pistaches ?

— Non, répondis-je.

## 9

LUCY ET JANET habitaient un immeuble de dix étages appelé le Westpark, situé vers les numéros 2000 de P Street, à quelques minutes à pied. Il était en brique brune, avec une teinturerie au rez-de-chaussée et une station-service Embassy Mobile à côté. Des bicyclettes étaient rangées sur les petits balcons où les jeunes locataires buvaient et fumaient dans la nuit tiède, tandis que quelqu'un faisait des gammes à la flûte. Un homme torse nu ferma sa fenêtre. Je sonnai à l'interphone de l'appartement 503.

– Qui va là ? dit la voix de Lucy.

– C'est nous.

– Qui ça, *nous* ?

– Les *nous* qui apportent votre dîner. Ça va refroidir.

La serrure se débloqua avec un déclic, nous entrâmes et prîmes l'ascenseur.

– Elle pourrait sûrement s'offrir un penthouse à Richmond avec ce qu'elle doit payer ici, fit remarquer Marino.

– Dans les mille cinq cents par mois pour un deux pièces.

– Merde. Comment Janet va faire pour s'en sortir toute seule ? Le Bureau doit pas la payer plus de quarante mille par an.

– Sa famille a de l'argent, dis-je. Sinon, je ne sais pas.

– Je vais vous dire, j'aimerais pas démarrer dans la vie de nos jours, dit-il en secouant la tête alors que les portes de l'ascenseur s'écartaient. À Jersey, quand j'étais jeune, avec quinze cents dollars, je vivais comme un prince pendant un an. La délinquance était pas comme maintenant, et les gens étaient plus sympas, même dans mon quartier pourri. Et nous voilà, vous et votre serviteur, à travailler sur une pauvre femme tailladée et brûlée, et quand on en aura fini avec elle,

157

on passera à quelqu'un d'autre. C'est comme je sais plus qui, là, celui qui poussait un rocher en haut d'une colline et à chaque fois qu'il arrivait presque au sommet, le rocher retombait toujours. Je vous jure, je me demande pourquoi on s'emmerde autant, Doc.

— Parce que ce serait pire si on ne le faisait pas, dis-je en m'arrêtant devant la familière porte orange clair et en appuyant sur la sonnette.

J'entendis le verrou s'ouvrir, et Janet nous fit entrer. Elle ruisselait de sueur dans un short de jogging du FBI et un T-shirt des Grateful Dead qui avait l'air de dater de ses années d'université.

— Entrez, dit-elle avec un sourire tandis que la voix d'Annie Lennox résonnait bruyamment en arrière-plan. Ça sent bon.

L'appartement était composé de deux chambres et deux salles de bains coincées dans une minuscule surface qui donnait sur P Street. Chaque meuble était surchargé de livres et de vêtements et des dizaines de cartons attendaient par terre. Lucy se trouvait dans la cuisine, fouillant placards et tiroirs à la recherche de couverts, d'assiettes et de serviettes en papier. Elle débarrassa un coin de la table basse et me prit des mains les sacs du restaurant.

— Tu viens de nous sauver la vie, dit-elle. Je commençais à faire une hypoglycémie. Ah, au fait, Pete, ravie de vous voir.

— Mince, ce qu'il fait chaud ici.

— Pas tant que ça, dit Lucy, qui était elle aussi en sueur.

Janet et elle remplirent leurs assiettes. Elles s'assirent sur le parquet pour manger tandis que je me perchais sur l'accoudoir du canapé et que Marino allait chercher une chaise en plastique sur le balcon. Lucy portait un short de jogging Nike et un débardeur, et elle était crasseuse de la tête aux pieds. Les deux femmes semblaient épuisées, et j'avais du mal à imaginer ce qu'elles éprouvaient. Il était évident que c'était un sale moment pour toutes les deux. Chaque objet pris dans un tiroir et chaque carton scotché devait être un coup au cœur, une sorte de petite mort, marquant la fin d'une période de leur vie.

— Ça fait combien de temps que vous viviez ici, toutes les deux ? Trois ans ? demandai-je.

158

— Pas loin, dit Janet en enfournant une bouchée de salade grecque.

— Et vous allez rester dans cet appartement ? lui demandai-je.

— Pour l'instant. Je n'ai pas vraiment de raison de le quitter, et quand Lucy passera de temps en temps, elle aura quelque part où aller.

— J'aime pas aborder les sujets déplaisants, dit Marino, mais est-ce que Carrie pourrait avoir une raison de savoir où vous habitez, toutes les deux ?

Il y eut un silence pendant lequel les deux femmes continuèrent de manger. Je tendis la main vers la platine pour baisser le volume.

— Une *raison* ? demanda finalement Lucy. Pourquoi est-ce qu'elle aurait la moindre raison de savoir quoi que ce soit de ma vie actuelle ?

— On peut espérer qu'il n'y en a aucune, dit Marino. Mais nous sommes bien obligés de nous poser la question, que ça vous plaise ou non, les filles. C'est le genre de quartier où elle pourrait venir et passer complètement inaperçue, alors je me demandais, si j'étais Carrie et que je sois de nouveau en liberté, est-ce que j'aurais envie de retrouver Lucy ?

Personne ne pipa mot.

— Je crois que nous connaissons tous la réponse à cette question, continua-t-il. Trouver où habite le Doc, c'est pas compliqué. Tous les journaux l'ont dit un jour ou l'autre et quand on la trouve, on trouve Benton. Mais toi ? (Il désigna Lucy.) C'est toi la difficulté, parce que Carrie était en taule depuis des années quand tu as emménagé ici. Maintenant, tu pars à Philadelphie, et Janet reste toute seule. Et pour être franc, j'aime pas ça du tout.

— Ni l'une ni l'autre n'est dans l'annuaire, n'est-ce pas ? demandai-je.

— Sûrement pas, dit Janet qui picorait sans entrain sa salade.

— Et si on appelait ici et vous demandait ?

— Les gens ne sont pas censés divulguer ce genre de renseignement, dit Janet.

— *Pas censés*, répéta Marino d'un ton sardonique. Ouais, je suis sûr que cette baraque est dotée d'un service de sécurité superperformant, étant donné les gens importants qui y habitent, hein ?

159

— On ne peut pas rester toute la journée à s'angoisser pour ça, dit Lucy qui commençait à s'énerver. Si on parlait d'autre chose ?

— Parlons de l'incendie de Warrenton, dis-je.

— Allons-y.

— Je vais faire les bagages à côté, dit Janet avec à-propos, puisqu'elle appartenait au FBI et ne travaillait pas sur cette enquête.

Je la regardai disparaître dans la pièce voisine, puis :

— Nous avons fait des découvertes inhabituelles et troublantes durant l'autopsie. La victime a été assassinée. Elle était morte avant le début de l'incendie, ce qui indique avec certitude une origine criminelle. Avons-nous progressé sur la façon dont le feu a pu démarrer ?

— Uniquement par des calculs, dit Lucy. Le seul espoir ici, c'est la modélisation par ordinateur, étant donné qu'aucun indice matériel n'indique une origine criminelle. Nous n'avons que des preuves par présomption. J'ai passé un sacré bout de temps à jouer avec le simulateur d'incendie que j'ai sur mon ordinateur, et les projections sont à chaque fois les mêmes.

— Et c'est quoi, ce simulateur d'incendie ? interrogea Marino.

— L'un des programmes à notre disposition, le logiciel que nous utilisons pour les modélisations de feu, expliqua patiemment Lucy. Par exemple, on part du principe que le point d'éclair se produit à six cents degrés Celsius – soit mille cent douze degrés Fahrenheit. Donc, on saisit les données qu'on connaît, comme les ouvertures de ventilation, la superficie, l'énergie disponible en combustibles, le départ de feu supposé, les tissus présents dans la pièce, la composition des murs, etc. Et au bout de la journée, on est en droit d'obtenir des projections raisonnables concernant le suspect, ou le feu en question. Eh bien, devinez quoi ? J'ai eu beau essayer tous les algorithmes, les procédures ou les programmes informatiques avec celui-là, la réponse est toujours la même. Il n'y a rien qui puisse expliquer comment un feu d'une telle intensité et d'une telle rapidité a pu prendre dans la salle de bains.

— Et nous sommes absolument sûrs que c'est là qu'il s'est déclenché ?

– Oh, ça oui, dit Lucy. Comme tu le sais sans doute, cette salle de bains était une adjonction relativement récente, attenante à la chambre principale. Si on examine les murs de marbre et le plafond cathédrale qu'on a retrouvé, on peut reconstituer une forme brûlée en V vraiment étroite, très pointue et très nette, dont la pointe se situe quelque part au milieu du plancher, très probablement là où se trouvait le tapis, ce qui signifie que le feu s'est déclenché très rapidement et avec force à cet endroit.

– Parlons de ce fameux tapis, intervint Marino. Si on y met le feu, on obtient quel genre de flamme ?

– Très faible. Soixante centimètres de haut tout au plus.

– Donc, ce n'était pas ça, dis-je.

– Et ce qui est aussi très significatif, continua-t-elle, c'est la destruction du toit directement au-dessus. Pour ça, il nous faut des flammes d'au moins deux mètres cinquante au-dessus du départ de feu, avec une température d'au moins mille huit cents degrés pour que la verrière puisse fondre. Environ quatre-vingt-huit pour cent des feux criminels sont allumés au sol. En d'autres termes, le flux de chaleur radiante...

– Bon sang, qu'est-ce que c'est que le flux de chaleur radiante ? demanda Marino.

– La chaleur radiante est semblable à une onde électro-magnétique. Elle est émise par une flamme de façon quasi égale dans toutes les directions, sur trois cent soixante degrés. Vous me suivez ?

– OK, dis-je.

– Une flamme émet également de la chaleur sous la forme de gaz brûlants, qui, étant plus légers que l'air, ont tendance à monter, continua Lucy la physicienne. C'est un transfert de chaleur par convection, en d'autres termes. Et dans le tout début d'un feu, la plus grande partie du transfert de chaleur est la convection. Elle s'élève depuis le point de départ. Dans le cas présent, le sol. Mais au bout d'un certain temps, lorsque des couches de gaz et de fumée chauds se sont formées, la forme dominante de chaleur est radiante. C'est à ce stade, je pense, que la porte de la douche a cédé et est tombée sur le corps.

– Et le corps ? demandai-je. Où aurait-il pu se trouver pendant tout ce temps ?

Lucy prit un bloc sur le dessus d'un carton et un stylo. Elle dessina une pièce avec une baignoire et une douche, et, au milieu du sol, des flammes hautes et étroites qui s'élevaient jusqu'au plafond.

— Si le feu avait assez d'énergie pour projeter ses flammes au plafond, alors le flux de chaleur radiante était élevé. Le corps aurait dû être gravement endommagé, s'il n'y avait eu une barrière entre lui et le feu, quelque chose qui absorbait la chaleur radiante et l'énergie – la baignoire et la porte de la douche – pour protéger certaines zones du corps. Je pense également que le cadavre était au moins un peu éloigné du départ de feu. Disons, trente centimètres, voire un ou deux mètres.

— Je ne vois pas non plus d'autre scénario, convins-je. Il est clair que quelque chose l'a en grande partie protégé.

— Exact.

— Mais comment fait-on pour déclencher une flambée pareille sans une espèce d'accélérateur? demanda Marino.

— Tout ce que nous pouvons espérer, c'est découvrir quelque chose aux examens, dit ma nièce. Vous savez, étant donné que la charge de combustible disponible ne suffit pas à expliquer le type de feu observé, c'est que quelque chose a été ajouté ou modifié, ce qui implique une origine criminelle.

— Et vous vérifiez les comptes de Sparkes, dit Marino.

— Naturellement, presque tous les papiers de Sparkes ont brûlé dans l'incendie. Mais ses financiers et comptables nous ont bien aidés, il faut le reconnaître. Pour le moment, rien n'indique qu'il ait eu des problèmes d'argent.

Je fus soulagée de l'apprendre. Pour l'instant, tout ce que je savais sur cette affaire plaçait Kenneth Sparkes en position de victime. Mais cette opinion était loin d'être partagée par la majorité des gens, j'en étais certaine.

— Lucy, continuai-je tandis qu'elle finissait son gyros-pita, je crois que nous arrivons tous à la conclusion que le *modus operandi* du crime est inhabituel.

— Absolument.

— Alors supposons, juste pour le plaisir d'argumenter, que quelque chose de semblable se soit déjà produit ailleurs. Supposons que Warrenton fasse partie d'une série d'incendies destinés à déguiser des homicides commis par le même individu.

162

– C'est sûrement possible. Tout est possible.

– On peut faire une recherche ? demandai-je alors. Est-ce qu'il y a une base de données qui pourrait permettre d'effectuer un rapprochement avec des incendies au *modus operandi* similaire ?

Elle se leva et alla jeter les emballages dans un grand sac-poubelle à la cuisine.

– Si tu veux, on peut le faire. Avec AXIS, l'*Axson Incident System*, le système de relevé de tous les incendies criminels.

J'avais connaissance de ce système, tout comme du nouveau réseau informatique étendu, ultra-rapide, baptisé ESA, *Enterprise System Architecture*, mis sur pied par l'ATF à la suite d'une demande du Congrès visant à créer un répertoire national des explosions et incendies criminels. Deux cent vingt sites étaient reliés à l'ESA et tout agent, où qu'il se trouvât, pouvait accéder à la base de données centrale, se brancher sur l'AXIS avec son ordinateur portable, du moment qu'il disposait d'un modem et d'une ligne cellulaire sécurisée. Ma nièce était de ceux-là.

Elle nous conduisit dans sa minuscule chambre, sinistre et vide, à l'exception de toiles d'araignée dans les coins et de moutons de poussière sur le parquet éraflé. Le sommier était nu, le matelas, encore recouvert de draps couleur pêche, posé contre un mur et, dans un coin, elle avait roulé le tapis multicolore en soie que je lui avais offert à son dernier anniversaire. Des tiroirs de commode vides étaient empilés sur le sol. Son bureau se résumait à un portable Panasonic posé sur une caisse. L'ordinateur se trouvait dans une mallette en acier et magnésium gris répondant aux normes de robustesse militaires, c'est-à-dire qu'elle était étanche à la vapeur, à la poussière et à tout le reste, et qu'on pouvait censément la laisser tomber ou faire rouler un Humvee dessus sans dommage.

Lucy s'assit par terre devant la caisse, à l'indienne, comme si elle s'apprêtait à célébrer le culte du grand dieu de la technologie. Elle appuya sur la touche *Enter* pour sortir de l'économiseur d'écran et l'ESA couvrit l'écran d'un bleu électrique, rangée de pixels par rangée de pixels, avant de former une carte des États-Unis. Une boîte de dialogue apparut, Lucy tapa son identité et son mot de passe, répondit à d'autres alertes sécurisées afin d'entrer dans le système, naviguant, invisible, par différents passages secrets du Web. Une fois qu'elle fut connectée à la base de données, elle me fit signe de venir m'asseoir à côté d'elle.

– Si tu veux, je peux t'offrir une chaise.

– Non, ça va.

Le plancher était dur et sans pitié pour mon coccyx, mais j'étais de bonne composition. Une alerte lui demanda de saisir un ou plusieurs mots qu'elle souhaitait rechercher dans la base de données.

– Ne t'inquiète pas de la formulation, dit Lucy. Le moteur de recherche textuel est capable de gérer n'importe quoi. On peut essayer tout ce qu'on veut, depuis la taille des lances d'incendie jusqu'aux matériaux dont la maison était constituée, toutes les infos de sécurité d'incendie et les trucs qui figurent sur les formulaires des pompiers. Sinon, tu peux choisir toi-même les termes.

– Essayons *Mort, Homicide, Suspicion d'incendie criminel.*

– *Femme*, ajouta Marino. Et *Riche*.

– *Coupure, Incision, Hémorragie, Rapide, Intense*, continuai-je.

– Et si on mettait *Non identifié*? suggéra Lucy tout en tapant.

– Bonne idée, dis-je. Et aussi *Salle de bains*, je pense.

– Merde, vous n'avez qu'à rajouter *Cheval*, tant que vous y êtes, dit Marino.

– Faisons une tentative, proposa Lucy. On peut toujours revenir en arrière et essayer d'autres mots à mesure qu'on y pense.

Elle lança la recherche, puis s'étira les jambes et se détendit le cou. J'entendais Janet laver la vaisselle dans la cuisine. Moins d'une minute plus tard, l'ordinateur annonçait *11 873 dossiers inspectés* et *453 mots clés trouvés*.

– Depuis 1988, nous informa Lucy. Et cela comprend également les affaires à l'étranger sur lesquelles l'aide de l'ATF a été demandée.

– On peut imprimer les quatre cent cinquante-trois dossiers? demandai-je.

– Tu sais, l'imprimante est déjà emballée, tante Kay, me dit Lucy d'un air désolé.

– Bon, alors si on les téléchargeait sur mon ordinateur?

Elle parut dubitative.

– Je pense que c'est permis, dit-elle, du moment que tu t'assures que... Oh, et puis tant pis.

– Ne t'inquiète pas, j'ai l'habitude des informations confidentielles. Je m'assurerai qu'il n'y a que moi qui les consulte.

À l'instant où je prononçais ces mots, je savais que c'était idiot. Lucy couvait l'écran des yeux.

– Tout est en langage UNIX, dit-elle sans s'adresser à personne en particulier. Ça me rend dingue.

– S'ils avaient un tant soit peu de cervelle, ils t'auraient engagée ici pour t'occuper de leurs machins informatiques, intervint Marino.

– Je n'en ai pas fait un drame, répondit Lucy. J'essaie de payer ce que je dois. Je vais t'expédier ces dossiers, tante Kay.

Elle sortit de la chambre. Nous la suivîmes dans la cuisine, où Janet roulait des verres dans du papier journal et les rangeait soigneusement dans un carton.

– Avant que je m'en aille, dis-je à ma nièce, est-ce qu'on pourrait faire le tour du pâté de maisons ensemble ? Histoire de parler un peu ?

Elle me lança un regard méfiant.

– De quoi ?

– Je risque de ne pas te voir pendant un moment.

– On peut aller s'asseoir sur le balcon.

– Ça ira très bien.

Nous prîmes place sur des chaises en plastique blanc installées sur le balcon au-dessus de la rue, puis je refermai les portes coulissantes derrière nous, et observai la foule qui s'animait avec la nuit. Des taxis passaient sans s'arrêter, et la cheminée en néon de *The Flame* dansait derrière la vitrine pendant que des hommes buvaient ensemble dans le bar aux lumières tamisées.

– Je veux juste savoir comment tu vas, dis-je. J'ai l'impression que tu ne me parles pas beaucoup.

– Idem.

Elle regardait au loin avec un sourire forcé. Je voyais son profil anguleux se dessiner dans le noir.

– Je vais bien, Lucy. Aussi bien que d'habitude, sans doute. Trop de boulot. Pourquoi ça changerait ?

165

– Tu te fais toujours trop de souci pour moi.

– Je m'en fais depuis que tu es née.

– Pourquoi ?

– Parce qu'il faut bien que quelqu'un s'en fasse.

– Je t'ai dit que maman s'était offert un lifting ?

La simple pensée de mon unique sœur me glaça le cœur.

– Elle s'est fait refaire la moitié des dents l'an dernier, dit Lucy, et maintenant, ça. Son mec actuel, Bo, est avec elle depuis un an et demi. Tu te rends compte ? Combien de fois on peut baiser avant d'avoir besoin de se faire charcuter quelque chose d'autre ?

– Lucy...

– Oh, ne joue pas les vertueuses, tante Kay. Tu penses exactement comme moi. Qu'est-ce que j'ai fait au bon Dieu pour me retrouver avec une telle connasse pour mère ?

– Lucy, ça ne sert à rien du tout, dis-je tranquillement. Inutile de la haïr.

– Putain, elle n'a pas dit un mot à propos de mon déménagement à Philadelphie ! Elle ne me demande jamais de nouvelles de Janet, ni de toi, d'ailleurs. Je vais me chercher une bière. Tu en veux une ?

– Non, merci, mais ne te gêne pas pour moi.

J'attendis dans l'obscurité grandissante en regardant les silhouettes des gens qui passaient, certaines bruyantes et enlacées, d'autres seules et décidées. Je voulais parler à Lucy de ce que m'avait confié Janet, mais j'avais peur d'aborder le sujet. C'était à elle de me le dire, me rappelai-je, tandis que le médecin en moi m'enjoignait de reprendre le contrôle de moi-même. Lucy revint avec une bouteille de Miller Lite.

– Alors parlons de Carrie suffisamment longtemps pour te tranquilliser, dit Lucy sans plus de détours avant d'avaler une gorgée de bière. J'ai un Browning High-Power, mon Sig de l'ATF, ainsi qu'un fusil – calibre douze, sept coups. Je peux avoir ce que je veux, je n'ai qu'à le demander. Mais tu sais quoi ? Je crois que mes mains nues suffiraient si jamais elle osait venir. J'en ai plus qu'assez, tu sais.

Elle porta à nouveau la bouteille à ses lèvres.

– On finit toujours par prendre une décision et continuer sa route.

– Quel genre de décision ?

Elle haussa les épaules.

166

— Tu décides que tu ne veux pas donner à quelqu'un plus de pouvoir que tu ne lui en as déjà donné. Tu ne peux pas passer tes journées à avoir peur de lui ou à le détester, expliqua-t-elle. Alors tu renonces, en un certain sens. Tu vaques à tes affaires, tout en sachant que si le monstre se met jamais en travers de ton chemin, il a intérêt à se préparer à un combat à mort.

— Je crois que c'est une excellente attitude. Peut-être la seule qui vaille. Je ne suis pas certaine que tu en sois vraiment convaincue, mais je l'espère.

Elle leva les yeux vers le clair de lune et je crus qu'elle ravalait des larmes, sans en être sûre.

— Tu sais, tante Kay, tous leurs machins informatiques, je pourrais les faire d'une seule main. Tu sais ça ?

— Tu pourrais probablement t'occuper de tous les ordinateurs du Pentagone d'une seule main, dis-je gentiment avec un pincement de cœur.

— Mais je ne veux pas trop la ramener.

Je ne sus que répondre.

— J'ai énervé assez de gens comme ça parce que je sais piloter un hélicoptère et... Enfin, tu connais la suite.

— Je connais tous tes talents, et la liste ne fera probablement que s'allonger, Lucy. On est très seul quand on est quelqu'un comme toi.

— Tu as déjà éprouvé la même chose ? chuchota-t-elle.

— Toute ma vie, répondis-je sur le même ton. Et maintenant tu sais pourquoi je t'ai toujours aimée. Peut-être parce que je te comprends.

Elle se tourna vers moi, puis tendit la main et m'effleura doucement le poignet.

— Tu ferais mieux de rentrer, dit-elle. Je ne veux pas que tu conduises quand tu es fatiguée.

## 10

IL ÉTAIT PRESQUE MINUIT lorsque je ralentis devant la guérite du garde de ma résidence. Fait inhabituel, le vigile de service m'arrêta. Je craignis qu'il ne me dise que mon alarme avait retenti pendant la moitié de la nuit ou qu'un autre cinglé avait tourné autour de chez moi pour voir si j'étais là. Marino somnolait depuis une heure et demie et il émergea quand je baissai ma vitre.

— Bonsoir. Comment allez-vous, Tom ?

— Bien, docteur Scarpetta, dit-il en se penchant. Mais il s'est produit des choses bizarres il y a une heure, et je me suis dit que quelque chose n'allait pas quand j'ai essayé d'appeler chez vous et que je n'ai eu personne.

— Que s'est-il passé ? demandai-je en imaginant le pire.

— Deux livreurs de pizzas sont arrivés presque en même temps. Ensuite, trois taxis censés vous emmener à l'aéroport, l'un après l'autre. Et quelqu'un a essayé de vous livrer une benne de chantier. Comme je ne pouvais pas vous joindre, je les ai renvoyés. Ils ont tous dit que vous les aviez appelés.

— Jamais de la vie, assurai-je avec conviction, stupéfaite. Et cela a commencé quand ?

— Eh bien, je crois que le camion avec la benne est venu vers 17 heures. Et les autres ont suivi.

Tom était un vieil homme qui n'aurait probablement pas su comment défendre la résidence si un véritable danger s'était présenté. Mais il était courtois, il se considérait comme un véritable représentant des forces de l'ordre et s'imaginait sans doute qu'il était entraîné au combat. Il se montrait très protecteur, surtout envers moi.

— Avez-vous pris les noms des types qui sont venus ? demanda Marino en haussant le ton depuis le siège passager.

— Domino's Pizza et Pizza Hut.

La visière de sa casquette de base-ball dissimulait le visage effaré de Tom.

— Les taxis, c'était Colonial, Metro et Yellow Cab. L'entreprise de bâtiment, c'était Frick. Et puis j'ai pris la liberté de passer quelques coups de fil. Tous avaient des commandes à votre nom, docteur Scarpetta, avec l'heure de votre appel. J'ai tout noté.

Tom ne put dissimuler son plaisir en sortant une feuille de calepin de sa poche arrière pour me la donner. Il était presque enivré d'en avoir fait autant ce soir. J'allumai le plafonnier et consultai la liste avec Marino. Les taxis et les pizzas avaient été commandés entre 22 h 10 et 23 heures, alors que la benne avait été demandée plus tôt dans l'après-midi, avec instruction de livrer en début de soirée.

— Je sais au moins que Domino's a certifié que c'était une femme qui avait appelé. J'ai parlé moi-même au répartiteur des commandes. Un jeune gars. D'après lui, vous avez appelé et vous avez demandé qu'on apporte une grande pizza Suprême épaisse devant la grille de votre maison et que vous sortiriez la prendre. J'ai noté son nom aussi, annonça Tom tout fier. Alors ce n'est pas vous qui avez commandé tout ça, docteur Scarpetta ?

— Oh, que non. Et s'il y a quoi que ce soit d'autre ce soir, appelez-moi immédiatement.

— Oui, et moi aussi, intervint Marino en notant son numéro personnel sur une carte de visite. Je me fous de l'heure.

Je tendis la carte à Tom et il l'étudia avec attention, alors que Marino avait franchi ces grilles un nombre incalculable de fois.

— D'accord, capitaine, dit-il en s'inclinant. Si jamais quelqu'un se présente, je suis à la borne et je peux le retenir en attendant que vous arriviez, si vous voulez.

— Non, ne faites pas ça, dit Marino. Un gosse avec une pizza, il ne saura rien du tout. Et si c'est grave, je n'ai pas envie que vous vous en mêliez.

Je compris immédiatement qu'il pensait à Carrie.

— Je suis encore très vif, mais ce sera comme vous voulez, capitaine.

— Bravo, Tom, le complimentai-je. Je ne vous remercierai jamais assez.

— Je suis là pour ça.

Il braqua sa télécommande sur la borne et la barrière se leva pour nous laisser passer.

— J'écoute, dis-je à Marino.

— Il y a un connard qui vous persécute.

Son visage lugubre m'apparaissait par intermittence dans la lueur des lampadaires.

— Qui essaie de vous foutre la trouille, de vous emmerder. Et qui se débrouille bien, je dois dire.

— Vous ne pensez pas que Carrie..., demandai-je, pour en venir au fait.

— Je ne sais pas, me coupa Marino. Mais ça m'étonnerait pas. Votre adresse est parue dans les journaux suffisamment souvent.

— Je pense que ce serait bien de savoir si les commandes ont été passées d'ici.

— Bon sang, j'espère bien que non, dit-il alors que je remontais mon allée et me garais derrière sa voiture. Sauf si c'est quelqu'un d'autre que Carrie qui essaie de vous faire tourner en bourrique.

— Oh, pour ça, vous pouvez prendre un ticket et faire la queue.

Je coupai le moteur.

— Je peux rester dormir sur le canapé si vous voulez, suggéra-t-il en ouvrant sa portière.

— Sûrement pas. Ça ira. Du moment qu'aucun camion ne vient me livrer de benne. Ce serait la goutte d'eau, avec les voisins.

— De toute façon, je me demande bien pourquoi vous habitez ici.

— Mais si, vous savez.

Il sortit une cigarette. Il était manifeste qu'il n'avait pas l'intention de s'en aller.

— Ah, oui. Le garde. Merde, vous parlez d'un placebo !

— Si vous ne vous sentez pas assez en forme pour conduire, je serais heureuse de vous héberger sur mon canapé.

— Qui, moi ?

Il alluma son briquet et souffla sa fumée par la portière ouverte.

— C'est pas de moi que je m'inquiète, Doc.

Je descendis de voiture et restai dans l'allée à l'attendre. Dans l'obscurité, observant sa grande silhouette fatiguée, je fus brusquement remplie de tristesse et d'affection pour lui. Marino était seul et il devait probablement se sentir très mal. Ses souvenirs ne devaient pas être bien plaisants, entre la violence qu'il côtoyait dans son travail et ses relations ratées en dehors. Sans doute étais-je la seule constante dans sa vie et, même si j'étais habituellement polie, je n'étais pas toujours chaleureuse. Ce n'était tout simplement pas possible.

– Allez, dis-je. Je vais vous faire un grog et vous pourrez dormir ici. Vous avez raison. Peut-être que je n'ai pas envie d'être seule et de recevoir encore cinq pizzas et des taxis.

– C'est ce que je me disais, fit-il en jouant le professionnel sans état d'âme.

J'ouvris la porte, déconnectai l'alarme et, en un rien de temps, Marino se retrouva sur le canapé du grand salon buvant un bourbon Booker's avec glace. Je préparai sa couche avec des draps qui sentaient bon le propre et une couverture en coton toute douce, et nous restâmes à parler un peu dans l'obscurité.

– Ça vous arrive de vous dire qu'on pourrait perdre, finalement ? murmura-t-il d'une voix ensommeillée.

– Perdre ?

– Vous savez, *les bons gagnent toujours*. En quoi c'est réaliste, ça ? Pas tellement, pour la fille qui a brûlé dans la maison de Sparkes. Les bons gagnent pas toujours. Oh, non, Doc, sûrement pas.

Il se redressa à moitié, but une gorgée de bourbon et reprit péniblement son souffle.

– Carrie aussi pense qu'elle va gagner, au cas où ça ne vous aurait jamais effleurée, ajouta-t-il. Elle a eu rien d'autre à foutre que d'y penser pendant cinq ans à Kirby.

Chaque fois que Marino était fatigué ou un peu ivre, il répétait sans arrêt « foutre ». En fait, c'était un mot fabuleux qui exprimait ce que l'on éprouvait rien qu'en le prononçant. Mais je lui avais expliqué bien des fois que tout le monde n'était pas capable d'en supporter la grossièreté, et que certains le prenaient peut-être même au pied de la lettre. Personnellement, je n'ai jamais songé à l'acte sexuel en entendant le mot « foutre », mais plutôt à la volonté de souligner quelque chose.

171

— Je refuse d'imaginer que des gens comme elle puissent gagner, dis-je tranquillement en dégustant mon bourgogne. Je ne pourrai jamais penser une chose pareille.

— Vous croyez au Père Noël.

— Non, Marino. J'ai la foi.

— Ouais. (Il avala une gorgée de bourbon.) Foutue foi. Vous savez combien j'ai connu de mecs qui tombaient raides morts d'une crise cardiaque ou qui se faisaient tuer pendant le service ? Et d'après vous, combien avaient la foi ? Probablement tous. Personne pense jamais qu'il va mourir, Doc. Vous et moi, on a beau le savoir, on y pense pas. Mon état de santé est merdique, hein ? Et vous croyez que je sais pas que j'avale un peu plus de poison chaque jour ? Pourtant, est-ce que je peux m'en empêcher ? Non. Je suis qu'un vieux tas qui tient à sa viande, son whisky et sa bière. J'ai renoncé à me soucier de ce que disent les toubibs. Et un de ces jours, je vais piquer du nez et y aura plus personne, voyez ?

Il commençait à avoir la voix rauque et à devenir un peu larmoyant.

— Alors, une poignée de flics assistera à mon enterrement et vous, vous direz au prochain qui viendra que c'était pas si mal de bosser avec moi.

— Marino, vous feriez mieux de dormir. Et vous savez très bien que je ne suis pas comme ça. Je me refuse même à penser qu'il vous arrive quelque chose, espèce de grand imbécile.

— C'est vrai ? demanda-t-il, l'air un peu ragaillardi.

— Vous le savez fichtrement bien.

J'étais épuisée, moi aussi. Il termina son bourbon et fit tinter doucement la glace dans son verre, mais je n'esquissai pas un geste car il avait déjà assez bu.

— Vous savez quoi, Doc ? dit-il d'une voix pâteuse. Je vous aime beaucoup, même si vous êtes vraiment une chieuse de première.

— Merci. À demain matin.

— On est déjà le matin, dit-il en faisant tinter les glaçons de plus belle.

— Dormez.


Je n'éteignis ma lampe de chevet qu'à 2 heures du matin, en remerciant le Ciel que ce fût le tour de Fielding de passer le samedi à la morgue. Il était presque 9 heures quand je me sentis assez motivée pour poser les pieds par terre. Les oiseaux se chamaillaient dans le jardin et le soleil inondait le paysage. Il y avait tellement de lumière dans la cuisine qu'elle semblait presque blanche et que les appareils en inox brillaient comme des miroirs. Je préparai du café et m'éclaircis l'esprit comme je pus en songeant aux documents téléchargés sur mon ordinateur. J'eus envie d'ouvrir les portes-fenêtres et les fenêtres pour savourer l'air printanier, mais le visage de Carrie s'imposa dans mon esprit.

Je passai dans le grand salon voir où en était Marino. Il dormait comme il vivait, luttant contre son existence physique comme contre un ennemi : la couverture avait atterri presque au milieu de la pièce à force de coups de pied, les oreillers étaient déformés et il était entortillé dans les draps.

— Bonjour !

— Pas encore, marmonna-t-il.

Il se retourna et donna un coup de poing à l'oreiller pour s'y enfoncer de plus belle. Il portait un caleçon bleu et un T-shirt trop court qui laissait une quinzaine de centimètres de sa bedaine à l'air. J'étais toujours fascinée par le fait que les hommes ne sont pas aussi embarrassés par la graisse que les femmes. À ma manière, je faisais très attention à mon physique, et quand j'avais l'impression que mes vêtements me serraient un peu à la taille, mon humeur générale comme ma libido étaient beaucoup moins au beau fixe.

— Vous pouvez dormir encore un peu.

Je remontai sa couverture. Il se remit à ronfler comme un sanglier, et j'allai à la cuisine pour appeler Benton à son hôtel de New York.

— J'espère que je ne te réveille pas, dis-je.

— En fait, j'allais sortir. Comment ça va ? demanda-t-il d'une voix chaleureuse, mais distraite.

— J'irais mieux si tu étais là et elle derrière les barreaux.

— Le problème, c'est que je connais ses stratégies, et qu'elle sait que je les connais. Donc, cela revient au même que si je ne les connaissais pas, si tu vois ce que je veux dire, déclara-t-il d'une voix calme qui indiquait qu'il était irrité. Hier soir, nous sommes allés à plusieurs déguisés en clochards dans les tunnels de la Bowery. Charmante façon de passer la soirée, je dois dire. Nous avons revu l'endroit où Gault a été tué.

Benton prenait toujours garde de dire « où Gault a été tué » et non pas « où tu as tué Gault ».

— Je suis convaincu qu'elle y est retournée et qu'elle y reviendra, reprit-il. Et pas parce qu'il lui manque, mais parce que tout ce qui lui rappelle les crimes violents qu'ils ont commis ensemble l'excite. La pensée de son sang l'excite. Pour elle, c'est un plaisir sexuel, une pulsion de pouvoir dont elle est dépendante comme d'une drogue, et toi et moi savons ce que cela signifie, Kay. Elle va avoir besoin de sa dose très vite, si elle n'en a pas déjà pris une que nous n'avons pas encore découverte. Je suis désolé de me montrer de mauvais augure, mais au fond de moi, j'ai le sentiment que ce qu'elle s'apprête à accomplir va être bien pire que ce qu'elle a fait jusqu'ici.

— Il est difficile d'imaginer pire, dis-je sans le penser vraiment.

Chaque fois qu'il m'était arrivé de penser que les hommes ne pouvaient pas faire pire, ils l'avaient fait. Ou bien, tout simplement, peut-être le mal primaire paraissait-il plus choquant dans une civilisation d'humains hautement évolués qui envoyaient des satellites sur Mars et communiquaient par le cyberespace.

— Et pour le moment, aucune trace d'elle, dis-je. Pas même un indice.

— Nous avons eu des tas de pistes qui ne menaient nulle part. La police de New York a mis sur pied une cellule spéciale, comme tu le sais, et nous avons un central avec des types qui prennent les appels vingt-quatre heures sur vingt-quatre.

— Combien de temps dois-tu encore rester là-bas ?

— Je ne sais pas.

— En tout cas, je suis sûre que si elle est dans le coin, elle sait pertinemment où tu te trouves. Le New York Athletic Club, c'est là que tu descends toujours. À deux bâtiments de l'endroit où elle et Gault avaient pris une chambre à l'époque, continuai-je, de nouveau inquiète. Je suppose que c'est l'idée du Bureau de te mettre dans une cage à requins et d'attendre qu'elle vienne te chercher.

— Bonne analogie, dit-il. Espérons que ça marchera.

– Et si ça marche ? dis-je en sentant la peur et la colère monter en moi. J'aimerais que tu rentres et que tu laisses le FBI faire son boulot. Je ne peux pas y croire : tu prends ta retraite et tu ne vaux plus la peine qu'ils t'adressent la parole, sauf quand ils ont besoin de toi comme appât !

– Kay...

– Mais comment peux-tu les laisser t'utiliser...

– Ce n'est pas ça. C'est moi qui ai fait un choix, c'est un travail que je dois finir. Quand ça a commencé, c'était mon affaire, et en ce qui me concerne, ça l'est toujours. Je ne peux tout bonnement pas me tourner les pouces sur la plage en sachant qu'elle est dans la nature et qu'elle va tuer à nouveau. Comment est-ce que je peux l'oublier alors que toi, Lucy, Marino... Alors que nous sommes très probablement tous menacés ?

– Benton, ne joue pas les capitaines Achab, d'accord ? Que ça ne devienne pas une obsession, je t'en prie.

Il éclata de rire.

– Je suis sérieuse, bon sang !

– Je te promets que je resterai à bonne distance des baleines blanches.

– Tu es déjà en train de courir après l'une d'elles.

– Je t'aime, Kay.

Tandis que je remontais le couloir vers mon bureau, je me demandai pourquoi je me donnais la peine de lui répéter toujours la même chose. Je connaissais ses réactions presque aussi bien que les miennes, et il était aussi inconcevable de penser qu'il puisse se conduire autrement qu'il ne le faisait que d'imaginer que j'allais laisser un autre pathologiste s'occuper de l'affaire Warrenton sous prétexte qu'arrivée à ce stade de ma vie, j'avais envie de me détendre.

J'allumai la lumière dans mon vaste bureau lambrissé et j'ouvris les volets pour laisser pénétrer la lumière du matin. Ce bureau était adjacent à ma chambre et personne, pas même ma femme de ménage, ne savait que toutes les fenêtres de mon domaine privé, tout comme celles de mon bureau en ville, étaient en verre blindé. Ce n'étaient pas seulement toutes les Carrie du monde qui m'inquiétaient. Malheureusement, d'innombrables assassins me tenaient pour responsable de leur condamnation, et la plupart ne restaient pas en prison éternellement. J'avais eu mon content de lettres de criminels qui me promettaient de venir me rendre visite dès qu'ils sortiraient, qui déclaraient apprécier ma façon de parler, de m'habiller ou de me comporter au point de vouloir s'en occuper personnellement.

Mais il n'était pas nécessaire d'être policier, profileur ou médecin légiste pour devenir la cible potentielle de ces prédateurs, et c'était cela, la dure réalité. La plupart des victimes étaient vulnérables. Elles se trouvaient dans leurs voitures, elles venaient de faire leurs courses, elles traversaient un parking ou, plus simplement, comme on dit, elles étaient au mauvais endroit au mauvais moment. Je me connectai à America OnLine et je trouvai les documents de l'ATF qu'avait envoyés Lucy dans ma boîte aux lettres. Je lançai une impression et allai reprendre du café à la cuisine.

Marino entra au moment où je me demandais ce que j'allais manger. Il était habillé, un pan de chemise hors du pantalon et les joues mangées par la barbe.

— Je file, dit-il en bâillant.

— Vous voulez du café ?

— Non. Je prendrai un truc en route. Je m'arrêterai sûrement chez Liberty Valance, dit-il comme si nous n'avions jamais parlé de ses mauvaises habitudes nutritionnelles.

— Merci d'avoir passé la nuit ici.

— Pas de problème.

Il partit en m'adressant un signe de la main, et je branchai l'alarme derrière lui. Je retournai à mon bureau, et la pile de feuilles qui s'accumulaient me découragea. Au bout de cinq cents pages, je dus réapprovisionner le chargeur papier, et l'imprimante reprit sa tâche pendant une demi-heure. Les fichiers comprenaient les noms, dates, localisations et comptes rendus des enquêteurs. En outre, il y avait des croquis des lieux, des résultats de laboratoire et, pour certaines affaires, des photos que l'on avait scannées. Je savais que cela allait me prendre le reste de la journée, à tout le moins, pour arriver au bout de la pile. J'avais déjà l'impression d'avoir eu une fausse bonne idée qui n'aboutirait qu'à une perte de temps.

J'avais à peine épluché un peu plus d'une douzaine d'affaires lorsque la sonnette de l'entrée me fit sursauter. Je n'attendais personne et je n'avais presque jamais de visiteurs imprévus dans ma résidence bien gardée. Je me dis que ce devait être l'un des enfants du quartier qui vendait des billets de loterie, des bonbons ou des abonnements de magazines, mais en regardant l'écran du système de surveillance, je fus stupéfaite de découvrir Kenneth Sparkes devant ma porte.

– Kenneth ? dis-je dans l'interphone, incapable de dissimuler ma surprise.

– Docteur Scarpetta, veuillez m'excuser, dit-il à la caméra, mais il faut vraiment que je vous parle.

– J'arrive.

Je traversai précipitamment la maison et ouvris la porte. Sparkes avait l'air épuisé, avec son pantalon de toile et son polo vert taché de sueur. Il portait un bipeur et un téléphone portable à la ceinture, un porte-documents en crocodile sous le bras.

– Entrez, je vous en prie.

– Au cas où vous vous demanderiez comment j'ai fait pour passer la grille de sécurité, sachez que je connais la plupart de vos voisins, m'informa-t-il.

– J'ai du café prêt.

Je sentis une bouffée de son eau de toilette alors que nous entrions dans la cuisine.

– Encore une fois, j'espère que vous me pardonnerez d'être passé à l'improviste, dit-il d'un air sincèrement ennuyé. C'est tout simplement que je ne sais pas à qui m'adresser, docteur Scarpetta, et que je craignais que vous ne refusiez si je vous appelais pour vous annoncer ma visite.

– C'est probablement ce que j'aurais fait, dis-je en sortant deux tasses d'un placard. Comment le prenez-vous ?

– Noir.

– Voulez-vous un toast, ou quelque chose ?

– Oh, non. Mais merci.

Nous nous assîmes à la table en face de la fenêtre et j'ouvris la porte pour aérer, ayant brusquement l'impression qu'il faisait chaud et que la maison sentait le renfermé. Une inquiétude me parcourut tandis que je me rappelais que Sparkes était suspect dans une affaire de meurtre, que j'étais très impliquée dans le dossier et seule avec lui chez moi un samedi matin. Il ouvrit la fermeture Éclair du porte-documents.

– Vous savez sans doute tout sur la manière dont se déroule une enquête, déclara-t-il.

– Je ne sais jamais tout sur quoi que ce soit, répondis-je

avant de prendre une gorgée de café. Je ne suis pas naïve, Kenneth. Par exemple, si vous n'aviez pas un tant soit peu d'influence, vous n'auriez jamais pu pénétrer dans la résidence et être assis là en ce moment.

Il tira une enveloppe kraft du porte-documents et la fit glisser vers moi sur la table.

– Des photos, dit-il tranquillement. De Claire. (J'eus un mouvement d'hésitation.) J'ai passé ces derniers jours dans ma maison au bord de la mer, expliqua-t-il.

– À Wrightsville Beach ?

– Oui. Et je me suis souvenu qu'elles se trouvaient dans un tiroir. Je ne les avais pas regardées et je n'y avais même pas pensé depuis que nous avions rompu. Elles proviennent d'une séance de photos. Je ne me souviens pas des détails, mais elle m'en avait donné des tirages quand nous avions commencé à nous voir. Je crois vous avoir dit qu'elle faisait un peu de photos de mode.

Je fis glisser hors de l'enveloppe une vingtaine de clichés au format vingt par vingt-quatre. Celle du dessus était impressionnante. Ce que m'avait dit Sparkes à Hootowl Farm était vrai : Claire Rawley était splendide. Ses cheveux lui descendaient jusqu'au bas du dos, parfaitement raides, et l'on aurait dit un flot de fils d'or. La photo avait été prise sur une plage, et elle était vêtue d'un short de jogging et d'un débardeur minimaliste qui couvrait à peine ses seins. Au poignet droit, elle portait une grosse montre de plongée avec un bracelet en plastique noir et un cadran orange. Claire Rawley avait l'air d'une déesse nordique, avec ses traits réguliers, bien dessinés, son corps bronzé, athlétique et sensuel. Posée derrière elle, sur le sable, attendait une planche de surf devant un océan scintillant dans le lointain.

Les autres photos avaient été prises dans des endroits tout aussi spectaculaires. On la voyait assise sur le perron d'une imposante demeure délabrée de style gothique du Sud, ou sur un banc de pierre dans un cimetière envahi par la végétation, ou bien entourée de pêcheurs aux visages burinés, sur un chalutier de Wilmington. Certaines des poses étaient très artificielles et maniérées, mais cela ne changeait rien. Sur toutes, Claire Rawley était un chef-d'œuvre de beauté physique, une œuvre d'art dans les yeux de laquelle se lisait une insondable tristesse.

– Je me demandais si cela pourrait vous être utile, dit Sparkes après un long silence. Après tout, j'ignore ce que vous avez vu, je veux dire, ce qui était... Enfin...

Il pianota nerveusement sur la table du bout de l'index.

– Dans des cas tels que celui-ci, répondis-je calmement, une identification visuelle est tout simplement impossible. Mais on ne sait jamais, quelque chose de ce genre peut parfois aider. À tout le moins, il n'y a rien dans ces clichés qui puisse me dire que le corps n'est *pas* celui de Claire Rawley.

Je repassai en revue les photos pour voir si je remarquais des bijoux.

– Elle porte une montre intéressante, remarquai-je en continuant de feuilleter le paquet.

Il regarda et sourit, puis soupira.

– C'est moi qui la lui avais offerte. Le genre de montre branchée qui a beaucoup de succès chez les surfeurs. Elle avait un nom complètement idiot. *Animal.* Ça vous dit quelque chose ?

– Je crois bien que ma nièce en a eu une. Elles sont relativement bon marché ? Quatre-vingts, quatre-vingt-dix dollars ?

– Je ne me souviens pas du prix que je l'ai payée. Mais je l'ai achetée dans la boutique de surf où elle allait souvent. Sweetwater Surf Shop, à South Lumina. Elle habitait par là avec d'autres filles. Un vieil appartement pas terrible sur Stone Street. (Je prenais des notes.) Mais il donnait sur la mer, et c'est ce qu'elle voulait.

– Et les bijoux ? Vous vous rappelez l'avoir vue porter des choses particulières ?

Il se força à réfléchir.

– Un bracelet, peut-être ?

– Je ne me souviens pas.

– Son porte-clés ? (Il secoua la tête.) Et un anneau ? demandai-je alors.

– Elle en portait de temps en temps. Vous savez, le genre de bagues en argent à la mode qui ne coûtent pas très cher.

– Et une alliance en platine ?

Il hésita, pris de court.

– En platine, dites-vous ?

– Oui, et d'une assez grande taille, même. (Je regardai ses mains.) D'ailleurs, elle vous irait peut-être.

Il se radossa et fixa le plafond.

– Mon Dieu. Elle a dû le prendre. Je possède un anneau tout simple en platine, que je portais quand Claire et moi étions ensemble. Elle disait en plaisantant que cela voulait dire que j'étais marié avec moi-même.

– Donc, elle l'aurait pris dans votre chambre ?

– Dans un coffret en cuir. Ce n'est pas possible autrement.

– Vous êtes-vous aperçu que quelque chose d'autre manquait chez vous ? demandai-je alors.

– Une arme de ma collection a disparu. L'ATF les a toutes retrouvées sauf celle-là. Elles sont bien entendu fichues, dit-il, l'air plus déprimé que jamais.

– Quel type d'arme ?

– Un Calico.

– J'espère qu'il ne traîne pas dans la nature, dis-je très sincèrement.

Le Calico est un pistolet-mitrailleur particulièrement redoutable ressemblant beaucoup à un Uzi sur lequel on aurait fixé un gros cylindre. C'est un 9 mm capable de tirer une centaine de balles d'affilée.

– Vous devez informer la police et l'ATF de tout cela, dis-je.

– Je leur ai déjà confié certaines informations.

– Pas certaines. Toutes, Kenneth.

– Je comprends. Je le ferai. Mais je veux savoir si c'est elle, docteur Scarpetta. Comprenez-moi, je ne me soucie pas de grand-chose d'autre pour le moment. Je dois vous avouer que j'ai appelé chez elle. Aucune de ses colocataires ne l'a vue depuis plus d'une semaine. La dernière fois qu'elle y a dormi, c'était le vendredi, la veille de l'incendie, en d'autres termes. La jeune femme à qui j'ai parlé m'a dit que Claire semblait déprimée et un peu ailleurs lorsqu'elle l'a croisée dans la cuisine. Elle n'avait pas parlé d'aller en ville.

– Je vois que vous êtes un véritable enquêteur, remarquai-je.

– Vous n'en feriez pas autant si vous étiez à ma place ? demanda-t-il.

– Si.

Nos regards se croisèrent et je vis qu'il avait du chagrin. De petites perles de sueur se formaient sur son front, et il parlait comme s'il avait eu la bouche sèche.

– Revenons aux photos, dis-je. Quand ont-elles été prises exactement ? Pour qui posait-elle ? Vous le savez ?

– Un truc local, pour autant que je me souvienne, répondit-il, le regard fixé sur le paysage par la fenêtre. Je crois qu'elle m'a dit que c'était un truc pour la chambre de commerce, quelque chose pour faire la publicité de la plage.

– Et pour quelle raison vous a-t-elle donné tout cela ? demandai-je en continuant d'examiner les photos. Simplement parce qu'elle vous aimait bien ? Pour vous impressionner, peut-être ?

Il eut un rire attristé.

– J'aurais bien aimé que ce soient les seules raisons. Elle sait que j'ai de l'influence, que je connais du monde dans le milieu du cinéma, etc. « Tiens, j'aimerais bien que tu prennes soin de ces photos, s'il te plaît », vous voyez ?

– Elle espérait donc que vous l'aideriez dans sa carrière ? dis-je en levant les yeux.

– Bien sûr.

– Et vous l'avez fait ?

– Docteur Scarpetta, c'est un de mes grands principes : je dois faire attention aux gens ou aux choses que je contribue à promouvoir, répondit-il sans détours. Et il n'aurait pas été très convenable que je distribue à la ronde des photos de ma jeune et jolie maîtresse blanche dans l'espoir de pousser sa carrière. J'ai tendance à garder le plus secrètes possibles mes relations personnelles.

Il tripota sa tasse, le regard flamboyant d'indignation.

– Ce n'est pas moi qui fais de la publicité sur ma vie privée. Jamais ! Et je me dois d'ajouter que vous ne devriez pas croire tout ce que vous lisez.

– Je n'y crois jamais, dis-je. Plus que quiconque, je sais de quoi il retourne, Kenneth. Pour être franche, je ne m'intéresse pas autant à votre vie privée qu'au fait que vous ayez choisi de me donner ces photos à moi plutôt qu'à l'ATF ou aux enquêteurs du comté de Fauquier.

Il me fixa, puis :

– Par souci d'identification, comme je viens de vous le dire. Mais aussi parce que je vous fais confiance, et c'est l'élément le plus important de l'équation. Peu importent nos divergences, je sais que vous n'êtes pas du genre à faire de faux témoignages ou à porter des accusations infondées contre quelqu'un.

– Je vois.

Je me sentais de moins en moins à l'aise, et je priais vraiment pour qu'il s'en aille avant que je ne sois obligée de le mettre à la porte.

— Vous savez, ce serait nettement plus commode de me faire porter toute la responsabilité. Il y a des tas de gens qui me cherchent depuis des années, des gens qui seraient ravis de me voir ruiné, en prison ou mort.

— Aucun des enquêteurs avec qui je travaille ne pense cela.

— Ce n'est pas de vous, de Marino ou de l'ATF que je me soucie, répondit-il vivement, mais des factions qui ont un pouvoir politique. Les suprématistes blancs, les milices qui sont en relation avec des gens dont vous connaissez les noms. Vous pouvez me croire.

Il se détourna en serrant les mâchoires.

— Tout est contre moi, continua-t-il. Si personne ne va au fond de cette affaire, mes jours sont comptés. Je le sais. Et quelqu'un qui peut abattre des chevaux sans défense peut faire n'importe quoi.

Sa bouche trembla et ses yeux étincelèrent de larmes.

— Les brûler vifs ! s'exclama-t-il. Quel genre de monstre peut faire une chose pareille ?

— Un monstre épouvantable. Et il semble qu'il y en ait beaucoup de par le monde, de nos jours. Pouvez-vous me parler du poulain ? Celui que j'ai vu quand j'étais sur place ? J'ai supposé que l'un de vos chevaux avait réussi à s'en sortir.

— Windsong, confirma-t-il comme je m'y attendais, en s'essuyant les yeux avec sa serviette. Un magnifique petit animal. En fait, c'est un yearling, né dans ma ferme, dont les deux parents étaient des chevaux de course de grande valeur. Ils sont morts dans l'incendie, s'étrangla-t-il. Comment Windsong a-t-il pu s'échapper, je n'en ai pas la moindre idée. C'est très étrange.

— À moins que Claire – si c'est bien elle – ne l'ait laissé sortir et n'ait pas eu la possibilité de le faire rentrer dans son box ? suggérai-je. Peut-être l'avait-elle connu lors de ses visites à la ferme ?

— Non, dit Sparkes en s'essuyant les yeux avec un long soupir. Je crois qu'il n'était pas encore né. En fait, je me souviens même que Wind, la mère, était grosse de lui à l'époque des visites de Claire.

— Donc, Claire aurait pu en déduire que Windsong était le poulain de Wind.

— Elle aurait pu, oui.

— Où est Windsong, en ce moment ?

— Dieu merci, il a été capturé et il se trouve à Hootowl Farm, en sécurité. On s'occupe très bien de lui.

Ce qui était arrivé à ses chevaux le bouleversait, et je n'avais pas l'impression qu'il me jouait la comédie. Malgré son talent d'homme public, il ne pouvait pas être un aussi bon acteur. Il était près de craquer, et luttait de toutes ses forces pour ne pas céder. Il repoussa sa chaise et se leva.

— Il y a autre chose que je devrais vous dire, ajouta-t-il alors que je le raccompagnais. Si Claire était en vie, je crois qu'elle aurait essayé de me contacter, d'une manière ou d'une autre. Au pire, par courrier. Pour peu qu'elle ait été au courant de l'incendie, et ça, je ne sais pas comment elle aurait pu ne pas le savoir. Elle était très sensible et attentionnée, malgré tous ses problèmes.

— Quand l'avez-vous vue pour la dernière fois ? demandai-je en ouvrant la porte.

Il me regarda dans les yeux, et une fois de plus je pensai que la force de sa personnalité était aussi fascinante que troublante. Je n'arrivais pas à me défaire de l'idée qu'il m'intimidait encore un peu.

— Il y a environ un an, je pense.

Sa Jeep Cherokee gris métallisé était garée dans l'allée et j'attendis qu'il y soit monté pour refermer ma porte. Je ne pus m'empêcher de me demander ce qu'auraient pensé les voisins s'ils l'avaient reconnu. En d'autres circonstances, j'aurais pu en rire, mais en l'occurrence, je ne trouvais rien d'amusant à sa visite. Pourquoi était-il venu en personne au lieu de me faire porter ces photos, voilà la question qui me tracassait.

Mais il n'avait pas fait preuve de curiosité déplacée en ce qui concernait l'affaire. Il n'avait pas essayé de me manipuler. Pour autant que j'aie pu m'en rendre compte, il n'avait pas tenté d'influencer mon opinion ni mes sentiments à son égard.

# 11

J E RÉCHAUFFAI MON CAFÉ et retournai dans mon bureau. Je
demeurai un moment assise sur ma chaise ergonomique
à étudier les photos de Claire Rawley. Si son meurtre était
prémédité, pourquoi avait-il eu lieu dans un endroit où elle
n'était pas censée se trouver?

Même si des ennemis de Sparkes en étaient responsables,
n'était-ce pas une coïncidence un peu trop belle qu'ils aient
frappé au moment où elle était arrivée, comme par hasard
sans prévenir, chez lui? Le raciste le plus impitoyable irait-
il jusqu'à brûler vifs des chevaux, simplement pour causer
du tort à leur propriétaire?

Aucune de ces questions n'avait de réponse, et je me
penchai à nouveau sur les dossiers de l'ATF. Les heures
passèrent et mes yeux se brouillaient. Il y avait des incendies
d'églises, de résidences, d'entreprises et une série de bow-
lings où le départ de feu était chaque fois sur la même piste.
Des appartements, des distilleries, des usines de produits
chimiques et des raffineries avaient été réduites en cendres
et, dans tous les cas, les causes étaient douteuses, même si
l'incendie criminel ne pouvait être prouvé.

Quant aux homicides, ils étaient plus inhabituels, et généralement commis par un voleur relativement peu doué ou
un conjoint qui n'avait pas compris que lorsqu'une famille
entière disparaît et que des fragments d'os sont retrouvés
dans une décharge où l'on brûle les ordures, la police a
de grandes chances de s'en mêler. Pourtant, à 22 heures,
j'avais isolé deux cas ayant retenu mon attention. L'un était
survenu en mars, l'autre six mois auparavant. Le plus récent
s'était produit à Baltimore, la victime était un jeune homme
de vingt-cinq ans nommé Austin Hart, étudiant en quatrième

année de médecine à Johns Hopkins, qui avait trouvé la mort dans l'incendie d'une maison pas très loin du campus. Il était seul chez lui à ce moment-là, car c'étaient les vacances de printemps.

D'après le bref rapport de police, le feu, qui avait pris le dimanche soir, était déjà très avancé lorsque les pompiers étaient arrivés. Hart était tellement brûlé qu'il n'avait pu être identifié que grâce à des particularités de ses racines dentaires et par des similarités frappantes entre les radios ante mortem et post mortem des trabécules. Le départ de feu était situé dans la salle de bains du premier. Nul arc électrique ou existence d'accélérateur de combustion n'avait été détecté.

L'ATF avait travaillé sur l'affaire à la demande des pompiers de Baltimore. Je trouvai intéressant qu'on ait fait appel aux compétences de Teun McGovern, qui était venue spécialement de Philadelphie, et qu'après des semaines à passer laborieusement les restes au peigne fin, à interroger les témoins et à procéder à des examens dans les laboratoires de l'ATF à Rockville, il ait été conclu que le feu était l'œuvre d'un incendiaire, et en conséquence que la mort était un homicide. Mais ni l'un ni l'autre n'avaient pu être prouvés, et l'utilisation du système de modélisation d'incendie n'avait pas permis de comprendre comment un feu aussi rapide avait pu prendre dans une minuscule salle de bains carrelée où il n'y avait rien d'autre qu'un lavabo et une cuvette, un store et une baignoire protégée par un rideau en plastique.

L'incendie précédent était survenu en octobre à Venice Beach, en Californie, la nuit également, dans une maison du front de mer à quelque distance de la célèbre salle de gym de Muscle Beach. Marlene Farber était une actrice de vingt-trois ans dont la carrière se bornait à quelques petits rôles dans des feuilletons, et dont le revenu provenait principalement de publicités télévisées. Les détails de l'incendie qui avait réduit en cendres sa spacieuse demeure étaient tout aussi brefs et inexplicables que dans le cas d'Austin Hart.

Quand je lus qu'on soupçonnait que le feu avait pris dans la salle de bains de la chambre principale, je ressentis une poussée d'adrénaline. La victime était tellement brûlée qu'elle était réduite à des fragments blancs calcinés, et il avait fallu procéder à une comparaison entre les radios de médecine du travail et celles faites à l'autopsie. Au bout du compte, c'était une côte qui avait permis de l'identifier. Aucun comburant n'avait été détecté, et il n'y avait pas là non plus d'explication concernant ce qui avait pu déclencher dans une salle de bains un feu tel qu'il avait gagné l'étage supérieur, deux mètres cinquante au-dessus. Une cuvette de toilettes, une baignoire, un lavabo et une tablette recouverte de cosmétiques n'étaient bien entendu pas suffisants. En outre, selon le satellite de surveillance de la Météorologie nationale, la foudre n'était pas tombée dans un rayon de deux cents kilomètres autour de chez elle au cours des dernières quarante-huit heures.

Je ruminais tout cela en buvant un verre de pinot noir lorsque Marino m'appela vers 1 heure du matin.

– Vous êtes réveillée ?

– Quelle importance ?

Je fus forcée de sourire car il posait toujours la question quand il appelait à des heures indues.

– Sparkes possédait quatre Mac dix avec des silencieux qu'il avait, paraît-il, achetés dans les seize cents dollars chaque. Il avait une mine Claymore achetée pour onze cents et un fusil-mitrailleur MP40. Plus, tenez-vous bien, quatre-vingt-dix grenades vides.

– Je vous écoute.

– Il dit qu'il était branché sur les trucs de la Seconde Guerre mondiale, et qu'il collectionnait tout ce qu'il trouvait, tout comme les barils de bourbon provenant d'une distillerie du Kentucky qui avait fait faillite huit ans auparavant. Pour le bourbon, il aura juste une petite réprimande, étant donné que tout le monde s'en tape par rapport au reste. Quant aux armes, elles étaient enregistrées et il payait les taxes correspondantes. Donc il est clair à tous points de vue, mais l'imbécile qui enquête à Warrenton est persuadé que le grand secret de Sparkes, c'est qu'il vendait des armes à des groupes anticastristes basés en Floride du Sud.

– Et il se fonde sur quoi ? demandai-je, intéressée.

– Merde, ça, à vous de me le dire, mais les enquêteurs de Warrenton courent après cette piste comme un cabot au cul du facteur. La théorie, c'est que la fille qui a brûlé savait quelque chose et que Sparkes n'a pas eu d'autre choix que de la supprimer, même si ça l'obligeait à faire cramer tout ce qu'il avait, y compris ses propres chevaux.

— S'il vendait des armes, dis-je, agacée, il aurait eu plus que deux ou trois vieux pistolets-mitrailleurs et une caisse de grenades vides.

— Ils ont décidé de se le payer, Doc. Et à cause de sa position, ça risque de prendre un moment.

— Et son Calico qui a disparu ?

— Comment vous savez ça, vous ?

— Il y a bien un Calico qui manque, ou je me trompe ?

— C'est ce qu'il dit, mais comment vous... ?

— Il est passé me voir tout à l'heure.

Il y eut un long silence.

— Qu'est-ce que vous me chantez ? demanda-t-il, manifestement déconcerté. Il est venu vous voir où ça ?

— Chez moi. À l'improviste. Il avait des photos de Claire Rawley.

Marino demeura si longtemps muet que, cette fois-ci, je crus que nous avions été coupés.

— Vous vexez pas, dit-il enfin. Mais vous êtes sûre que vous êtes pas en train de vous faire avoir à cause de...

— Non, coupai-je.

Il battit en retraite.

— Bon, vous avez pu trouver quelque chose sur ce qu'il vous a apporté ?

— Rien, sauf que sa prétendue ex-petite amie était extraordinairement belle. Les cheveux semblent correspondre à ceux de la victime, tout comme les estimations de taille et de poids. Elle portait une montre qui ressemble beaucoup à celle que j'ai trouvée et ses colocataires ne l'ont pas vue depuis la veille de l'incendie. C'est un début, mais en tout cas pas suffisant pour constituer une preuve.

— Et la seule chose que la police de Wilmington a été fichue d'obtenir de l'université, c'est qu'il existe bien une Claire Rawley. Elle était vaguement étudiante, mais elle n'avait pas foutu les pieds en cours depuis l'automne.

— Ce qui correspond à l'époque où Sparkes a rompu avec elle.

— Si ce qu'il dit est vrai, fit remarquer Marino.

— Et ses parents ?

— L'université ne nous a rien appris d'autre sur son

compte. Classique. Il va falloir un mandat du tribunal, et vous savez comment c'est. Je pense que vous pourriez essayer d'entrer en contact avec le doyen ou quelqu'un de là-bas, histoire de les amadouer un petit peu. Les gens préfèrent parler aux médecins qu'aux flics.

— Et le propriétaire de la Mercedes ? Je suppose qu'il ne s'est toujours pas présenté ?

— La police de Wilmington fait surveiller son domicile, répondit Marino. Ils ont regardé par les fenêtres, flairé par la fente de la boîte aux lettres pour voir s'il y avait un cadavre en décomposition là-dedans. Mais pour l'instant, rien. C'est comme s'il s'était évanoui en fumée, et nous n'avons aucune raison valable d'enfoncer sa porte.

— Quel âge a-t-il ?

— Quarante-deux ans. Cheveux et yeux bruns, un mètre quatre-vingts et soixante-douze kilos.

— Eh bien, quelqu'un doit savoir où il est, ou au moins quand on l'a vu pour la dernière fois. On ne quitte pas son cabinet sans prévenir personne.

— Pour l'instant, c'est l'impression qu'il donne. Les gens sont venus chez lui pour leurs rendez-vous. Ils n'avaient pas été prévenus. Il a disparu. Les voisins ne l'ont pas vu, ni lui, ni sa voiture, depuis au moins une semaine. Personne n'a remarqué qu'il partait, seul ou accompagné. En revanche, il semblerait qu'une vieille dame qui habite à côté lui ait parlé le matin du 5 juin – le jeudi précédant l'incendie. Ils ramassaient tous les deux leurs journaux au même moment et ils se sont dit bonjour. D'après elle, il était pressé et pas aussi aimable que d'habitude. Pour l'instant, c'est tout ce qu'on a.

— Je me demande si Claire Rawley aurait pu être une de ses patientes.

— J'espère juste qu'il est encore en vie, remarqua Marino.

— Oui, renchéris-je. Moi aussi.


Un médecin légiste n'endosse pas généralement le rôle du flic. C'est quelqu'un qui présente des preuves de manière objective, un détective qui n'œuvre que par l'intellect, et dont les témoins sont des morts. Mais il y avait des circonstances où je ne me souciais guère de questions de statut ou de définitions.

La justice se situait au-dessus des règles, surtout lorsque j'étais convaincue que personne ne tenait compte des faits. Je me fondais sur ma seule intuition lorsque je décidai au petit déjeuner, ce dimanche-là, d'aller rendre visite à Hughey Dorr, le maréchal-ferrant qui avait ferré les chevaux de Sparkes deux jours avant l'incendie.

Les cloches des églises Grace Baptist et First Presbyterian sonnaient tandis que je rinçais ma tasse dans l'évier. Je dénichai dans mes notes le numéro de téléphone que l'un des enquêteurs de l'ATF m'avait communiqué. Le maréchal-ferrant n'était pas chez lui quand j'appelai, mais sa femme répondit et je me présentai.

– Il est à Crozier, dit-elle. Il va y rester toute la journée, à Red Feather Point. C'est juste après Lee Road, au nord de la rivière. Vous ne pouvez pas le rater.

Je savais pourtant que je pouvais le rater facilement. Elle parlait d'un coin de Virginie qui ne se composait pratiquement que de haras, et très franchement, pour moi, ils se ressemblaient tous. Je lui demandai de me donner quelques repères.

– Eh bien, c'est juste de l'autre côté de la rivière, en face du pénitencier d'État. Là où les prisonniers travaillent dans les laiteries. Vous devez sûrement savoir où ça se trouve.

Malheureusement oui, je le savais. Je m'y étais déjà rendue lorsque des détenus se pendaient dans leur cellule ou s'entre-tuaient. Elle me donna le numéro et j'appelai le haras pour être sûre que je pouvais venir. Comme c'est toujours le cas avec les éleveurs de chevaux, mon interlocuteur ne s'intéressa pas le moins du monde à mes affaires, mais me dit que je pourrais trouver le maréchal-ferrant dans la grange, qui était peinte en vert. Je retournai dans ma chambre enfiler un polo, des jeans et des bottines lacées, puis je passai un coup de fil à Marino.

– Vous pouvez m'accompagner, mais ça ne me gêne pas d'y aller toute seule, lui dis-je.

J'entendis l'écho bruyant d'un match de base-ball à la télévision, et le téléphone claqua quand il le posa quelque part. Marino respirait bruyamment.

– Merde, dit-il.

– Je sais. Moi aussi, je suis fatiguée.

– Donnez-moi une demi-heure.

189

— Je passe vous prendre pour vous faire gagner du temps, proposai-je.

— Ouais, ça ira.

Il habitait au sud de la James River, dans un quartier boisé non loin de la galerie marchande Midlothian Turnpike, où l'on pouvait au choix acheter des armes de poing, des motos ou des Bullet Burgers, ou bien faire laver sa voiture au jet, avec ou sans cire lustrante. La petite maison blanche de Marino aux flancs en aluminium était située sur Ruthers Road, à côté de Bon Air Cleaners et d'Ukrops. Un grand drapeau américain flottait dans son jardin où trônait un abri pour son camping-car.

Le soleil étincelait sur les guirlandes de Noël éteintes qui soulignaient les moindres arêtes de la maison. Les ampoules multicolores étaient nichées dans les buissons et enroulées dans les arbres. Il y en avait des milliers.

— Je crois quand même que vous ne devriez pas laisser ces guirlandes, répétai-je une fois de plus quand il ouvrit la porte.

— Ouais. Dans ce cas, décrochez-les et remettez-les en place pour Thanksgiving, répondit-il comme à chaque fois. Vous avez une idée du temps que ça prendrait, surtout que j'en rajoute chaque année ?

Son obsession avait atteint un point tel qu'il avait un tableau de fusibles spécial rien que pour ses décorations, qui, en pleine saison, comprenaient outre un Père Noël dans son traîneau tiré par huit rennes, des bonshommes de neige hilares, des sucres d'orge, des jouets, et Elvis au beau milieu de la pelouse en train de beugler des chants de Noël dans des haut-parleurs. L'ensemble était tellement lumineux qu'il se voyait à des kilomètres et que la maison de Marino figurait dans le très officiel *Guide du mauvais goût* de Richmond. J'étais éberluée que quelqu'un d'aussi asocial que lui puisse supporter les interminables files de voitures et les ivrognes qui venaient contempler le spectacle.

— J'essaie encore de comprendre ce qui vous a pris, déclarai-je alors qu'il montait dans ma voiture. Il y a deux ans, vous n'auriez jamais fait un truc pareil. Et puis, comme ça, sans crier gare, vous transformez votre maison en char de carnaval. Vous m'inquiétez. Sans parler du risque d'incendie. Je sais que je vous ai déjà dit ce que j'en pensais, mais je suis intimement convaincue...

– Et moi, peut-être que je suis intimement convaincu aussi, rétorqua-t-il en mettant sa ceinture et en sortant une cigarette.

– Comment réagiriez-vous si je me mettais à illuminer ma maison comme ça et que je laisse les décorations toute l'année ?

– Pareil que si vous vous achetiez un 4 × 4, que si vous installiez une piscine hors-sol ou vous mettiez à bouffer des biscuits Bojangles tous les jours. Je me dirais que vous avez complètement perdu les pédales.

– Et vous auriez raison.

– Écoutez, dit-il en jouant avec sa cigarette. Peut-être que j'ai atteint un stade dans ma vie où c'est maintenant ou jamais. J'en ai rien à foutre de ce que pensent les gens. J'aurai qu'une vie et, merde, qui sait encore combien de temps elle va durer, d'ailleurs ?

– Marino, vous êtes vraiment très morbide.

– Ça s'appelle être réaliste.

– Et la réalité, c'est que si vous mourez, on vous amènera chez moi et vous finirez sur l'une de mes tables. Voilà qui devrait vous donner suffisamment envie de rester un bon moment en vie.

Il se tut et fixa le paysage tandis que je suivais la route 6, qui traversait le comté de Goochland, où les bois étaient touffus et où l'on ne croisait pas d'autre voiture sur parfois des kilomètres. La matinée était claire, mais la journée s'annonçait humide et chaude. Nous passions devant des maisons sans prétention avec leurs toits de tôle, leurs gracieuses vérandas et leurs abreuvoirs à oiseaux dans le jardin. Des pommes vertes faisaient ployer les branches des arbres jusqu'à terre, et les tournesols penchaient leurs lourdes têtes comme pour une prière.

– Le fait est, Doc, reprit Marino, que c'est comme une prémonition, un truc dans ce genre-là. Je sens que le temps m'est de plus en plus compté. Quand j'y pense, je me dis que j'ai presque tout fait. Si je ne faisais rien de plus, j'en aurais quand même fait assez, vous voyez ? Alors, dans ma tête, je vois un mur devant moi et il y a rien au-delà. La route se termine là. Je disparais. Le tout, c'est de savoir quand et comment. Et c'est pour ça que je fais ce qui me chante. Il vaut mieux, non ?

Je ne sus que répondre, et la vision de sa maison dégoulinante de lumière à Noël me fit monter les larmes aux yeux. J'étais contente de porter des lunettes de soleil.

— Ne réalisez pas la prophétie vous-même pour autant, Marino, dis-je calmement. Quand les gens se mettent à trop penser à quelque chose, ils se stressent et finissent par provoquer l'événement.

— Comme Sparkes.

— Je ne vois vraiment pas le rapport avec Sparkes.

— Peut-être qu'il a pensé trop fort à quelque chose et qu'il l'a provoqué. Disons par exemple que vous êtes un Noir détesté par une foule de gens, et vous avez tellement peur que des connards vous piquent tout ce que vous avez que vous finissez par y foutre le feu vous-même. En tuant vos chevaux et votre petite amie blanche du même coup. Pour finir avec plus rien. Merde, l'assurance ne remplacera jamais ce qu'il a perdu. Jamais. La vérité, c'est que Sparkes est baisé, quelle que soit la façon dont on considère les choses. Soit il a perdu tout ce qu'il aimait, soit il va crever en taule.

— S'il était simplement question d'un incendie criminel, je serais encline à penser que c'est lui le pyromane. Mais nous parlons aussi d'une jeune femme assassinée, et de tous ses chevaux. C'est là que ça ne colle plus pour moi.

— On dirait du O.J. Simpson, si vous voulez mon avis. Un Noir riche et puissant. Son ex-petite amie se fait trancher la gorge. Les ressemblances ne vous tracassent pas un peu quand même ? Écoutez, faut que je fume. Je soufflerai la fumée par la fenêtre.

— Si Kenneth Sparkes a assassiné son ex-maîtresse, dans ce cas, pourquoi ne l'a-t-il pas fait là où personne n'aurait pu effectuer le rapprochement avec lui ? fis-je remarquer. Pourquoi détruire tout ce que vous possédez en même temps et faire en sorte que tous les indices vous désignent ?

— J'en sais rien, Doc. Peut-être que la situation lui a échappé, que ça a merdé. Peut-être qu'il n'avait pas prévu de la zigouiller et de foutre le feu à sa baraque.

— Il n'y a rien dans cet incendie qui me fasse penser à une impulsion soudaine. Je crois que l'auteur savait exactement ce qu'il faisait.

— Soit ça, soit il a eu du bol.

L'étroite route était baignée d'une ombre mouchetée de

lumière, et les oiseaux perchés sur les lignes téléphoniques me faisaient penser à des partitions musicales. Lorsque nous passâmes devant le restaurant North Pole, avec son enseigne en forme d'ours polaire, je me rappelai les déjeuners après les audiences du tribunal à Goochland, les détectives et les médecins légistes qui étaient depuis partis en retraite. J'avais tant de meurtres en tête maintenant que ces vieilles affaires étaient vagues dans mon souvenir, et penser à celles-ci, ainsi qu'aux collègues qui me manquaient, me rendit triste subitement. Red Feather Point se trouvait au bout d'une longue route couverte de gravillons qui menait à une ferme imposante dominant la James River. Je passai entre des pâturages d'un vert uniforme entourés de barrières blanches en soulevant un nuage de poussière.

Le bâtiment blanc de trois étages avait l'architecture biscornue d'une construction du siècle dernier, et les silos recouverts de vigne vierge sortaient eux aussi d'un autre âge. Plusieurs chevaux se promenaient dans un champ au loin et le manège de terre battue rouge était désert quand nous nous garâmes. Marino et moi entrâmes dans la vaste grange verte et suivîmes l'écho des coups de marteau sur la ferraille. Des chevaux de race tendaient leurs cous splendides par-dessus leurs box, et je ne pus résister à l'envie de caresser les nez veloutés des chevaux de chasse à courre et des pur-sang. Je m'arrêtai pour murmurer des douceurs à un poulain et sa mère, qui me fixaient de leurs grands yeux bruns. Marino demeura à distance, chassant les mouches.

— Les regarder, c'est une chose, commenta-t-il. Mais je me suis fait mordre une fois et ça m'a suffi.

La sellerie et le magasin étaient déserts. Des râteaux et des tuyaux étaient accrochés aux parois de bois, des couvertures posées sur les portes. Je ne croisai personne d'autre qu'une femme en tenue d'équitation, coiffée d'une bombe, qui transportait une selle anglaise.

— Bonjour, dis-je alors que les coups de marteau se taisaient. Je cherche le maréchal-ferrant. Je suis le docteur Scarpetta, ajoutai-je. J'ai appelé avant de venir.

— Il est par là, dit-elle sans s'arrêter en désignant un coin du bâtiment. Et puisque vous êtes ici, Black Lace n'a pas l'air dans son assiette, ajouta-t-elle.

Je compris qu'elle me prenait pour le vétérinaire.

Marino et moi trouvâmes Dorr assis sur un tabouret, le sabot avant droit d'une grande jument blanche solidement coincé entre ses genoux. C'était un homme chauve, aux épaules et aux bras énormes, qui portait un tablier en cuir. Couvert de poussière, il transpirait abondamment, alors qu'il arrachait les clous d'un fer en aluminium.

— Salut, fit-il tandis que la jument couchait les oreilles.

— Bonjour, monsieur Dorr. Je suis le docteur Scarpetta et voici le capitaine Pete Marino. Votre femme nous a dit que nous vous trouverions ici.

— Les gens m'appellent Hughey, dit-il en levant le nez. C'est mon nom. Vous êtes véto ?

— Non, non, je suis médecin légiste. Le capitaine Marino et moi, nous enquêtons sur l'affaire de Warrenton.

Ses yeux s'assombrirent et il jeta le fer usé de côté. Il sortit un couteau à lame courbe d'une poche de son tablier et entreprit de gratter le sabot jusqu'à ce que la corne blanche et marbrée apparaisse. Un caillou qui y était logé fit jaillir une étincelle sous la lame.

— Celui qui a fait ça devrait être fusillé, déclara-t-il en prenant des pinces dans une autre poche et en nettoyant tout le tour du sabot.

— Nous faisons tout notre possible pour découvrir ce qui s'est passé, l'informa Marino.

— Mon rôle consiste à identifier la femme qui a trouvé la mort dans l'incendie, expliquai-je. Et à comprendre ce qui lui est exactement arrivé.

— Pour commencer, on voudrait bien savoir ce qu'elle faisait dans la maison.

— J'en ai entendu parler. Bizarre, répondit Dorr.

Il continua sa tâche avec une lime et la jument retroussa les lèvres, agacée.

— D'après ce que j'ai compris, vous étiez chez lui quelques jours auparavant ? interrogea Marino en griffonnant sur son calepin.

— Le feu a pris le samedi soir, dit Dorr en nettoyant la semelle du sabot avec une brosse métallique. J'y ai passé presque tout le jeudi. C'était comme d'habitude. J'ai ferré huit chevaux et j'en ai soigné un qui avait le tour du sabot infecté. J'y ai passé du formol – mais ça, vous devez vous y connaître, me dit-il.

Il reposa la jambe droite et prit la gauche. La jument tressaillit et agita la queue. Dorr lui donna une tape sur le nez.

– C'est pour lui donner de quoi réfléchir, expliqua-t-il. Elle est de mauvaise humeur. C'est rien d'autre que des gosses, ils essaient toujours de voir jusqu'où ils peuvent aller. Vous, vous croyez qu'ils vous aiment, alors que tout ce qu'ils veulent, c'est à bouffer.

La jument roula des yeux et retroussa les lèvres tandis qu'il extrayait de nouveau les clous avec une rapidité étonnante, que l'on n'aurait jamais soupçonnée en entendant son accent traînant.

– Vous êtes-vous jamais trouvé à la ferme quand Sparkes recevait une jeune femme ? demandai-je. Elle était très grande et très belle, avec de longs cheveux blonds.

– Non. Généralement, quand j'y allais, on passait notre temps avec les chevaux. Il m'aidait comme il pouvait, il était complètement fou d'eux. (Il reprit son couteau courbe.) Tout ce qu'on raconte comme quoi il courait les femmes, continua-t-il, moi j'ai jamais rien vu. Il m'a toujours paru du genre solitaire, et ça m'a surpris, au début, étant donné ce qu'il est.

– Depuis combien de temps travailliez-vous pour lui ? demanda Marino en me faisant comprendre par son attitude qu'il allait se charger du reste de l'interrogatoire.

– Ça va faire six ans, dit Dorr en prenant sa lime. Deux, trois fois par mois.

– Quand vous l'avez vu ce jeudi-là, est-ce qu'il a mentionné qu'il partait à l'étranger ?

– Oh, oui. C'est pour ça que je suis venu ce jour-là. Il s'en allait le lendemain à Londres et comme son garçon de ferme était parti, Sparkes avait personne d'autre.

– Il semble que la victime conduisait une vieille Mercedes bleue. Avez-vous déjà vu une voiture de ce genre chez lui ?

Dorr se recula sur son petit tabouret de bois, repoussant avec lui la boîte à ferrer. Il attrapa une patte postérieure.

– Je me rappelle pas avoir vu une voiture comme ça, dit-il en balançant un autre fer. Non, je peux pas dire que je me rappelle celle que vous venez de me décrire. Holà !

Il calma la jument en posant une main sur sa croupe.

– Elle a mal aux pieds, nous expliqua-t-il.

– Comment s'appelle-t-elle ? demandai-je.

— Molly Brown.
— Vous n'avez pas un accent d'ici, dis-je.
— Je suis né et j'ai grandi dans le sud de la Floride.
— Moi aussi. À Miami.
— Là, c'est tellement au sud que c'est l'Amérique latine.

## 12

UN BEAGLE était entré en trottinant et flairait la terre jonchée de paille où il cherchait les copeaux de corne. Molly Brown posa coquettement sa jambe arrière sur le portant, comme une dame dans un salon de manucure.

– Hughey, repris-je. Certains détails de cet incendie soulèvent des questions. Il y a un cadavre, alors que personne n'était censé se trouver dans la maison de Sparkes. Il est de ma responsabilité de découvrir qui était la morte, et pourquoi elle n'est pas sortie quand l'incendie s'est déclaré. Vous êtes peut-être bien la dernière personne qui se soit rendue dans cette ferme avant l'incendie, et je vous demande de fouiller dans votre mémoire, au cas où il y aurait quoi que ce soit – absolument quoi que ce soit – qui aurait pu vous sembler inhabituel ce jour-là.

– Par exemple, intervint Marino, auriez-vous vu Sparkes en conversation personnelle, privée, au téléphone ? Vous a-t-il semblé qu'il attendait de la visite ? Est-ce qu'il aurait mentionné le nom de Claire Rawley ?

Dorr se leva et flatta de nouveau la croupe de la jument, alors que je préférais instinctivement rester à bonne distance de ses puissants postérieurs. Le beagle se mit à aboyer dans ma direction comme si j'étais une intruse.

– Viens là, mon bonhomme, dis-je en me baissant et en tendant la main.

– Docteur Scarpetta, je vois que vous faites confiance à Molly Brown et elle s'en rend compte. Quant à vous, continua-t-il avec un signe de tête pour Marino, vous avez peur d'eux et ils le sentent. C'est juste histoire que vous le sachiez.

Dorr s'éloigna et nous le suivîmes. Marino se colla contre

le mur en passant derrière un cheval qui faisait au moins un mètre quatre-vingt au garrot. Le maréchal-ferrant se dirigea vers l'endroit où était garé son camion. C'était un pick-up rouge customisé avec une forge à l'arrière qui fonctionnait au propane. Il tourna un bouton et une flamme bleue s'éleva.

— Comme elle a pas de très bons pieds, il faut que je façonne des fixations pour que les fers tiennent. Un peu comme des chaussures orthopédiques pour un être humain, expliqua-t-il en prenant un fer en aluminium avec des pinces et en le passant au feu. Je compte jusqu'à cinquante, sauf si la forge est chaude, dit-il tandis que s'élevait l'odeur du métal chauffé. Alors, je m'arrête à trente. Comme l'aluminium change pas de couleur, je le réchauffe juste un peu pour qu'il soit malléable.

Il porta le fer à l'enclume et perça des trous. Puis il façonna les fixations et les martela pour les aplatir. Il le passa à la meule, qui résonna comme une scie Stryker, afin d'adoucir les arêtes. Dorr semblait utiliser son travail comme un prétexte pour gagner du temps et réfléchir, ou peut-être essayer de comprendre ce que nous cherchions à savoir. Pour moi, il ne faisait aucun doute qu'il était farouchement loyal envers Kenneth Sparkes.

— À tout le moins, lui dis-je, la famille de cette femme a le droit de savoir. Il faut que je les prévienne de son décès, or je ne peux rien faire tant que je ne suis pas certaine de son identité. Et on va me demander ce qui lui est arrivé. Il faut que je le sache.

Mais Dorr n'avait rien à dire, et nous le suivîmes lorsqu'il rejoignit Molly Brown. Elle s'était soulagée et avait marché dans le crottin. Agacé, il nettoya le sol avec un vieux balai tandis que le beagle trottait autour de nous.

— Vous savez, la meilleure défense du cheval, c'est la fuite, dit finalement Dorr en coinçant un des antérieurs de la jument entre ses genoux. Tout ce qu'il cherche, c'est à filer, même s'il vous aime.

Il enfonça des clous dans le fer et martela les pointes qui ressortaient sur le côté.

— Les gens, c'est pas si différents, quand on les accule, ajouta-t-il.

— J'espère que vous ne vous sentez pas acculé par mes questions, dis-je en flattant le beagle derrière les oreilles.

Dorr tordit les pointes des clous avec une tenaille et les lima en prenant encore une fois son temps pour répondre.

— Holà, dit-il à Molly Brown. (L'odeur de crottin et de métal remplissait l'air.) Ce qu'il y a, continua-t-il en s'activant avec son maillet, c'est que croire que je vais vous faire confiance comme ça à tous les deux sur votre bonne mine, c'est comme si vous vous imaginiez capables de ferrer ce cheval.

— Je ne peux pas vous en vouloir de le penser.

— Je serais incapable de ferrer ce cheval, dit Marino. Et j'aurais pas envie non plus.

— Ils sont capables de vous attraper avec les dents et de vous faire valser. Ils donnent des coups de pied, ils ruent, ils vous flanquent la queue dans les yeux. Mieux vaut leur faire bien comprendre qui c'est qui commande, sinon, c'est le début des ennuis.

Il se redressa en se frottant les reins. Puis il retourna à sa forge s'occuper du fer suivant.

— Écoutez, Hughey, dit Marino en lui emboîtant le pas. Je vous demande votre aide parce que je pense que vous êtes disposé à nous la donner. Ces chevaux, vous y attachiez de l'importance. Et vous devez aussi attacher de l'importance au fait que quelqu'un soit mort.

Le maréchal-ferrant plongea la main dans un compartiment sur le côté du camion. Il en sortit un autre fer qu'il plaça dans une pince.

— Tout ce que je peux vous donner, c'est ma théorie à moi.

Il passa le fer dans la flamme.

— Je suis tout ouïe, dit Marino.

— Je crois que c'est un coup de professionnels et que la femme en faisait partie, mais qu'elle a pas pu sortir pour une raison ou une autre.

— Vous êtes en train de dire que c'est elle l'incendiaire.

— Elle ou une bande. Mais elle a tiré le mauvais numéro.

— Qu'est-ce qui vous fait penser cela ? demandai-je.

Dorr coinça le fer dans un étau.

— Vous savez, la façon de vivre de M. Sparkes fait chier pas mal de monde, surtout vos espèces de nazis, répondit-il.

— Je ne vois toujours pas pourquoi vous pensez que la femme a un rapport avec ça, dit Marino.

Dorr s'interrompit pour s'étirer. Il inclina la tête et fit craquer ses vertèbres.

– Peut-être que celui qui a fait ça savait pas qu'il serait pas là. Il avait besoin d'une fille pour forcer Sparkes à ouvrir la porte. Peut-être même une fille qu'il avait connue.

Nous le laissâmes continuer.

– C'est pas le genre de type à refuser d'ouvrir à quelqu'un qu'il connaît. En fait, pour moi, il a toujours été un peu trop gentil et décontracté pour son bien.

La meule et les coups de marteau ponctuèrent la colère du maréchal-ferrant, et le fer sembla siffler une sorte d'avertissement lorsque Dorr le plongea dans un seau d'eau. Il se tut, retourna vers Molly Brown et s'assit de nouveau sur son tabouret. Il entreprit d'essayer le nouveau fer, le lima et le martela un peu. La jument tressaillit légèrement, mais elle avait surtout l'air de s'ennuyer.

– Je ferais aussi bien de vous dire un autre truc qui va avec ma théorie, reprit-il en continuant son travail. Quand j'étais chez lui jeudi, il y a eu un foutu hélicoptère qui a pas arrêté de nous survoler. Ils s'en servent pas pour répandre des insecticides sur les récoltes, là-bas, et M. Sparkes et moi on n'a pas réussi à savoir s'il était perdu, s'il avait des difficultés ou s'il cherchait à atterrir. Il a dû rester un quart d'heure et puis il est reparti vers le nord.

– De quel couleur était-il ? demandai-je en me souvenant de celui que j'avais vu décrire des cercles au-dessus des ruines quand j'étais sur place.

– Blanc. On aurait dit une libellule blanche.

– Comme un petit hélicoptère avec un moteur à pistons ? demanda Marino.

– Je m'y connais pas des masses en hélicos, mais oui, il était petit. Deux places, je crois, sans numéro peint dessus. Le genre qui vous fait vous poser des questions, hein, non ? On se dit que quelqu'un est en train de vous surveiller de là-haut.

Le beagle avait posé sa tête sur ma chaussure, les yeux mi-clos.

– Et vous n'aviez jamais vu cet appareil dans les environs de la ferme ? demanda Marino.

Je compris que lui aussi s'en souvenait, mais qu'il ne voulait pas avoir l'air de s'y intéresser particulièrement.

– Non, monsieur. À Warrenton, on n'est pas fans d'hélicoptères. Ils font peur aux chevaux.

– Il y a un terrain d'atterrissage, un truc d'acrobaties aériennes et quelques terrains privés dans la région, ajouta Marino.

– J'ai déduit ce que j'ai pu de ce que j'ai vu, dit Dorr en se relevant. Il prit un bandana dans sa poche arrière et s'épongea le visage. Je vous ai dit tout ce que je savais. Bon sang, j'ai mal partout.

– Une dernière chose, dit Marino. Sparkes est un homme important et très occupé. Il a déjà dû utiliser des hélicoptères de temps en temps. Pour aller à l'aéroport, par exemple, étant donné que sa ferme est un peu au milieu de nulle part.

– Pour sûr, il y en a qui se sont posés à la ferme.

Il lança à Marino un long regard soupçonneux.

– Et jamais aucun comme le blanc ?

– Je vous l'ai déjà dit, je l'avais jamais vu.

Dorr nous fixa tandis que Molly Brown tirait sur son licol et découvrait de longues dents jaunies.

– Et je vais vous dire encore un truc, continua Dorr. Si vous vous êtes mis en tête de coincer M. Sparkes, c'est pas la peine de revenir me voir.

– Nous ne cherchons à coincer personne, rétorqua Marino qui devenait méfiant, lui aussi. Nous cherchons simplement la vérité. Comme on dit, elle parle d'elle-même.

– Ça ferait pas de mal, pour changer.

Je pris le chemin du retour profondément troublée, essayant de faire la part de ce que je savais et de ce qui avait été dit. Marino n'était pas très loquace, et plus nous approchions de Richmond, plus son humeur s'assombrissait. Au moment où je m'arrêtais dans son allée, son bipeur sonna.

– Cet hélicoptère ne colle avec rien, dit-il alors que je me garais derrière son camion. Et peut-être qu'il a rien à voir avec le truc.

Il y avait toujours cette possibilité.

– Bon, alors c'est quoi, bon sang ? s'exclama-t-il en sortant son bipeur et en lisant le message. Merde. On dirait qu'il y a du neuf. Vous feriez aussi bien d'entrer.

Je n'étais pas souvent entrée dans la maison de Marino. La

dernière fois, me semblait-il, c'était durant les fêtes, quand j'étais passée lui apporter un pain et un plat de mon ragoût, tous deux maison. Évidemment, à cette époque-là, ses invraisemblables décorations étaient allumées et même l'intérieur de la maison était tendu de guirlandes lumineuses, encombré d'un sapin surchargé. Je me souvenais d'un train électrique qui ne cessait de tourner autour d'un village de Noël couvert de neige. Marino avait préparé un eggnog avec du Virginia Lightning, un alcool illégalement distillé qui titrait quatre-vingts degrés et, très sincèrement, je n'aurais pas dû prendre le volant pour rentrer.

À présent, sa maison semblait nue et sombre. Dans le salon trônait son fauteuil inclinable préféré au centre d'un tapis à poils longs. Le manteau de la cheminée était couvert des innombrables trophées de bowling qu'il avait gagnés au cours des années et la télévision à écran géant était son plus beau meuble. Je l'accompagnai dans la cuisine et embrassai du regard la cuisinière graisseuse, ainsi que l'évier et la poubelle qui débordaient. Je fis couler l'eau chaude, mouillai une éponge, puis entrepris de laver ce que je pouvais tandis qu'il téléphonait.

— Vous n'avez pas à faire ça, me dit-il à voix basse.

— Il faut bien que quelqu'un s'en charge.

— Ouais, fit-il dans l'appareil. Marino. Qu'est-ce qu'il y a?

Il écouta la longue réponse les sourcils froncés, son visage virant au cramoisi. Je m'attaquai à la vaisselle – et il y avait de quoi faire.

— Bon, ils vérifient, mais dans quelle mesure? demandait Marino. Non, je veux dire, est-ce qu'ils vérifient que quelqu'un occupe bien son siège? Ah, ils le font? Et ils l'ont fait cette fois-là? Ouais, tu parles. Personne ne se souvient de rien. Ce foutu monde est rempli de gens qui se rappellent que dalle. C'est ça ou alors ils ont rien vu, pas vrai?

Je rinçai soigneusement les verres et les mis à sécher sur un torchon.

— C'est vrai, les bagages soulèvent un problème, continua-t-il.

J'utilisai le dernier reste de liquide vaisselle et dus me résoudre à prendre un bout de savon desséché que je trouvai sous l'évier.

– Pendant que tu y es, continuait-il, vois ce que tu peux trouver sur un hélicoptère blanc qui survolait la ferme de Sparkes. (Il se tut, puis :) Peut-être avant, mais sûrement après, parce que je l'ai vu de mes propres yeux quand on était sur place.

Marino écouta son correspondant tandis que je m'attaquais aux couverts, puis à mon grand étonnement, il ajouta :

– Avant que je raccroche, tu veux dire bonjour à ta tante ?

Je m'immobilisai et le fixai, les mains en l'air.

– Tenez, dit-il en me tendant le téléphone.

– Tante Kay ? dit Lucy apparemment aussi surprise que moi. Qu'est-ce que tu fais chez Marino ?

– Le ménage.

– Quoi ?

– Tout va bien ? demandai-je.

– Marino te racontera. Je vais m'occuper de l'hélico blanc. Il a bien dû prendre du carburant quelque part. Peut-être même qu'il a déposé un plan de vol à Leesburg, mais j'en doute. Salut, je dois y aller.

Je raccrochai, me sentant brusquement furieuse et prise de court, sans vraiment savoir pourquoi.

– Je crois que Sparkes est dans de sales draps, Doc, dit Marino.

– Que s'est-il passé ?

– Il se trouve que la veille de l'incendie, le vendredi, il s'est pointé à Dulles pour prendre un vol à 21 h 30. Il a enregistré ses bagages, mais ne les a pas pris à l'autre bout, à Londres. Ce qui signifie qu'il a pu les enregistrer et donner son billet à l'embarquement, puis faire demi-tour et quitter l'aéroport.

– Ils comptent les passagers sur les vols internationaux, lui opposai-je. Son absence dans l'avion aurait été remarquée.

– Peut-être. Mais il ne serait pas là où il est si ce n'était pas un malin.

– Marino...

– Attendez. Laissez-moi tout vous raconter. Ce que Sparkes soutient, c'est que la sécurité l'attendait à l'instant où son avion a atterri à Heathrow à 9 h 45 le lendemain matin – le samedi. Il s'agit de l'heure anglaise, soit 4 h 45 ici. On lui a appris la nouvelle de l'incendie, et il a immédiatement fait demi-tour pour prendre un vol United Airlines pour Washington sans même s'occuper de ses bagages.

— Je suppose qu'on peut très bien faire ce genre de choses lorsqu'on est bouleversé.

Marino marqua une pause et me lança un regard noir alors que je posais le savon sur le bord de l'évier et que je m'essuyais les mains.

— Doc, faut que vous arrêtiez de le défendre.

— Je ne le défends pas. J'essaie simplement de me montrer plus objective que certains ne semblent l'être. Et puis tout de même, la sécurité à Heathrow devrait se rappeler l'avoir contacté quand il a débarqué, non?

— Pour l'instant, non. Et on ne voit pas très bien comment la sécurité était au courant de l'incendie, d'ailleurs. Évidemment, Sparkes a une explication pour tout. Il prétend que la sécurité prend toujours des dispositions particulières quand il voyage, et l'attend à l'arrivée. Apparemment, l'incendie avait été annoncé aux informations à Londres, et l'homme d'affaires que Sparkes devait retrouver a appelé British Airways pour leur demander d'en informer Sparkes à la minute où il débarquerait.

— Quelqu'un a parlé à cet homme d'affaires?

— Pas encore. N'oubliez pas que c'est la version de Sparkes. Et ça m'embête de vous dire ça, Doc, mais n'allez pas croire que les gens refuseraient de mentir pour le couvrir. S'il est derrière tout ça, je peux vous garantir qu'il a tout planifié dans le moindre détail. Et permettez-moi d'ajouter qu'au moment où il est arrivé à Dulles pour prendre son avion, le feu avait déjà pris et la femme était morte. Qui sait s'il ne l'a pas tuée et s'il n'a pas utilisé une espèce de déclencheur pour flanquer le feu à sa ferme après son départ?

— Il n'y a rien qui empêche de le penser, convins-je. Mais rien ne le prouve non plus. Et apparemment, nous n'avons guère de chances de l'apprendre, à moins que les examens du labo ne découvrent la trace d'un matériau qui démontre l'existence d'un dispositif utilisé pour la mise à feu à distance.

— De nos jours, la moitié des trucs dans une maison peut servir de minuteur : les réveils, les magnétoscopes, les ordinateurs, les montres digitales.

— C'est vrai. Mais il faut quelque chose pour déclencher les explosifs faibles, des détonateurs, des étincelles, un fusible, un feu... Je vais m'en aller, à moins qu'il n'y ait autre chose à nettoyer, ajoutai-je, pince-sans-rire.

— Ne vous mettez pas en rogne contre moi. Vous savez, c'est pas de ma faute, tout ça.

Je me retournai sur le seuil de sa porte. Des mèches de cheveux gris collaient à sa trogne en sueur. Il devait y avoir des tas de vêtements sales éparpillés dans tous les coins de sa chambre, et personne n'aurait jamais suffi à la tâche de nettoyer et ranger derrière lui. Je me souvins de Doris, sa femme, et imaginai sans peine sa servitude docile, jusqu'au jour où elle était partie, parce qu'elle était tombée amoureuse d'un autre homme.

C'était comme si on avait transfusé Marino avec du sang provenant d'un groupe incompatible. Il avait beau accomplir un travail magnifique, être toujours plein de bonnes intentions, le conflit qui l'opposait à son environnement était terrible, et le tuait à petit feu.

— Rendez-moi simplement un service, dis-je, la main sur la poignée.

Il s'essuya le visage sur sa manche et sortit ses cigarettes.

— N'encouragez pas Lucy à tirer des conclusions précipitées. Vous savez aussi bien que moi que le problème, c'est la police et la politique locales. Marino, je ne crois pas que nous ayons ne serait-ce qu'effleuré la vérité dans toute cette histoire, alors évitons de clouer qui que ce soit au pilori pour l'instant.

— J'en reviens pas. Après tout ce que ce salaud a fait pour vous faire virer, d'un seul coup, c'est un petit saint ?

— Je n'ai pas dit que c'était un saint. D'ailleurs, franchement, je n'en connais aucun.

— Sparkes l'homme à femmes, reprit Marino. Si je ne vous connaissais pas, je me demanderais si vous n'avez pas le béguin.

— Je ne m'abaisserai pas à vous répondre.

Je sortis sur le perron, avec l'envie de lui claquer la porte au nez.

— Oui. C'est ce qu'ils disent tous quand ils sont coupables, dit-il en me suivant. Ne croyez pas que je m'en rends pas compte quand vous et Wesley, ça ne va pas...

Je me retournai en braquant sur lui mon index comme un revolver.

— Pas un mot de plus, l'avertis-je. Restez en dehors de mes affaires et ne vous avisez pas de douter de mon professionnalisme, Marino. Vous n'êtes pas si bête que cela, bon Dieu !

Je descendis les marches et montai dans ma voiture. Je fis lentement marche arrière, avec une dextérité délibérée, puis m'éloignai sans un regard.

# 13

LE LUNDI MATIN débuta par une tempête qui s'abattit sur la ville avec des rafales de vent et des pluies diluviennes. Je me rendis au bureau, les essuie-glaces fonctionnant à plein régime et l'air conditionné allumé pour chasser la buée du pare-brise. Je mouillai la manche de ma veste quand j'ouvris ma vitre pour lancer un jeton dans la corbeille du péage. Pour ne rien arranger, ce jour-là et pas un autre, comme par hasard, deux corbillards s'étaient garés dans le parking, et je dus laisser ma voiture dehors. Les quinze secondes nécessaires pour arriver à la porte achevèrent de conclure la punition. J'étais trempée. L'eau dégoulinait de mes cheveux et giclait de mes chaussures à chaque pas.

Je jetai un coup d'œil au registre de l'entrée pour voir ce qui était arrivé durant la nuit. Un bébé était mort dans le lit de ses parents. Une vieille dame s'était apparemment suicidée en prenant des médicaments et, bien entendu, il y avait eu une fusillade pour des histoires de drogue dans l'un des HLM aux abords d'un centre-ville devenu plus sûr et plus civilisé. Au cours des dernières années, notre ville avait été classée comme l'une des plus violentes des États-Unis, cumulant cent soixante meurtres par an pour une population inférieure à deux cent cinquante mille personnes.

On rejetait la responsabilité de la situation sur la police. Et sur moi également, si les statistiques produites par mon bureau ne convenaient pas aux politiciens ou si les tribunaux étaient trop lents à condamner. Ce manque de logique me plongeait dans la consternation : il ne semblait pas venir à l'esprit de ceux qui détenaient le pouvoir qu'il existe une « médecine préventive » et que c'est, après tout, le seul et unique moyen de mettre un terme à une maladie mortelle. Il vaut bien mieux vacciner contre la polio, par exemple, que de devoir la soigner. Je fermai le registre et sortis du bureau en pataugeant avec mes chaussures trempées dans le couloir désert.

Je me rendis au vestiaire car je commençais déjà à frissonner. Je quittai à la hâte mon tailleur et mon chemisier collants d'humidité et enfilai mes vêtements stériles avec difficulté, comme toujours lorsque j'étais pressée. Je mis une blouse, me séchai les cheveux avec une serviette et les rejetai en arrière. Le visage qui me regardait dans le miroir avait l'air angoissé et fatigué. Je dormais mal, je mangeais mal, je me laissais aller sur le café et l'alcool, et cela se voyait à mes cernes. Tout cela était en grande partie dû à la rage impuissante et à la peur que faisait naître en moi Carrie. Nous n'avions pas la moindre idée de l'endroit où elle se trouvait, mais je l'imaginais partout.

Je me rendis dans la salle de repos où Fielding, qui évitait les excitants, se préparait une tisane. Ses obsessions diététiques ne me réconfortèrent pas. Je n'avais pas fait d'exercice physique depuis une semaine.

— Bonjour, docteur Scarpetta, dit-il d'un ton jovial.

— Espérons qu'il sera bon, oui, dis-je en m'emparant de la cafetière. La charge de travail n'a pas l'air trop lourde, pour le moment. Je vous confie tout ça, vous pouvez faire la réunion. J'ai beaucoup de travail de mon côté.

Fielding était impeccable avec sa chemise jaune à boutons de manchette, sa cravate de couleurs vives et son pantalon à pinces noir. Il était rasé de près et sentait bon. Même ses chaussures étaient cirées car, contrairement à moi, il ne se laissait jamais dépasser par les circonstances.

— Je ne sais pas comment vous faites, remarquai-je en le toisant. Jack, vous ne souffrez jamais de choses normales comme la dépression, le stress, l'envie de chocolat, de cigarettes ou de whisky ?

Il savoura sa tisane et me regarda à travers la vapeur qui s'élevait de sa tasse.

— Quand je suis épuisé, j'ai tendance à me surentraîner. C'est là que je me blesse.

Il demeura songeur un instant.

— Je crois que le pire que je fasse, maintenant que vous m'y faites penser, c'est de refuser de voir ma femme et mes gosses. Je me trouve des prétextes pour ne pas rentrer. Je me conduis en salaud insensible, et ils m'en veulent à mort à chaque fois. Donc, oui, moi aussi j'ai des tendances auto-destructrices. Mais je vous assure, dit-il, si vous trouviez ne serait-ce qu'un peu de temps pour courir, faire du vélo, quelques pompes ou quelques abdos, vous seriez stupéfaite du résultat. Le corps produit lui-même sa morphine, pas vrai ? ajouta-t-il en s'éloignant.

— Merci ! lui lançai-je en regrettant d'avoir posé la question.

Je m'étais à peine installée à mon bureau que Rose fit son apparition, ses cheveux soigneusement ramassés en chignon et son tailleur bleu marine lui donnant l'allure parfaite d'une chef d'entreprise.

— Je ne savais pas que vous étiez arrivée, dit-elle en rajoutant un tas de rapports sur la pile de mon bureau. L'ATF vient d'appeler. McGovern.

— Ah bon ? dis-je, intéressée. Vous savez à quel propos ?

— Elle a dit qu'elle était à Washington ce week-end et qu'elle voulait vous voir.

— Quand et à quel sujet ? demandai-je en commençant à signer le courrier.

— Elle devrait arriver d'ici peu. (Je levai les yeux, sur-prise.) Elle a appelé de sa voiture pour vous prévenir qu'elle était presque à Kings Dominion et qu'elle serait là dans vingt à trente minutes, continua Rose.

— Alors c'est que cela doit être important, murmurai-je en ouvrant un dossier en carton rempli de lamelles.

Je fis pivoter mon fauteuil et ôtai la housse de mon micro-scope avant de l'allumer.

— Ne laissez pas tout tomber pour autant, dit Rose, qui cherchait toujours à me protéger. Ce n'est pas comme si elle avait pris rendez-vous ou même demandé que vous la casiez entre deux.

Je posai une lamelle sur le plateau et j'examinai une coupe de pancréas dont les cellules roses et rétrécies semblaient vitrées ou nécrosées.

— Ses examens toxicologiques sont nickel, dis-je à Rose en posant une autre lamelle sur le plateau. À l'exception de l'acétone, ajoutai-je. Le sous-produit d'un métabolisme défectueux du glucose. Et les reins montrent une vacuoli-sation hyperosmolaire des cellules du tube proximal. C'est-à-dire qu'au lieu d'être roses et cuboïdales, elles sont claires, renflées et hypertrophiées.

— Sonny Quinn, encore une fois, dit Rose, effondrée.

— En outre, nous avons des antécédents cliniques d'haleine fruitée, perte de poids, soif et miction fréquente. Rien que l'insuline n'aurait pu soigner. Non que je ne croie pas aux prières, contrairement à ce que la famille a dit aux journalistes.

Sonny Quinn était le fils de onze ans d'une famille de scientologues. Il était mort deux mois plus tôt, et, bien que la cause de son décès n'ait jamais fait aucun doute, du moins dans mon esprit, je n'avais présenté aucune conclusion définitive tant que des examens supplémentaires n'avaient pas été menés. En bref, l'enfant était mort parce qu'il n'avait pas reçu de soins médicaux appropriés. Ses parents s'étaient violemment opposés à l'autopsie. Ils étaient passés à la télévision, m'avaient accusée de persécution religieuse et de mutilation du corps de leur fils.

Rose m'avait bien des fois entendue donner mon sentiment sur cette affaire, et elle demanda :

— Voulez-vous les appeler ?

— Vouloir n'est pas vraiment le terme, mais oui.

Elle feuilleta l'épais dossier de Sonny Quinn et griffonna un numéro de téléphone à mon intention.

— Bonne chance, dit-elle en regagnant son bureau.

Le ventre noué, je composai le numéro.

— Madame Quinn ? demandai-je à la femme qui décrocha.

— Oui.

— Docteur Scarpetta. J'ai les résultats de l'examen de...

— Vous ne nous avez pas fait assez de mal comme ça ?

— J'ai pensé que vous aimeriez savoir de quoi était mort votre fils...

— Je n'ai pas besoin que vous me disiez quoi que ce soit sur mon fils, aboya-t-elle.

Le cœur battant, j'entendis quelqu'un lui prendre le téléphone des mains.

— Monsieur Quinn, annonça l'homme qui avait laissé mourir son fils au nom de la liberté de culte.

— La cause du décès de Sonny est une pneumonie aiguë due à un coma diabétique cétosique, conséquent à un diabète mellitus. Je suis désolée, monsieur Quinn.

– C'est une erreur. Vous vous trompez.

– Ce n'est pas une erreur, monsieur Quinn, je ne me trompe pas, dis-je en prenant sur moi pour ne pas laisser transparaître ma colère. Si vos autres enfants montrent les mêmes symptômes que Sonny, je ne peux que vous conseiller de les faire immédiatement soigner. De façon à ne pas endurer à nouveau ces souffrances...

– Je n'ai pas besoin qu'un médecin légiste me dise comment élever mes enfants, répondit-il froidement. Je vous verrai au tribunal, madame.

Ça, tu peux y compter, me dis-je, sachant bien que le procureur les inculperait, lui et sa femme, de maltraitance et négligence à l'encontre d'un mineur.

– Ne nous appelez plus, dit M. Quinn avant de me raccrocher au nez.

Je reposai le récepteur, le cœur lourd, puis relevai les yeux et découvris Teun McGovern dans le couloir, juste devant ma porte. À son expression, il était évident qu'elle n'avait pas perdu un mot de la conversation.

– Entrez.

– Et moi qui pensais que mon travail était difficile, dit-elle en prenant une chaise pour s'asseoir juste en face de moi, sans me quitter du regard. Je sais que vous êtes obligée de faire ça constamment, mais je n'y avais jamais assisté. Ce n'est pas que je ne parle jamais aux familles mais, Dieu merci, ce n'est pas à moi de leur dire ce que la fumée a exactement produit sur la trachée ou les poumons de leurs bien-aimés.

– C'est le plus pénible, me contentai-je de dire.

Le poids qui m'oppressait refusait de s'en aller.

– J'imagine que vous devez être la messagère qu'ils aime-raient tuer.

– Pas toujours, dis-je, sachant pourtant que dans la soli-tude j'entendrais pendant le restant de mes jours les paroles accusatrices et impitoyables des Quinn.

Depuis le temps, il y avait tant de voix, de cris et de supplications de colère, de chagrin et parfois de reproche, parce que j'avais osé toucher les blessures, parce que je savais écouter. Je n'avais pas envie d'en parler avec McGovern. Je ne voulais pas partager avec elle des choses aussi intimes.

– J'ai encore un coup de fil à passer, dis-je. Vous pouvez vous faire un café, ou vous détendre une minute. Je suis sûre que ce que je vais trouver vous intéressera.

J'appelai l'université de Caroline du Nord à Wilmington, et, bien qu'il ne soit pas encore tout à fait 9 heures, le secrétaire archiviste était là. Il se montra d'une insupportable obséquiosité et totalement inutile.

– Je comprends tout à fait pourquoi vous appelez et je vous assure que nous sommes très désireux de vous aider, expliqua-t-il. Mais nous ne pouvons rien faire sans mandat du tribunal. Nous ne pouvons tout bonnement pas divulguer des renseignements personnels concernant nos étudiants. Et certainement pas au téléphone.

– Monsieur Shedd, nous parlons d'un meurtre, lui rappelai-je en perdant patience.

– Je comprends, répéta-t-il.

Et cela continua, sans me mener nulle part. Au bout du compte, je renonçai et raccrochai. Je me tournai vers McGovern avec abattement.

– Ils ouvrent le parapluie, au cas où la famille se retournerait contre eux par la suite, me dit McGovern – ce que je savais déjà. Nous ne devons pas leur laisser le choix, il faut les mettre au pied du mur.

– Très bien, dis-je d'un ton morne. Alors, qu'est-ce qui vous amène ici ?

– On m'a dit que les résultats du labo étaient arrivés, du moins en partie. J'ai appelé en fin de journée vendredi.

– Vous me l'apprenez.

Cela m'irrita. Si l'experte chargée de l'examen des indices avait appelé McGovern avant de me prévenir, j'allais vraiment être furieuse. Je pris le téléphone et appelai Mary Chan, nouvelle venue aux labos.

– Bonjour, dis-je. J'ai cru comprendre que vous aviez des résultats pour moi.

– Je m'apprêtais à vous les descendre.

– Ce sont ceux que vous avez envoyés à l'ATF ?

– Oui, les mêmes. Je peux vous les faxer ou vous les apporter en personne.

Je lui donnai mon numéro de fax sans manifester mon irritation. Mais je ne pus m'empêcher de faire une remarque.

– Mary, à l'avenir, je préfère que vous m'informiez de mes dossiers *avant* de vous mettre à envoyer les résultats aux autres, dis-je d'un ton calme.

– Je suis désolée, dit-elle, et je sentis qu'elle était sincère. L'enquêtrice a appelé à 17 heures et j'étais sur le point de partir.

Les rapports arrivèrent deux minutes plus tard, et Mc-Govern ouvrit son vieil attaché-case pour y prendre son exemplaire. Elle me regarda lire. Le premier document était une analyse du copeau métallique que j'avais récupéré dans l'entaille de la région temporale gauche du cadavre. D'après le microscope à balayage électronique et les rayons X à dispersion, il était constitué de magnésium.

Quant aux débris fondus retrouvés dans les cheveux de la victime, les résultats étaient tout aussi inexplicables. La détection des fibres se faisait grâce à un spectrophotomètre à infrarouge de Fourier. Le schéma caractéristique d'absorption se révélait être celui d'un polymère appelé polysiloxane, c'est-à-dire le silicone.

– Un peu curieux, vous ne trouvez pas ? fit McGovern.

– Commençons par le magnésium. Ce qui me vient à l'esprit, c'est l'eau de mer. Elle contient beaucoup de magnésium. Ou bien une exploitation minière. Ou encore la victime était une chimiste industrielle, ou travaillait dans un laboratoire de recherche. Ou bien il s'agit d'explosifs...

– Si l'on trouvait du chlorure de potassium, oui. Cela pourrait être de la poudre, répondit-elle. Ou bien du styphnate de plomb, de l'azide de plomb ou du fulminate de mercure s'il s'agissait de détonateurs, par exemple. Ou de l'acide nitrique, de l'acide sulfurique, de la glycérine, du nitrate d'ammonium ou du nitrate de sodium. De la nitroglycérine, de la dynamite, etc. Et j'ajouterai que Pepper aurait immédiatement repéré de tels explosifs.

– Et le magnésium ?

– Pyrotechnie – les feux d'artifice. Pour produire une intense lumière blanche. Ou des fusées éclairantes. (Elle haussa les épaules.) Cela dit, on lui préfère la poudre d'aluminium, parce qu'elle est plus stable, à moins que les particules de magnésium soient recouvertes d'un produit comme l'huile de lin.

– Des fusées éclairantes, répétai-je pensivement. Vous

213

les allumez, vous les placez en un lieu stratégique et vous partez ? Cela peut vous faire gagner au moins plusieurs minutes.

— À condition qu'il y ait la quantité de combustible nécessaire, oui, c'est possible.

— Mais cela n'explique pas la présence d'un copeau logé dans la blessure, qui semble avoir été introduit par l'instrument pointu avec lequel elle a été faite.

— On n'utilise pas de magnésium pour fabriquer les couteaux ? suggéra McGovern.

— Non, absolument pas. C'est trop mou. Comme c'est un métal léger, on s'en sert peut-être dans l'industrie aérospatiale ?

— Très certainement. Mais dans ce cas, ce sont des alliages, et ce serait apparu aux examens.

— Exact. Passons au silicone, qui ne me semble pas présenter plus de signification. À moins qu'elle ait reçu des implants de silicone avant que ce ne soit interdit, et ce n'est pas le cas.

— Je peux vous dire que le silicone est utilisé pour l'isolation électrique, les fluides hydrauliques et les joints d'étanchéité. Aucune de ces utilisations n'est cohérente, sauf s'il y avait quelque chose dans la salle de bains, peut-être dans la baignoire. Quelque chose de rose, je ne sais quoi.

— Savons-nous si Sparkes avait un tapis de bain rose à base de caoutchouc ? demandai-je.

— Nous venons seulement de commencer à passer en revue la maison avec lui, dit-elle. Mais il prétend que la décoration de la salle de bains était surtout noire et blanche. Le sol et les parois en marbre étaient noirs. Le lavabo, les placards et la baignoire, blancs. La porte de la douche était de fabrication européenne, ce n'était pas du verre trempé, c'est-à-dire qu'il n'aurait pas pu se désintégrer en milliers de fragments quand la température a dépassé les quatre cents degrés Fahrenheit.

— Ce qui explique pourquoi la porte a fondu grosso modo sur le corps.

— Oui, elle l'a quasi enveloppé.

— Pas tout à fait.

— La porte avait des charnières de cuivre et pas de cadre. Ce que nous avons retrouvé correspond. Donc, les souvenirs

214

de votre ami, le manitou des médias, sont exacts, au moins sur ce point.

– Et sur les autres ?

– Dieu seul le sait, Kay.

Elle déboutonna sa veste comme si elle venait de se rendre compte qu'elle pouvait se détendre, tout en jetant paradoxalement un coup d'œil à la pendule.

– Nous avons affaire à un monsieur très malin, dit-elle. Au moins, nous le savons tous.

– Et l'hélicoptère ? Qu'est-ce que vous en faites, Teun ? Je suppose que vous avez été informée du petit Schweizer blanc ou du Robinson, enfin de l'appareil, quel qu'il soit, que le maréchal-ferrant a aperçu le jour précédant l'incendie ? Peut-être le même que celui que nous avons vu deux jours plus tard ?

– J'ai peut-être une théorie, dit-elle avec un regard pénétrant. J'y vais vraiment à l'aveuglette. Si c'est lui qui a mis le feu, il doit se rendre très vite à l'aéroport. Donc, la veille, l'hélicoptère effectue une reconnaissance au-dessus de la ferme, parce que le pilote sait qu'il va devoir atterrir et décoller de nuit. Vous me suivez ? (Je hochai la tête.) Le vendredi arrive. Sparkes assassine la fille et flanque le feu à la maison. Il court jusqu'au pré et monte dans l'hélicoptère, qui le dépose quelque part dans les environs de Dulles, où sa jeep Cherokee est dissimulée. Il se rend à l'aéroport et procède à son petit manège avec les billets et les bagages. Ensuite, il se planque jusqu'au moment où il peut réapparaître à Hootowl Farm.

– Et la raison pour laquelle l'hélicoptère est revenu le samedi, quand nous travaillions sur le lieu de l'incendie ? demandai-je alors. Comment l'expliquez-vous ?

– Les pyromanes aiment assister au spectacle, déclara-t-elle. Bon sang, qu'est-ce qu'on en sait ? Sparkes était peut-être là-haut en train de nous regarder trimer. Peut-être un accès de paranoïa. Il s'est dit qu'on le prendrait pour un appareil de journalistes, ce que nous avons d'ailleurs cru.

– Ce ne sont que des spéculations, à ce stade, dis-je, trouvant que j'en avais assez entendu.

Je me mis en devoir de ranger le flot infini de paperasses qui commençait là où il finissait, et vice versa. McGovern me dévisageait à nouveau. Elle se leva et ferma les portes.

– Bien, je crois qu'il est temps que nous discutions un peu, déclara-t-elle. J'ai l'impression que vous ne m'appréciez pas beaucoup. Peut-être que si vous vidiez votre sac, nous pourrions arranger les choses d'une manière ou d'une autre.

– Je ne sais pas ce que je pense de vous, si vous voulez vraiment le savoir. (Je la regardai droit dans les yeux.) Ce qui compte, c'est que nous fassions tous notre travail, pour que nous ne perdions pas l'essentiel de vue. Nous avons affaire à un meurtre, ajoutai-je.

– Là, vous allez m'énerver.

– Ce n'est pas dans mes intentions, je vous assure.

– Parce que vous pensez qu'un meurtre ne me fait ni chaud ni froid ? C'est ce que vous sous-entendez ? Vous pensez que je suis arrivée là où j'en suis en me foutant éperdument de qui a mis le feu et pourquoi ? fit-elle en remontant ses manches, comme prête à se battre.

– Teun, je n'ai pas de temps à perdre avec ce genre de discussion, je ne pense pas que ce soit constructif.

– Tout ça est en rapport avec Lucy. Vous vous imaginez que je vous ai remplacée, ou Dieu sait quoi de ce genre. C'est bien de ça qu'il s'agit, n'est-ce pas, Kay ?

Ce fut à mon tour de m'énerver.

– Ce n'est pas la première fois que nous travaillons ensemble, vous et moi, n'est-ce pas ? continua-t-elle. Nous n'avons jamais eu de problème jusqu'à maintenant. Donc, on ne peut que se poser la question : qu'y a-t-il de différent cette fois-ci ? Je crois que la réponse est évidente. La différence, c'est qu'en ce moment même, votre nièce emménage dans son nouvel appartement de Philadelphie, pour travailler dans mon bureau, sous mes ordres. Les miens. Pas les vôtres. Et ça ne vous plaît pas. Et vous voulez que je vous dise quelque chose ? Si j'étais à votre place, peut-être que moi non plus, ça ne me plairait pas.

– Ce n'est ni le moment ni le lieu pour une telle discussion, dis-je d'un ton ferme.

– Très bien.

Elle se leva et posa sa veste sur son bras.

– Dans ce cas, nous allons ailleurs, décréta-t-elle. J'ai bien l'intention de régler ça avant de rentrer à Philadelphie.

L'espace d'un instant, je me sentis comme une souveraine

acculée dans son royaume, prisonnière de cette table en demi-lune qui m'entourait avec ses remparts de dossiers, ses armées d'articles de journaux et ses légions de messages et de correspondance qui ne me libéreraient jamais. J'ôtai mes lunettes et me massai le visage. Voir McGovern comme une tache floue me facilitait la tâche.

– Je vous invite à déjeuner, si vous acceptez de rester encore trois heures dans les parages. En attendant, ajoutai-je en me levant, j'ai des os à faire chauffer dans une marmite. Vous pouvez m'accompagner, si vous avez le cœur bien accroché.

– Ce n'est pas avec ça que vous allez me faire peur, répondit-elle d'un air ravi.


McGovern n'était pas du genre à se suspendre à vos basques et, une fois que j'eus allumé le réchaud dans la chambre de décomposition, elle attendit juste un peu que l'eau se mette à frémir, puis se rendit à l'antenne locale de l'ATF. Elle refit brusquement son apparition une heure plus tard, déboulant hors d'haleine dans la pièce où j'étais en train de remuer précautionneusement les os qui mijotaient.

– On en a un autre, annonça-t-elle vivement.

– Un autre ? répétai-je en posant la longue cuiller en plastique sur le comptoir.

– Un autre incendie. Un autre truc de dingues. Cette fois, c'est dans le comté de Lehigh, à une heure environ de Philadelphie. Vous venez avec moi ?

Je passai mentalement en revue ce qui pouvait survenir si je laissais tout tomber pour l'accompagner. Et puis, l'idée de me retrouver dans une voiture avec elle pendant cinq heures ne me plaisait qu'à moitié.

– C'est un domicile privé, continua-t-elle. Le feu a pris hier matin et un corps a été retrouvé. Une femme. Dans la salle de bains.

– Oh, non.

– Il est évident que le feu était destiné à dissimuler le meurtre, dit-elle avant de m'expliquer pourquoi il était possible que cette affaire soit liée à celle de Warrenton.

Quand on avait découvert le corps, la police de Pennsylvanie avait sur-le-champ demandé l'aide de l'ATF. Les

217

enquêteurs qui s'étaient rendus sur les lieux avaient saisi les données sur leurs ordinateurs portables ; et l'ESA avait presque instantanément effectué le rapprochement. La veille au soir, l'affaire de Lehigh ayant pris une nouvelle signification, le FBI avait proposé d'envoyer des agents, ainsi que Benton, et la police d'État avait accepté.

— La maison était construite sur une dalle de béton, m'expliqua McGovern alors que nous prenions l'I-95 vers le nord. Donc, Dieu merci, nous n'aurons pas à nous préoccuper d'un sous-sol. Nos gars sont là-bas depuis 3 heures du matin, et ce qui est curieux, cette fois-ci, c'est que le feu n'a pas rempli son œuvre correctement. Certes, les emplacements de la chambre principale, une chambre d'amis juste au-dessus au deuxième étage et le salon au rez-de-chaussée sont très endommagés, avec d'importants dégâts au plafond de la salle de bains, et l'effritement du sol en béton du garage.

L'effritement se produit quand une chaleur intense et rapide porte à ébullition l'humidité contenue dans le ciment et fendille la surface.

— Où était situé le garage ? demandai-je en tentant de me représenter ce qu'elle me décrivait.

— Du même côté que la chambre. Là encore, c'est un feu rapide et intense. Mais la combustion n'a pas été complète, il y a beaucoup de « crocodilage », de carbonisation de surface. Quant au reste de la maison, il s'agit principalement de dégâts causés par l'eau et la fumée. Ce qui n'est pas cohérent avec la manière dont on a procédé à la ferme de Sparkes, à l'exception d'un détail important : pour le moment, il ne semble pas qu'on ait utilisé le moindre type de comburant, et il n'y avait pas assez de combustible dans la salle de bains pour produire des flammes aussi hautes.

— Le corps se trouvait dans la baignoire ?

— Oui. J'en ai les cheveux qui se dressent sur la tête.

— Pas étonnant. Dans quel état est-elle ?

Je posai cette question cruciale alors que McGovern conduisait bien au-dessus de la vitesse limite dans sa Ford Explorer de fonction.

— Pas assez brûlée pour que le légiste n'ait pu déceler qu'elle avait été égorgée.

— Donc, elle a déjà été autopsiée, en conclus-je.

— Franchement, je ne sais vraiment pas où ils en sont.

Mais elle reste à votre disposition. C'est votre boulot. Le mien est de voir ce qu'on peut découvrir d'autre sur les lieux du sinistre.

— Vous n'allez pas me demander de charrier des débris ?

Elle se mit à rire et glissa un CD dans l'autoradio. Je ne m'attendais pas à entendre la bande originale d'*Amadeus*.

— Vous pouvez fouiller tant que vous voudrez, dit-elle avec un sourire qui détendit considérablement l'atmosphère. Vous ne vous en tirez pas si mal, d'ailleurs, pour quelqu'un qui ne doit se mettre à courir que lorsqu'on la poursuit ou qui n'exerce rien d'autre que sa matière grise.

— À force de pratiquer des autopsies et de transporter des cadavres, on n'a pas besoin de soulever de la fonte, mentis-je maladroitement.

— Montrez vos mains.

J'obéis et elle y jeta un coup d'œil tout en changeant de file.

— Mince. Je suppose que je ne m'étais jamais rendu compte à quel point des scies, des scalpels et des taille-haies peuvent muscler une main, fit-elle.

— Des *taille-haies* ?

— Oui, vous savez, ce que vous utilisez pour ouvrir les cages thoraciques.

— Des cisailles, je vous en prie.

— Oui, bon, j'ai déjà vu des taille-haies dans certaines morgues, et des aiguilles à tricoter pour suivre le trajet d'une balle dans une blessure.

— Pas dans ma morgue. En tout cas pas dans celle que j'ai à présent. Même si je veux bien admettre que dans les débuts de la médecine légale, on était obligé d'improviser, me sentis-je obligée de reconnaître, alors que s'élevait la musique de Mozart.

— Le genre de petit secret du métier dont on ne voudrait pas qu'il vienne aux oreilles du tribunal, hein ? Un peu comme quand on cache dans un de ses tiroirs la meilleure bouteille d'alcool illégal qu'on a saisie. Comme les flics qui gardent des souvenirs pris sur les lieux du crime, les pipes à herbe ou les armes bizarres. Ou comme les légistes qui collectionnent les prothèses de hanche ou les crânes fracturés qui devraient légalement être enterrés avec les corps.

— Je ne nie pas que certains de mes collègues n'agissent

pas toujours en conformité avec la loi. Mais si vous voulez mon avis, conserver des parties de corps sans autorisation, ça ne tombe pas dans la même catégorie que subtiliser une bouteille d'alcool.

– Vous êtes atrocement conformiste et rigide, hein, Kay ? décréta McGovern. Contrairement à nous, vous ne semblez jamais faire d'erreur ou de faute. Vous ne devez jamais vous empiffrer ni vous soûler. Et franchement, du coup, nous autres pauvres gens, nous avons peur de nous retrouver en face de vous et de souffrir votre réprobation.

– Seigneur, quel portrait ! m'exclamai-je. J'espère que ce n'est pas l'image que je donne.

Elle ne répondit rien.

– En tout cas, je ne me vois pas comme cela, dis-je. Tout au contraire, Teun. Peut-être que je suis simplement un peu plus réservée parce que j'y suis obligée. Peut-être que je suis peu communicative parce que je l'ai toujours été et que, non, en effet, je n'ai pas tendance à étaler mes péchés en public. Mais je ne juge pas les autres. Et je peux vous assurer que je suis beaucoup plus dure envers moi-même que je ne pourrai jamais l'être envers vous.

– Ce n'est pas mon impression. Je crois que vous m'examinez sous toutes les coutures pour vous assurer que je suis digne de former Lucy et que je ne constituerai pas une influence pernicieuse.

Je ne pus répondre à cette accusation, car elle était fondée.

– Je ne sais même pas où est ma nièce, réalisai-je brusquement.

– Eh bien, je peux vous le dire. Elle se trouve à Philadelphie. Elle fait la navette entre l'antenne locale et son nouvel appartement.

Pendant un moment, la musique remplaça la conversation et, tandis que l'autoroute nous faisait contourner Baltimore, je ne pus m'empêcher de penser à un étudiant en médecine qui avait également trouvé la mort dans un incendie suspect.

– Combien d'enfants avez-vous, Teun ?

– Un seul. Un garçon.

Je compris que le sujet était douloureux.

– Quel âge a-t-il ?

– Joe a vingt-six ans.

– Il habite les environs ?

Je regardai les panneaux réfléchissants qui annonçaient les sorties vers des rues de Baltimore que j'avais bien connues à l'époque où j'étudiais la médecine à Johns Hopkins.

– À dire la vérité, je ne sais pas où il habite. Nous n'avons jamais été très proches. D'ailleurs, je ne pense pas que quiconque ait jamais été proche de Joe. Ni que quiconque en ait envie.

Je n'insistai pas, mais elle éprouvait apparemment le besoin de parler.

– J'ai compris que quelque chose n'allait pas chez lui quand il a commencé à fouiner dans le bar à l'âge de dix ans, à boire du gin et de la vodka et à les remplacer par de l'eau en pensant qu'on ne s'en apercevrait pas. À seize ans, il était complètement alcoolique, il est allé de cure de désintoxication en traitements. D'interpellations pour état d'ivresse sur la voie publique, il est passé aux vols, et ainsi de suite. Il a quitté la maison à dix-neuf ans, en refaisant une apparition de temps en temps, jusqu'au moment où il a totalement coupé les ponts. Pour être franche, je crois qu'il doit vivre dans la rue, aujourd'hui.

– Ça doit être difficile à assumer.

## 14

McGovern me déposa au Sheraton Hotel de Society Hill, où l'équipe des Atlanta Braves était descendue. Des fans de tous âges, vêtus de blousons et de casquettes de base-ball, arpentaient le hall et les bars avec d'énormes photos qu'ils voulaient faire dédicacer par leurs héros. La sécurité avait été renforcée, et un type désespéré m'arrêta alors que je franchissais la porte tournante.

– Vous les avez vus ? me demanda-t-il en examinant frénétiquement les alentours.

– Vu qui ?

– Les Braves !

– À quoi ressemblent-ils ?

Je fis la queue pour prendre une chambre, avec pour seule pensée la perspective d'un long bain chaud. Nous avions été retenues deux heures dans un bouchon au sud de Philadelphie, à cause d'un carambolage entre cinq voitures et un camion, qui avaient éparpillé des débris de verre et de ferraille tordue sur les six files. Il était trop tard pour faire encore une heure de route jusqu'à la morgue du comté de Lehigh. Cela attendrait le lendemain matin. Je pris l'ascenseur jusqu'au quatrième étage et glissai ma carte plastifiée pour ouvrir le verrou électronique. J'écartai les rideaux et contemplai sur la Delaware River les mâts du *Moshulu* ancré à Penn's Landing. Je me retrouvais sans crier gare à Philadelphie avec un sac de voyage sommaire, ma valise en aluminium et mon sac à main.

Mon indicateur de messages clignotait. J'écoutai la voix enregistrée de Benton qui me disait qu'il descendait au même hôtel que moi et qu'il arriverait dès qu'il se serait extirpé des bouchons de New York, c'est-à-dire vers

21 heures. Lucy m'avait laissé son nouveau numéro et se demandait si elle me verrait ou non. Marino avait du nouveau et il m'en informerait quand je l'appellerais, quant à Fielding il m'annonçait que les Quinn étaient passés à la télévision un peu plus tôt dans la soirée et avaient déclaré qu'ils intentaient un procès au bureau de médecine légale et à moi-même pour violation de la séparation de l'Église et de l'État et préjudice moral irréparable.

Je m'assis sur le lit et ôtai mes chaussures. Comme mes collants avaient filé, je les jetai dans la corbeille. Je portais mes vêtements depuis si longtemps qu'ils me collaient à la peau, et mes cheveux devaient encore sentir l'épouvantable odeur des os bouillis.

J'enlevai mon tailleur, mon chemisier et mon slip qui atterrirent en vrac sur le lit. Je m'assurai que la chambre était bien fermée à clé et me fis couler un bain le plus chaud possible. Le simple bruit de l'eau eut déjà sur moi un effet apaisant, et j'y ajoutai du bain moussant au parfum de framboise. L'idée de voir Benton me troublait, sans que je sache très bien pourquoi. Amants, collègues, amis, tout ce que nous étions censés être avait fini par se mélanger et se brouiller comme une peinture sur sable : notre relation était un dessin aux couleurs délicates et aux motifs enchevêtrés qu'un rien pouvait déranger. Il appela alors que je me séchais.

— Désolé qu'il soit aussi tard.

— Comment ça va ?

— Tu veux descendre au bar ?

— Pas si les Braves y sont. Je n'ai pas besoin d'une émeute, merci bien.

— Les Braves ?

— Tu n'as qu'à venir dans ma chambre, j'ai un mini-bar.

— Je suis là dans deux minutes.

Il arriva dans sa tenue habituelle : costume sombre et chemise blanche. Tous deux portaient les traces d'une dure journée, et il avait bien besoin de se raser. Il me prit dans ses bras et nous restâmes enlacés sans rien dire pendant un long moment.

— Tu sens les fruits, murmura-t-il dans mes cheveux.

— Nous devrions être à Hilton Head, répondis-je. Comment se fait-il que nous ayons échoué à Philadelphie ?

— C'est une sacré pagaille, dit-il en ôtant sa veste, qu'il posa sur le lit avant d'ouvrir le mini-bar. Comme d'habitude ?

— Juste un peu d'Évian.

— Eh bien, moi, j'ai besoin d'un truc plus fort que ça.

Il dévissa le bouchon d'un flacon de Johnny Walker.

— Et d'ailleurs, ajouta-t-il, je vais m'en servir un double, sec.

Il me tendit mon Évian et je le regardai s'asseoir dans le fauteuil. J'entassai les oreillers sur mon lit et m'installai à mon aise tandis que nous nous dévisagions de loin.

— Qu'est-ce qu'il y a ? demandai-je. À part le reste.

— Les problèmes habituels quand l'ATF et le Bureau se retrouvent ensemble sur la même affaire, dit-il en prenant une gorgée de whisky. Quand je vois ça, je suis content d'être à la retraite.

— Tu n'as pas tellement l'air à la retraite, dis-je, narquoise.

— C'est bien vrai, hélas. Comme si je n'avais pas assez de Carrie sur le dos, on m'appelle pour travailler sur un meurtre et franchement, Kay, l'ATF a ses propres profileurs ; je crois que le Bureau ne devrait pas se mêler de ça.

— Je le savais. Et je ne vois pas, d'ailleurs, comment ils justifient leur participation, à moins de prétendre que la mort de cette femme est un acte de terrorisme.

— À cause du lien éventuel avec le meurtre de Warrenton, comme tu le sais. Et le chef d'unité a eu beau jeu d'appeler les enquêteurs de la police d'État et de leur dire que le Bureau allait tout faire pour les aider. Du coup, on nous appelle, et me voici. Il y avait deux agents sur les lieux de l'incendie en début de journée, et tout le monde est déjà furax.

— Tu sais, Benton, nous sommes censés être du même côté, dis-je, agacée par ce refrain qui n'était pas nouveau.

— Apparemment, le type du FBI qui est au bureau de Philadelphie a caché une cartouche de 9 mm sur le lieu du sinistre pour voir si Pepper la retrouverait. (Il fit lentement tourner son scotch dans son verre.) Et bien entendu, Pepper ne l'a pas trouvée, puisqu'on ne lui avait pas encore demandé de travailler, continua-t-il. Et l'agent a trouvé cela très drôle. Il a déclaré que le chien avait besoin d'une révision.

— Qu'est-ce que c'est que ce crétin ? m'indignai-je. Il a de la chance que le maître-chien ne lui ait pas flanqué une raclée.

— Voilà où nous en sommes, soupira-t-il. Les conneries habituelles. Dans le temps, les agents du FBI étaient moins stupides. Ils ne passaient pas leur temps à brandir leurs cartes devant les caméras et à s'immiscer dans des enquêtes pour lesquelles ils ne sont pas qualifiés. Je suis gêné. Je suis plus que gêné, je suis furieux que ces nouveaux imbéciles démolissent ma réputation, ainsi que la leur, après vingt-cinq ans de travail... Enfin, je ne sais pas du tout ce que je vais faire, Kay, conclut-il en croisant mon regard par-dessus son verre.

— Ton travail comme d'habitude, Benton, dis-je tranquillement. Aussi banal que cela puisse sembler, c'est à peu près tout ce que nous pouvons faire. Nous ne le faisons pas pour le Bureau, ni pour l'ATF, ni pour la police de Pennsylvanie. Mais pour les victimes et les futures victimes. Toujours pour elles.

Il vida son verre et le posa sur le bureau. Les lumières de Penn's Landing étincelaient par la fenêtre comme des décorations de Noël, et Camden, dans le New Jersey, scintillait de l'autre côté de la rivière.

— Je ne crois pas que Carrie soit encore à New York, déclara-t-il alors en fixant la nuit.

— C'est réconfortant.

— Et je n'ai aucune preuve de ce que j'avance, en dehors du fait qu'elle n'ait pas été aperçue et que rien n'indique qu'elle soit en ville. Où se procure-t-elle de l'argent, par exemple ? C'est souvent comme ça qu'on peut retrouver une piste. Un cambriolage, un vol de cartes de crédit. Pour l'instant, rien qui puisse nous faire penser qu'elle soit là et qu'elle ait fait ce genre de choses. Évidemment, rien ne prouve le contraire non plus. Mais elle a un plan, et je suis tout à fait certain qu'elle s'y tient.

Son profil se dessinait distinctement en ombre chinoise, tandis qu'il continuait de fixer la rivière. Benton était déprimé. Il semblait épuisé et abattu. Je me levai et m'approchai de lui.

— Nous devrions nous coucher, dis-je en lui massant les épaules. Nous sommes tous les deux fatigués et tout semble pire dans ces cas-là, non ?

Il sourit faiblement et ferma les yeux, pendant que je lui massais les tempes et l'embrassais dans le cou.

— Combien tu factures de l'heure ? murmura-t-il.

225

– Beaucoup trop pour que tu puisses jamais te l'offrir.

Nous ne dormîmes pas dans le même lit, parce que les pièces étaient petites et que nous avions tous les deux besoin de repos. J'aime prendre le temps de savourer ma douche le matin et lui aussi, et c'était toute la différence entre être à l'aise l'un avec l'autre et commencer seulement à se découvrir. Autrefois, nous étions capables de passer une nuit blanche à nous dévorer inlassablement, parce que nous travaillions ensemble, qu'il était marié et que nous ne pouvions jamais nous rassasier l'un de l'autre. Cette sensation me manquait. Souvent, quand nous étions tous les deux, à présent, mon cœur restait comme engourdi ou légèrement douloureux, et je me sentais vieillir.

Le ciel était gris et les rues venaient d'être lavées lorsque Benton et moi descendîmes Walnut Street peu après 7 heures le lendemain matin. De la vapeur s'élevait des bouches d'égout et la matinée était fraîche et humide. Les sans-abri dormaient sur les trottoirs ou sous des couvertures crasseuses dans les parcs, et nous vîmes un homme qui paraissait mort, couché sous un panneau *Vagabondage interdit*, en face du poste de police. Je conduisais tandis que Benton fouillait dans son attaché-case. Il sortit un bloc-notes et passa en revue des affaires qui dépassaient ma compétence. Je pris l'Interstate 76 Ouest. Devant nous, à perte de vue, je distinguais les feux arrière des voitures, telles des perles de verre rouge, alors qu'un vif soleil se levait.

– Pourquoi choisir une salle de bains comme départ de feu ? demandai-je. Pourquoi pas un autre endroit ?

– Il est manifeste que pour lui, cela signifie quelque chose, si on considère qu'il s'agit de crimes en série, dit-il en tournant une page. C'est peut-être symbolique. Ou bien commode, pour d'autres raisons. Mais si nous avons affaire au même criminel et que la salle de bains est chaque fois le départ de feu, je pencherais plutôt pour le symbolique. Cela doit représenter quelque chose pour lui, peut-être le point d'origine de tous ses crimes. Par exemple, quelque chose qui lui est arrivé dans une salle de bains quand il était enfant. Il a peut-être été victime d'abus sexuels, de mauvais traitements, ou il y a assisté à quelque chose de traumatisant.

– Dommage qu'on ne puisse pas consulter les dossiers des prisons.

– Le problème, c'est que tu obtiendrais la moitié de la population pénitentiaire. La plupart ont subi des traumatismes. Et en font par la suite subir aux autres.

– Ils font subir pire aux autres. Eux, au moins, n'ont pas été assassinés.

– Dans un sens, si. Quand tu es battu et violé dans ton enfance, ta vie est assassinée, même si ton corps ne l'est pas. Cela dit, rien de tout cela n'explique la psychopathie. Rien de ce que je sais ne l'explique, à moins de croire au mal et au libre-arbitre des individus.

– C'est exactement ce que je crois.

– Je sais, dit-il en me dévisageant.

– Et l'enfance de Carrie ? Qu'est-ce que nous connaissons des raisons pour lesquelles elle a fait de tels choix ?

– Elle ne nous a jamais laissés l'interroger, me rappelat-il. Il n'y a pas grand-chose dans ses évaluations psychiatriques, sinon sa manipulation du moment. Folle un jour, saine le lendemain. Dissociation. Dépression et insoumission. Ou patient modèle. Ces cinglés-là ont plus de droits que nous, Kay. Et les prisons, comme les centres de détention psychiatriques, protègent souvent tellement leurs patients que parfois on croirait que c'est nous les méchants.


La matinée s'éclaircissait et le ciel était parcouru de traînées blanches parfaitement horizontales. Nous traversâmes des régions agricoles, en passant de temps à autre entre des falaises de granit rose portant encore les trous des bâtons de dynamite qui avaient permis de faire sauter la roche pour ouvrir la route. La brume qui s'élevait des mares me rappelait des casseroles d'eau bouillante, et quand nous passâmes devant de hautes cheminées d'usines avec leurs panaches de fumée, je repensai aux incendies. Au loin, les montagnes étaient des masses d'ombre et les châteaux d'eau ponctuaient l'horizon comme des ballons brillants.

Il nous fallut une heure pour atteindre l'hôpital de Lehigh Valley, un complexe tentaculaire encore en chantier, avec un hangar à hélicoptères et un centre d'intervention pour les grands blessés. Je me garai sur le parking visiteurs et le docteur Abraham Gerde nous accueillit dans le hall tout neuf.

– Kay, dit-il en me serrant chaleureusement la main. Qui

aurait jamais pensé que vous viendriez me rendre visite ici un jour ? Et vous devez être Benton ? Nous avons une excellente cafétéria, si vous désirez prendre un café ou manger un morceau avant de commencer.

Benton et moi déclinâmes poliment l'offre. Gerde était un jeune pathologiste aux cheveux noirs et aux yeux d'un bleu étincelant. Il avait travaillé dans mon bureau trois ans auparavant et, comme il était encore novice dans la profession, on faisait rarement appel à lui au tribunal. Mais il était humble et méticuleux, et ces qualités étaient à mes yeux plus précieuses que l'expérience, particulièrement dans la situation présente. À moins que Gerde eût considérablement changé, il était très peu probable qu'il ait touché au corps en apprenant que je venais.

— Dites-moi où nous en sommes, demandai-je alors que nous descendions un large couloir gris et immaculé.

— Je l'ai mesurée et pesée, et je m'apprêtais à faire les examens internes quand le coroner a appelé. Dès qu'il m'a dit que l'ATF était partie prenante et que vous arriviez, j'ai tout arrêté.

Le comté de Lehigh avait élu un coroner qui décidait des autopsies et déterminait ensuite les causes de décès. Heureusement pour Gerde, le coroner en question était un ancien officier de police qui ne se mêlait pas des affaires des médecins légistes et respectait généralement les décisions que ceux-ci avaient prises. Mais ce n'était pas le cas dans d'autres États, voire dans d'autres comtés de Pennsylvanie, où les autopsies étaient parfois exécutées sur les tables d'embaumement des pompes funèbres, et où certains coroners étaient des politiciens qui ne faisaient même pas la différence entre le point d'entrée et de sortie d'une balle, ou qui s'en fichaient complètement.

Nos pas résonnaient dans l'escalier. Lorsque nous fûmes arrivés en bas, Gerde poussa les doubles portes et nous nous retrouvâmes dans un hangar rempli de cartons repliés et de gens affairés, coiffés de casques de chantier. Nous le traversâmes pour gagner une autre partie du bâtiment et parvenir à la morgue par un autre couloir. Elle était petite, avec un sol dallé de rose et deux tables fixes en acier inoxydable. Gerde ouvrit un placard et nous tendit des blouses stériles à usage unique, des tabliers en plastique et des guêtres jetables.

Nous passâmes le tout par-dessus nos vêtements et nos chaussures de ville, puis nous enfilâmes des gants en latex et des masques.

La victime avait été identifiée. Il s'agissait de Kellie Shephard, une Noire de trente-deux ans qui avait travaillé comme infirmière dans l'hôpital même où elle reposait maintenant avec les autres cadavres. Elle était allongée dans une poche en plastique noir sur une civière, dans une petite chambre froide qui n'abritait personne d'autre ce jour-là, en dehors de paquets orange vif contenant des spécimens chirurgicaux et des enfants mort-nés qui attendaient d'être incinérés. Nous emportâmes le cadavre dans la salle d'autopsie et ouvrîmes la fermeture Éclair.

– Vous avez fait des radios ? demandai-je à Gerde.

– Oui, et nous avons pris ses empreintes. Le dentiste a relevé sa denture hier et l'a comparée avec les archives ante mortem.

Gerde et moi défîmes les draps ensanglantés, révélant le corps mutilé à la lumière crue des lampes chirurgicales. Elle était rigide et froide, les yeux à demi ouverts dans un visage sanglant. Gerde ne l'avait pas encore lavée, et du sang noir coagulé maculait sa peau et ses cheveux. Ses blessures étaient tellement nombreuses et violentes qu'elles dégageaient une impression de brutalité. Je sentais la haine et la fureur du tueur, et je me mis à imaginer la lutte féroce qui avait sûrement eu lieu.

Les doigts et les paumes des deux mains avaient été lacérés jusqu'à l'os quand elle avait tenté de se protéger et d'attraper la lame du couteau. Elle portait des entailles profondes sur les avant-bras et les poignets, là encore parce qu'elle avait essayé de se protéger, et des estafilades sur les jambes, probablement dues à ses coups de pied pour repousser le couteau quand elle était tombée. Des blessures s'étalaient comme une constellation sauvage sur sa poitrine, son ventre et ses épaules, ainsi que sur son dos et ses fesses.

La plupart étaient larges et irrégulières, causées par les mouvements du couteau sous les contorsions de la victime ou en retirant la lame. La forme de chaque blessure donnait à penser qu'il s'agissait d'un couteau à un seul côté tranchant doté d'une garde qui avait laissé des abrasions de forme carrée. Une coupure relativement superficielle allait du maxillaire à la pommette droite et sa gorge avait été tranchée suivant un axe qui courait de l'oreille droite vers le bas, puis vers le milieu du cou.

— Cela correspond à un égorgement par-derrière, commentai-je tandis que Benton prenait des notes en silence. Tête tirée en arrière, gorge découverte.

— J'imagine que l'égorger a constitué son grand final, dit Gerde.

— Si elle avait reçu une blessure comme celle-ci dès le début, elle aurait perdu trop de sang pour se débattre. Donc, oui, il est très possible qu'il lui ait tranché la gorge en dernier, peut-être lorsqu'elle était à plat ventre sur le sol. Et les vêtements?

— Je vais les chercher, dit Gerde. Vous savez, je reçois des cas très étranges, ici. Des accidents de voiture qui se révèlent dus à une crise cardiaque du conducteur. Celui-ci perd le contrôle de son véhicule et tue trois ou quatre personnes en même temps. Nous avons eu un meurtre par Internet il n'y a pas très longtemps. Et par ici, les maris ne se contentent plus d'abattre leurs femmes. Ils les étranglent, les assomment et les décapitent.

Il continuait de parler tout en se dirigeant dans un coin où les vêtements séchaient sur des cintres au-dessus d'un évier. Ils étaient séparés par des feuilles de plastique afin de garantir qu'aucune trace de fluide corporel de l'un ne contamine l'autre par accident. J'étais en train de recouvrir la deuxième table d'autopsie d'un drap stérile lorsqu'un assistant fit entrer Teun McGovern dans la salle.

— Je me suis dit que j'allais venir jeter un œil avant de me rendre sur place.

Équipée de rangers et de la combinaison des démineurs, elle portait à la main une enveloppe kraft. Elle ne s'embarrassa pas de blouse ni de gants et vint inspecter le carnage.

— Seigneur, fit-elle.

J'aidai Gerde à étaler un pyjama sur la table que je venais de recouvrir. Le haut et le bas empestaient la fumée et ils étaient tellement couverts de suie et de sang qu'on ne distinguait plus leur couleur initiale. Le tissu de coton était lacéré devant comme derrière.

— Elle est arrivée habillée comme cela? demandai-je.

— Oui, répondit-il. Complètement boutonnée. Et je me

demande si une partie du sang n'appartient pas au meurtrier. Dans une lutte comme celle-ci, je ne serais pas surpris qu'il se soit coupé.

– Vous avez eu de bons professeurs, dis-je en souriant.

– Une dame, à Richmond, répondit-il.

– Au premier coup d'œil, ça pourrait paraître un crime domestique, commenta Benton. Elle est chez elle en pyjama, il est peut-être tard. Un cas classique de déchaînement meurtrier, comme on en trouve souvent dans les homicides où les deux protagonistes entretenaient une liaison. Mais ce qui est un petit peu inhabituel, continua-t-il en s'approchant de la table, c'est son visage. En dehors de cette entaille, ici (il désigna l'endroit), il ne porte aucune autre blessure. Quand l'agresseur a une relation avec la victime, il dirige typiquement presque toute sa violence sur le visage, parce que c'est ce qui incarne la personne.

– L'entaille sur le visage est moins profonde que les autres, remarquai-je en écartant délicatement les lèvres de la plaie de mes doigts gantés. Plus profonde sur le maxillaire, puis de moins en moins le long de la joue.

Je reculai et jetai de nouveau un coup d'œil au pyjama.

– Il est intéressant de noter qu'aucun des boutons ne manque, et qu'il n'y a aucune déchirure, ce qui aurait été logique après une lutte comme celle-ci, lorsque l'agresseur empoigne la victime et essaie de la maîtriser.

– Je crois que « maîtrise » est le mot clé, ici, dit Benton.

– Ou bien « absence de maîtrise », souligna McGovern.

– Tout à fait, opina Benton. C'est une attaque éclair. Quelque chose a provoqué un déclic chez ce type et il a perdu la tête. Je doute sérieusement qu'il ait eu l'intention de faire quoi que ce soit de ce genre, ce que le feu tend à confirmer. Il semble qu'il ait perdu le contrôle de cela aussi.

– Pour moi, le type n'est pas resté très longtemps après l'avoir tuée, dit McGovern. Il a mis le feu à la maison en partant, en se disant que cela couvrirait ses méfaits. Mais vous avez tout à fait raison. Il n'a pas bien fait son travail. Il faut ajouter que l'alarme à incendie de la maison s'est déclenchée à 1 h 58, et que les pompiers ont mis moins de cinq minutes à arriver. Les dégâts ont donc été réduits au minimum.

Kellie Shephard portait des brûlures au deuxième degré sur le dos et les pieds, rien d'autre.

– Pas d'alarme antivol ? demandai-je.

– Elle n'était pas branchée, répondit McGovern.

Elle ouvrit l'enveloppe et commença à étaler des photos du lieu de l'incendie sur un bureau. Benton, Gerde et moi prîmes le temps de les examiner. La victime dans son pyjama ensanglanté gisait à plat ventre dans l'entrée de la salle de bains, un bras sous elle, l'autre tendu en avant comme si elle avait essayé d'atteindre quelque chose. Ses jambes étaient droites et réunies, les pieds touchant presque la cuvette des toilettes. L'eau mêlée de suie sur le sol empêchait totalement de discerner d'éventuelles traînées de sang, mais les gros plans de l'embrasure et du mur voisin montraient d'évidentes entailles dans le bois, qui semblaient récentes.

– Le départ de feu se situe exactement ici, indiqua McGovern en désignant une photo de l'intérieur de la salle de bains calcinée. Ce coin près de la baignoire où se trouve une fenêtre ouverte avec un rideau. Dans cette zone, comme vous pouvez le voir, il y a les restes brûlés de meubles en bois et les coussins d'un divan. (Elle tapa de l'index sur la photo.) Donc, nous avons une porte et une fenêtre ouvertes, soit un conduit de fumée et une cheminée, pour ainsi dire. Exactement comme un âtre, continua-t-elle. Le feu commence ici sur les dalles du sol et gagne les rideaux. Mais les flammes n'ont pas pris assez d'ampleur pour embraser totalement le plafond.

– Et pourquoi, d'après vous ? demandai-je.

– Il ne peut y avoir qu'une bonne raison à cela. Ce foutu truc n'a pas été correctement préparé. Je veux dire, il est clair comme le jour que l'assassin a empilé dans la salle de bains des meubles, des coussins et tout ce qu'il a pu trouver pour bâtir son foyer. Mais le feu ne s'est à aucun moment propagé comme il l'aurait dû. Le brasier initial a été incapable de se développer parce que la fenêtre était ouverte et que la flamme était aspirée vers elle. Il n'est pas non plus resté pour surveiller, sinon, il se serait rendu compte qu'il avait merdé. Cette fois, son feu n'a pas fait plus que lécher le corps, comme la langue d'un dragon.

Benton demeurait silencieux et immobile, semblable à une statue, tandis que son regard passait d'une photo à l'autre. Je voyais bien qu'il envisageait tout un tas de choses, mais, comme d'habitude, il faisait attention à ce qu'il allait dire. Il n'avait jamais travaillé avec McGovern, et il ne connaissait pas le docteur Abraham Gerde.

— Nous en avons pour un bon moment, lui dis-je.

— Je vais me rendre sur place, répondit-il.

Son visage s'était fermé, comme chaque fois qu'il sentait le mal, tel un courant d'air glacé. Je levai les yeux vers lui et nos regards se croisèrent.

— Vous pouvez me suivre, proposa McGovern.

— Merci.

— Autre chose, ajouta McGovern. La porte de derrière était fermée à clé et il y avait un bac à litière vide sur la pelouse, près des marches.

— Vous pensez qu'elle est sortie pour nettoyer la litière de son chat? leur demanda Gerde. Et que ce type l'attendait?

— Ce n'est qu'une hypothèse, répondit McGovern.

— Je n'en mettrais pas ma main à couper, dit Wesley.

— L'assassin savait donc qu'elle avait un chat? demandai-je d'un ton dubitatif. Et qu'elle allait le faire sortir à un moment ou à un autre de la soirée, ou bien nettoyer sa litière?

— Nous n'en savons rien. Peut-être a-t-elle vidé le bac plus tôt dans la soirée et l'a-t-elle laissé dehors, fit remarquer Wesley en ôtant sa blouse. Elle a peut-être débranché l'alarme afin de pouvoir ouvrir la porte tard dans la nuit ou au petit matin pour une tout autre raison.

— Et le chat? On l'a retrouvé?

— Pas encore, lança McGovern en partant avec Benton.

— Je vais commencer les prélèvements, dis-je à Gerde.

Il saisit un appareil et commença à prendre des photos pendant que j'ajustais la lumière. J'examinai l'entaille au visage et j'y recueillis plusieurs fibres, ainsi qu'un cheveu brun frisé d'environ quinze millimètres, qui devait être à la victime. Mais il y en avait d'autres, roux et courts, dont je constatai qu'ils avaient été teints récemment car quelques millimètres de racine étaient bruns. Bien évidemment, il y avait des poils de chat partout : ils avaient dû se coller au corps avec le sang quand la victime était sur le sol.

— Un persan, peut-être? demanda Gerde. Poils longs et très fins?

— Ça me va, oui.

*15*

L A TÂCHE CONSISTANT à rassembler des indices était écrasante, et devait être accomplie avant toute autre chose. Les gens ne se doutent généralement pas qu'ils transportent sur eux une véritable porcherie, jusqu'au moment où quelqu'un comme moi commence à passer leurs vêtements et leur corps au peigne fin pour retrouver des fragments presque invisibles. Je relevai des éclats de bois qui provenaient probablement des murs et du sol, de la litière pour chat, de la poussière, des bouts d'insectes et de plantes, ainsi que les inévitables cendres et restes de combustion. Mais la découverte la plus parlante se fit dans l'épouvantable plaie au cou. Sous la loupe, je trouvai deux minuscules morceaux de métal brillant, que je recueillis du bout du petit doigt et posai délicatement sur un carré de coton blanc et propre.

Il y avait une loupe binoculaire à dissection sur un vieux bureau en métal. Je réglai l'éclairage, et fixai le grossissement à vingt fois. J'en crus à peine mes yeux à la vue des minuscules copeaux argentés, aplatis et enroulés sur eux-mêmes dans le cercle de lumière.

— C'est très important, dis-je précipitamment. Je vais les placer dans du coton puis dans un conteneur à indices, et il faut que nous vérifiions de très près qu'il n'y a pas d'autre débris de ce genre ailleurs. À l'œil nu, ils brillent comme des paillettes d'argent.

— Ils proviendraient de l'arme ?

Gerde s'approcha pour regarder, lui aussi tout excité.

— Ils sont profondément enfouis dans la blessure du cou. Donc, oui, je dirais que c'est le cas, tout comme ce que j'ai découvert dans l'affaire de Warrenton.

— Et que savons-nous de ce truc ?

– C'est un copeau de magnésium. Et nous ne devons en parler à personne. Il ne faut pas qu'il y ait de fuite à la presse. Je vais informer Benton et McGovern.

– Vous pouvez compter sur moi, assura-t-il avec conviction.

Il y avait vingt-sept blessures. Après les avoir toutes laborieusement examinées, nous ne trouvâmes pas d'autre fragment de métal brillant, ce qui me surprit un peu étant entendu que, selon moi, la gorge avait été tranchée en dernier. S'il en était bien ainsi, pourquoi ne trouvait-on pas de ces copeaux dans les blessures antérieures ? Il me semblait que cela aurait dû être le cas, surtout pour celles où le couteau avait pénétré jusqu'à la garde et avait été nettoyé par les tissus musculaires en ressortant.

– Ce n'est pas impossible, mais incohérent, dis-je à Gerde en commençant à mesurer la blessure de la gorge. Douze centimètres de long, annonçai-je en en prenant note sur un schéma du corps. Assez superficielle autour de l'oreille droite, puis profonde à travers les muscles de soutien et la trachée, et à nouveau assez superficielle de l'autre côté du cou. C'est compatible si l'on part du principe que le coup de couteau a été donné par-derrière par un agresseur gaucher.

Il était presque 14 heures quand nous entamâmes le lavage du corps et, pendant quelques minutes, l'eau qui coula de la table fut rouge vif. Je frottai les traces de sang coagulé avec une grosse éponge douce, et les blessures semblèrent encore plus béantes une fois sa peau brune et ferme nettoyée. Kellie Shephard avait été une belle femme, avec des pommettes saillantes et une peau parfaite, aussi lisse que du bois ciré. Elle mesurait un mètre soixante-treize, et son corps était mince et sportif. Elle ne portait pas de vernis à ongles et n'avait aucun bijou sur elle quand on l'avait retrouvée.

Quand je l'ouvris, la cage thoracique transpercée contenait presque un litre de sang, résultat de l'hémorragie des principaux vaisseaux reliant le cœur et les poumons. Elle avait dû mourir de cette perte sanguine en quelques minutes à peine, et je jugeai que certaines blessures avaient été faites plus tard au cours de la lutte, alors qu'elle était affaiblie. Les angles des plaies étaient suffisamment légers pour que je puisse en déduire qu'elle se trouvait au sol, incapable de bouger, et qu'elles avaient été infligées du dessus. Après quoi, elle avait réussi à rouler sur elle-même, peut-être dans un dernier effort pour se protéger, et je supposai que c'était alors qu'elle avait été égorgée.

— J'en connais un qui a dû sortir de là couvert de sang, dis-je en mesurant les blessures aux mains.

— Et comment.

— Il a bien dû se nettoyer quelque part. On ne se balade pas comme ça dans le hall d'un motel.

— Sauf s'il habite dans les environs.

— Ou il est monté dans son véhicule en espérant ne pas se faire arrêter en route.

— Elle a un peu de liquide brun dans l'estomac.

— Alors c'est qu'elle n'avait pas dû manger récemment, probablement pas depuis le dîner, en tout cas. Il faudrait vérifier si son lit était défait.

Je commençais à visualiser une femme endormie lorsque quelque chose s'était produit, soit tard dans la soirée de samedi, soit très tôt dans la matinée de dimanche. Pour une raison ou une autre, elle s'était levée et avait débranché l'alarme avant d'ouvrir la porte de derrière.

Il était à peine 16 heures lorsque Gerde et moi utilisâmes des agrafes chirurgicales pour refermer l'incision en Y. Je me nettoyai dans le petit vestiaire de la morgue, où un manne-quin utilisé pour reconstituer les morts violentes au tribunal gisait, déshabillé et démantibulé, sur le sol de la douche.

À l'exception des adolescents qui flanquent le feu à de vieilles fermes, les incendies criminels étaient rares à Lehigh. La violence était également inconnue dans la zone petite-bourgeoise et proprette appelée Wescoville, où vivait Shephard. Là-bas, la criminalité s'était toujours limitée à une fenêtre brisée par un voleur qui avait repéré un sac ou un portefeuille bien en vue dans une maison. Comme il n'y avait pas d'antenne locale de police à Lehigh, le temps que les voisins réagissent au vacarme d'une alarme, le voleur était déjà envolé depuis longtemps.

Je pris ma combinaison de démineur et mes rangers ren-forcés en acier dans mon sac ignifugé, et partageai le ves-tiaire avec le mannequin. Gerde fut assez aimable pour me conduire sur le lieu de l'incendie, et je fus impressionnée le long de la route par les somptueux sapins, les jardins fleuris et, çà et là, par de modestes petites chapelles soigneusement entretenues. Nous tournâmes dans Hanover Drive, où les maisons modernes étaient en brique et bois, spacieuses, à un étage, avec des paniers de basket-ball, des bicyclettes et autres signes indiquant la présence d'enfants.

— Avez-vous une idée des prix du quartier ? demandai-je en regardant les maisons qui défilaient.

— Entre deux et trois cent mille, dit-il. Il y a des tas d'ingénieurs, d'infirmières, de courtiers en Bourse et de cadres, là-dedans. En plus, l'I-78 est la principale artère de Lehigh Valley, et en la prenant on peut filer directement à New York en une heure et demie. C'est pour cela que pas mal de gens travaillent là-bas et rentrent le soir.

— Qu'est-ce qu'il y a d'autre par ici ?

— Un bon nombre de zones industrielles à dix ou quinze minutes de voiture. Coca-Cola, Air Products, les hangars de Nestlé, Perrier. Il y a presque tout ce qu'on peut imaginer. Et des zones agricoles.

— Mais elle travaillait dans un hôpital.

— Certainement. Et c'est à dix minutes en voiture.

— Pensez-vous l'avoir déjà vue ?

Il réfléchit un instant. Un mince ruban de fumée s'élevait derrière des arbres au bout de la rue.

— Je suis pratiquement sûr de l'avoir déjà croisée à la cafétéria, répondit-il. C'est difficile de ne pas remarquer une aussi belle femme. Elle était peut-être à une table avec d'autres infirmières, je ne me rappelle pas vraiment. Mais je ne pense pas qu'on se soit jamais adressé la parole.

La maison de Kellie Shephard était en planches jaunes avec des plinthes blanches et, bien que le feu n'ait pas été difficile à maîtriser, les dégâts causés par l'eau et les haches qui avaient enfoncé le bois pour faire sortir les flammes par le toit étaient considérables. Il ne restait plus qu'une façade, comme un triste visage couvert de suie, au crâne fracassé et aux fenêtres brisées ressemblant à de grands yeux vides et sans vie. Les plates-bandes de fleurs avaient été piétinées, la pelouse bien entretenue transformée en boue, et la Camry dernier modèle garée dans l'allée était couverte de cendres. Les pompiers et les enquêteurs de l'ATF s'activaient à l'intérieur tandis que deux agents du FBI en gilets protecteurs inspectaient les alentours.

Je trouvai McGovern dans le jardin, derrière la maison, qui

parlait à une jeune femme aux gestes vifs, vêtue d'un short en jean, d'un T-shirt et de sandales.

— Et c'était quand ? Vers 18 heures ? demandait McGovern.

— C'est ça. J'étais en train de préparer le dîner et je l'ai vue arrêter sa voiture dans l'allée, exactement là où elle se trouve maintenant, expliqua la femme avec animation. Elle est entrée, puis elle est ressortie une demi-heure après et elle a commencé à arracher des mauvaises herbes. Elle aimait bien jardiner, c'est elle qui tondait sa pelouse et tout.

McGovern me regarda approcher.

— Je vous présente Mme Harvey, dit-elle. La voisine.

— Bonjour, dis-je à Mme Harvey, dont les yeux brillaient d'un mélange d'excitation et de crainte.

— Le Dr Scarpetta est médecin légiste, expliqua McGovern.

— Ah, fit Mme Harvey.

— Vous avez revu Kellie ce soir-là ? continua McGovern.

— Elle est rentrée, dit-elle en secouant la tête, et je crois que c'est tout. Je sais qu'elle travaillait dur et qu'elle se couchait tôt, en général.

— Et une liaison ? Quelqu'un qu'elle voyait régulièrement ?

— Oh, il y en a eu. Un médecin de temps en temps, des types de l'hôpital. Je me rappelle que l'année dernière elle a commencé à voir un type qui avait été un de ses patients. Apparemment, ça ne durait jamais très longtemps. Elle est tellement belle, c'est ça le problème. Les hommes n'avaient qu'une seule idée et elle, elle avait autre chose en tête. Je le sais parce qu'elle m'en parlait souvent.

— Mais il n'y a eu personne récemment ?

— Juste des amies, dit Mme Harvey après avoir réfléchi un peu. Il y a deux ou trois personnes avec qui elle travaille, et parfois elles venaient la voir ou passaient la chercher. Mais je ne me rappelle pas qu'il y ait eu quoi que ce soit hier soir. Évidemment, cela ne signifie rien. Quelqu'un est peut-être venu et je ne l'aurais pas forcément su.

— Vous avez trouvé le chat ? demandai-je.

McGovern ne répondit pas.

— Ce pauvre chat, dit Mme Harvey. Pumpkin. Gâté, gâté, mais alors gâté...

Elle sourit et ses yeux s'embuèrent de larmes.

– C'était son enfant.

– Un chat d'intérieur ? demandai-je.

– Oh, absolument. Kellie ne le laissait jamais sortir de la maison. Elle le couvait comme une plante rare.

– On a retrouvé son bac dans la cour, remarqua McGovern. Est-ce qu'il arrivait à Kellie de le vider et de le laisser dehors toute la nuit ? Et d'ailleurs, avait-elle l'habitude de le nettoyer le soir ? De sortir la nuit, porte ouverte et alarme débranchée ?

Mme Harvey eut l'air perplexe, et je devinai qu'elle ignorait que sa voisine avait été assassinée.

– Eh bien, je l'ai déjà vue vider la litière, mais toujours dans un sac qu'elle jetait ensuite dans la poubelle. Ce n'est pas logique qu'elle le fasse la nuit. Je crois qu'elle a dû la nettoyer et la laisser dehors pour l'aérer, vous voyez ? Ou peut-être qu'elle n'a pas eu le temps de la passer au jet et qu'elle avait l'intention de le faire ce matin. Mais de toute façon, son chat était très propre, alors ce n'était pas très grave qu'elle laisse le bac dehors pour la nuit.

Elle regarda une voiture de police qui passait.

– Personne ne nous a dit comment le feu avait pris, continua-t-elle. Vous le savez ?

– Nous y travaillons, dit McGovern.

– Elle n'est pas morte... Je veux dire, ç'a été rapide, n'est-ce pas ? (Elle cligna des yeux dans le soleil et se mordit la lèvre.) Je ne veux surtout pas penser qu'elle ait pu souffrir, expliqua-t-elle.

– La plupart des gens qui meurent dans un incendie ne souffrent pas, répondis-je en éludant gentiment sa question. En général, le monoxyde de carbone les terrasse, et ils ne sont plus conscients.

– Dieu merci !

– Je vais à l'intérieur, me dit McGovern.

– Madame Harvey, connaissiez-vous bien Kellie ? demandai-je.

– Nous étions voisines depuis près de cinq ans. Ce n'est pas que nous nous fréquentions tellement, mais nous nous connaissions, oui.

– Je me demandais si vous auriez une photographie récente d'elle, ou si vous connaissiez quelqu'un qui en aurait une.

– J'ai peut-être quelque chose.

– Il faut que je puisse l'identifier avec certitude, expliquai-je, alors que mes raisons étaient différentes.

Je voulais en fait voir Kellie Shephard lorsqu'elle était en vie.

– Et si vous pouvez me dire quoi que ce soit d'autre sur elle, je vous en serais reconnaissante, continuai-je. Par exemple, est-ce qu'elle a de la famille ici?

– Oh, non, dit Mme Harvey en fixant les décombres. Elle avait vécu partout. Son père était militaire, vous savez, et je crois qu'il habite avec sa mère en Caroline du Nord. Kellie était très affranchie, à force d'avoir vu du pays. Je lui disais toujours que j'aurais bien aimé être aussi forte et futée qu'elle. Je peux vous dire qu'elle ne laissait personne lui marcher sur les pieds. Un jour, il y avait un serpent sur ma véranda et je l'ai appelée, j'étais hystérique. Elle est arrivée, elle a pris une pelle et elle l'a tué. Je crois qu'elle était devenue comme ça parce que les hommes ne pouvaient pas la laisser tranquille. Je lui disais toujours qu'elle aurait dû faire du cinéma et elle me répondait : *Mais Sandra, je ne sais pas jouer*. Et moi je répliquais : *Mais les autres non plus!*

– Elle connaissait la vie, alors.

– Et comment! C'est pour ça qu'elle avait une alarme. Le genre à qui on la faisait pas, voilà ce qu'elle était, Kellie. Si vous voulez venir avec moi, je vais voir ce que je peux faire pour les photos.

– Si ça ne vous ennuie pas. C'est très gentil à vous.

Nous traversâmes une haie et je la suivis jusque dans sa grande et lumineuse cuisine. Il était évident qu'elle était fine cuisinière, si j'en jugeais par son stock d'ingrédients et la quantité d'ustensiles de toutes sortes. Des casseroles et des plats étaient accrochés aux murs et ce qui mijotait sur la cuisinière sentait délicieusement le bœuf et les oignons. Peut-être un ragoût ou un bœuf Strogonoff.

– Si vous voulez bien vous asseoir près de la fenêtre, je vais aller voir ce que j'ai.

Je pris un siège à la table de la cuisine et regardai par la fenêtre la maison de Kellie Shephard. Je voyais des gens passer derrière les fenêtres brisées, et quelqu'un avait installé des éclairages car le soleil commençait à faiblir. Je me demandai combien de fois sa voisine l'avait vue aller et venir.

En tout cas, Mme Harvey s'était beaucoup intéressée aux faits et gestes d'une femme assez remarquable selon elle pour être actrice, et je me demandai si quelqu'un avait pu guetter Kellie Shephard sans que sa voisine ne remarque une voiture ou quelqu'un d'étranger au quartier. Mais il fallait que je fasse attention à mes questions, car l'assassinat de Kellie Shephard n'avait pas été annoncé officiellement.

– Eh bien, je n'arrive pas à le croire, s'écria Mme Harvey en revenant dans la cuisine, mais j'ai encore mieux que je ne pensais ! Vous savez, il y a une équipe de télévision qui est venue la semaine dernière à l'hôpital faire un reportage sur le centre d'intervention. C'est passé aux nouvelles du soir et comme Kellie était dedans, je l'ai enregistré. Ça me dépasse de ne pas y avoir pensé plus tôt, mais je n'ai pas toute ma tête, si vous voyez ce que je veux dire.

Elle brandissait une cassette vidéo. Je l'accompagnai dans son salon, où elle la glissa dans le magnétoscope. Je m'assis dans un fauteuil bleu au milieu d'un océan de moquette bleue pendant qu'elle rembobinait la bande, puis enclenchait la touche *Lecture*. Les premières images étaient une vue aérienne de l'hôpital de Lehigh Valley prises depuis un hélicoptère amenant une urgence. C'est là que je me rendis compte que Kellie faisait partie du personnel d'intervention médicale aérienne, et n'était pas qu'une simple infirmière.

On la voyait ensuite en combinaison de saut dévalant un couloir avec d'autres membres de l'équipe de vol qui venaient d'être bipés, évitant la foule en criant : « Pardon ! Pardon ! »

Elle constituait l'exemple spectaculaire d'une parfaite combinaison génétique, avec ses dents étincelantes, et la caméra filmait amoureusement sous toutes les coutures ses traits finement dessinés. Il n'était pas difficile d'imaginer qu'elle séduirait ses patients. Après quoi, le film la montrait dans la cafétéria, une fois sa mission impossible accomplie.

– C'est toujours une course contre la montre, disait-elle au journaliste. Vous savez que la moindre minute de retard peut coûter une vie humaine. L'adrénaline, ici, ce n'est pas un vain mot.

Alors qu'elle continuait de répondre aux questions banales, la caméra changea de perspective.

– Je n'en reviens pas d'avoir enregistré ça, mais ce n'est

pas souvent qu'il y a quelqu'un que je connais à la télé, disait Mme Harvey.

Je ne saisis pas tout de suite ce que je venais de voir.

— Arrêtez la bande ! Revenez en arrière. Oui, juste là. Mettez sur pause.

Le plan cadrait quelqu'un qui mangeait à l'arrière-plan.

— Non, m'exclamai-je dans un souffle. Ce n'est pas possible !

Carrie Grethen était assise à une table et mangeait un sandwich avec des membres du personnel de l'hôpital, vêtue d'un jean et d'un T-shirt délavé. Je ne l'avais pas reconnue sur le moment car elle avait les cheveux mi-longs et teints au henné, alors que la dernière fois que je l'avais vue ils étaient courts et décolorés, presque blancs. Mais c'étaient ses yeux qui m'avaient attirée, aspirée comme dans un trou noir. Tout en mâchant son sandwich, elle fixait la caméra du regard froid, brillant et maléfique que je lui avais toujours connu.

Je bondis de mon fauteuil et me précipitai sur le magnétoscope pour retirer la bande.

— Il faut que j'emporte cette cassette ! dis-je d'une voix au bord de la panique. Je vous promets de vous la rapporter.

— D'accord. Du moment que vous n'oubliez pas, acquiesça Sandra Harvey en se levant. C'est la seule que j'ai. Ça va ? On croirait que vous venez de voir un fantôme.

— Il faut que je file. Merci encore.

Je fonçai à côté, grimpai les marches du perron et pénétrai dans la maison. L'eau ruisselait toujours du toit et formait une couche de deux centimètres sur le sol. Des agents s'affairaient, prenaient des photos et discutaient.

— Teun ! criai-je.

Je m'avançai prudemment à l'intérieur en enjambant les trous dans le parquet et en faisant attention de ne pas trébucher. Je me rendis vaguement compte qu'un agent fourrait la carcasse brûlée d'un chat dans un sac en plastique.

— Teun ! criai-je à nouveau.

J'entendis des pas assurés marcher dans les flaques et les débris. Un instant plus tard, elle était devant moi et me prenait le bras pour me soutenir.

— Wow. Attention !

— Il faut trouver Lucy.

— Qu'est-ce qui se passe ?

242

Elle entreprit de me faire sortir avec précaution.

– Où est-elle ? demandai-je d'un ton anxieux.

– Il y a une alerte d'incendie en ville. Une épicerie, probablement un sinistre d'origine criminelle. Mais, Kay, qu'est-ce que... ?

Nous étions maintenant sur la pelouse, et je me cramponnais à la cassette comme à mon seul espoir.

– Teun, je vous en prie, dis-je en la fixant droit dans les yeux. Emmenez-moi à Philadelphie.

– Venez.

*16*

MᴄGᴏᴠᴇʀɴ ᴇꜰꜰᴇᴄᴛᴜᴀ ʟᴇ ᴛʀᴀᴊᴇᴛ jusqu'à Philadelphie en trois quarts d'heure sans lever le pied de l'accélérateur. Elle avait appelé l'antenne locale par radio sur un canal protégé. Bien qu'ayant fait très attention aux informations qu'elle divulguait, elle avait clairement souligné qu'elle voulait que tous les agents disponibles se lancent à la recherche de Carrie. Pendant ce temps, j'appelai Marino sur mon mobile et lui demandai de prendre immédiatement l'avion.

– Elle est ici.

– Oh, merde. Benton et Lucy sont au courant ?

– Dès que je les aurai trouvés.

– Je fonce.

McGovern et moi étions convaincues que Carrie ne se trouvait plus dans le comté de Lehigh. Elle voulait être là où elle pourrait causer le plus de dommages, et j'étais persuadée que d'une manière ou d'une autre, elle savait que Lucy avait déménagé à Philadelphie. Carrie avait très bien pu épier Lucy, d'ailleurs. Je sentais également autre chose, dont je ne percevais pas la logique, c'était que le meurtre de Warrenton et celui d'ici étaient destinés à attirer ceux d'entre nous qui avaient autrefois vaincu Carrie.

– Mais Warrenton s'est produit avant qu'elle ne s'échappe de Kirby, me rappela McGovern en tournant dans Chestnut Street.

– Je sais, dis-je alors que la peur me faisait battre le cœur à cent à l'heure. Je n'y comprends rien, sauf qu'elle est impliquée d'une manière ou d'une autre. Ce n'est pas une coïncidence si elle apparaît dans ce reportage, Teun. Elle savait qu'après le meurtre de Kellie Shephard, nous examinerions tout ce que nous pourrions trouver. Carrie savait pertinemment que nous verrions cette cassette.

Le feu avait pris dans une avenue mal famée aux abords de l'Université de Pennsylvanie. La nuit était tombée et les gyrophares des secours étaient visibles à des kilomètres. Les voitures de police avaient bloqué la rue sur deux pâtés de maisons. Il y avait au moins huit voitures de pompiers et quatre camions à grande échelle et, à plus de vingt mètres du sol, des pompiers en combinaisons protectrices déversaient des trombes d'eau sur le toit fumant. Les moteurs diesel résonnaient dans l'obscurité et le fracas de l'eau envoyée à haute pression retentissait sur le bois et brisait les vitres. Des tuyaux gonflés serpentaient à travers la rue, et les voitures garées alentour avec de l'eau jusqu'aux enjoliveurs ne risquaient pas de bouger avant un moment.

Des photographes et des équipes de journalistes qui rôdaient sur les trottoirs furent mis en émoi par notre arrivée.

— L'ATF travaille-t-il sur cette affaire ? demanda une journaliste de la télévision.

— Nous venons juste jeter un coup d'œil, répondit McGovern sans s'arrêter.

— Dans ce cas, il s'agit d'un incendie criminel, comme pour les autres épiceries ?

Le micro nous poursuivait tandis que nous pataugions dans les flaques.

— L'enquête est en cours, dit McGovern. Et vous êtes priée de ne pas avancer plus loin, madame.

La journaliste resta auprès d'une voiture de pompiers tandis que McGovern et moi nous approchions du magasin. Les flammes avaient gagné le salon de coiffure voisin, dont les pompiers, armés de pioches et de haches, démolissaient le toit. Des agents en gilets protecteurs de l'ATF interrogeaient des témoins potentiels, et des enquêteurs portant casques et combinaisons ignifugées entraient et sortaient du sous-sol. J'entendis quelqu'un parler d'interrupteurs et du service des compteurs. Une fumée noire s'élevait en bouillonnant, et il ne semblait plus y avoir qu'un seul endroit qui s'obstinait à flamber et cracher des flammes.

— Elle est peut-être à l'intérieur, me dit McGovern à l'oreille.

Je la suivis de près. La vitrine du magasin avait été réduite en miettes, et une partie des marchandises se déversait dans la rue, emportée par un torrent d'eau froide. Des boîtes de thon, des bananes noircies, des serviettes hygiéniques, des sachets de chips et des flacons de sauce salade flottaient çà et là, et un pompier ramassa une boîte de café qu'il jeta dans son camion avec un haussement d'épaules. Les puissants faisceaux des torches sondaient l'intérieur sombre et enfumé du magasin dévasté, éclairant des poutres tordues comme de la guimauve et des enchevêtrements de câbles qui pendaient du plafond.

— Lucy Farinelli est là? cria McGovern.

— La dernière fois que je l'ai vue, elle était dehors en train de parler au propriétaire, répondit une voix d'homme.

— Faites attention, là-dedans! cria McGovern.

— Oui, eh bien, on a un gros problème, on n'arrive pas à couper le courant. Ce doit être une alimentation souterraine. Vous pourriez peut-être vous renseigner?

— D'accord.

— Ainsi, voilà ce que fait ma nièce, dis-je à McGovern alors que nous ressortions dans la rue en pataugeant parmi les marchandises emportées par l'eau.

— Les bons jours. Je crois que son unité est la numéro 718. Je vais voir si je peux la contacter.

Elle porta sa radio à ses lèvres et appela Lucy.

— Qu'est-ce qu'il y a? répondit ma nièce.

— Tu es occupée?

— Je finis.

— Tu peux nous retrouver devant?

— J'arrive.

Mon soulagement dut se voir, car McGovern me sourit dans la lumière et les trombes d'eau. Les pompiers étaient noirs de suie et en nage. Je les regardai se déplacer lentement avec leurs grosses bottes, tirant les tuyaux sur leurs épaules et buvant un liquide réhydratant verdâtre qu'ils préparaient dans des cruches en plastique. De puissants projecteurs avaient été disposés sur un camion et, dans leur lumière crue et aveuglante, la scène semblait surréaliste. Les badauds amateurs d'incendie, les *whackers* comme les appelaient les gars de l'ATF, avaient surgi de l'obscurité et prenaient des photos avec des appareils jetables, tandis que des marchands ambulants vendaient des paquets d'encens et des montres de contrefaçon.

Le temps que Lucy nous rejoigne, la fumée avait diminué et était devenue blanche, ce qui indiquait une forte teneur en vapeur. L'eau parvenait à la source du feu.

— Très bien, commenta McGovern en constatant le phénomène. Je crois qu'on y est presque.

— Des rats qui auraient rongé les câbles électriques, déclara Lucy. C'est la théorie du propriétaire.

Elle me jeta un regard étrange.

— Qu'est-ce qui t'amène ici ?

— On dirait bien que Carrie est impliquée dans le meurtre et l'incendie de Lehigh, répondit pour moi McGovern. Et il est possible qu'elle soit encore dans la région, peut-être même ici à Philadelphie.

— Quoi ? fit Lucy, stupéfaite. Comment ? Et Warrenton ?

— Je sais, répondis-je. Ça paraît inexplicable. Mais il y a des ressemblances frappantes.

— Alors peut-être qu'elle joue les imitations, dit Lucy. Elle a lu les journaux et elle se fiche de nous.

Je repensai au copeau de métal et au départ de feu. Il n'y avait rien eu dans la presse à ce sujet. Il n'avait pas non plus été dévoilé que Claire Rawley avait été tuée avec un instrument tranchant et pointu, comme un couteau, et je ne pouvais écarter une autre similarité : Rawley et Shephard étaient toutes les deux de très belles femmes.

— Nous avons des tas d'agents sur le terrain, dit McGovern à Lucy. Ce qu'il faut, c'est que vous restiez sur vos gardes, d'accord ? Et vous, Kay, dit-elle en se tournant vers moi, ce n'est peut-être pas le meilleur endroit pour vous, ici.

Je ne répondis pas et m'adressai à Lucy.

— Tu as des nouvelles de Benton ?

— Non.

— Je ne comprends vraiment pas, murmurai-je. Je me demande où il peut bien être.

— Quand l'as-tu eu pour la dernière fois ? demanda Lucy.

— À la morgue. Il est parti en disant qu'il allait sur les lieux de l'incendie. Et puis, il y est resté, quoi, une heure ? demandai-je à McGovern.

— Et encore. Vous ne pensez pas qu'il serait reparti à New York ou peut-être à Richmond ? me demanda-t-elle.

— Je suis certaine qu'il m'aurait prévenue. Je vais le biper. Peut-être que Marino m'en dira plus quand il arrivera, ajoutai-je alors que d'autres lances à incendie entraient en action et répandaient sur nous une fine bruine.

Il était presque minuit quand Marino arriva dans ma chambre à l'hôtel. Il ne savait rien.

— Je crois que vous ne devriez pas rester seule ici, dit-il sans préambule, les vêtements chiffonnés et l'air très remonté.

— Vous pourriez me dire où je serais plus en sécurité ? Je ne sais pas ce qui se passe. Benton ne m'a pas laissé de message et il ne répond pas à son bipeur.

— Vous vous êtes pas disputés ni rien, si ?

— Oh, bon sang, Marino ! dis-je, exaspérée.

— Écoutez, vous me posez des questions, moi j'essaie de vous aider, c'est tout.

— Je sais.

Je pris une profonde inspiration et tentai de me calmer.

— Et Lucy ? demanda-t-il en s'asseyant sur le bord du lit.

— Il y a eu un sacré incendie près de l'université. Elle y est probablement encore, répondis-je.

— Criminel ?

— Je ne crois pas qu'ils en soient encore sûrs.

Nous restâmes sans rien dire un moment. Je me sentais de plus en plus tendue.

— Écoutez, dis-je. Nous pouvons attendre ici Dieu sait quoi, ou bien nous pouvons sortir. Je ne peux pas dormir, ajoutai-je en commençant à faire les cent pas. Je ne peux pas rester ici toute la nuit en pensant que Carrie est quelque part à me guetter, bon Dieu !

Les larmes me montèrent aux yeux.

— Benton est dans la nature, peut-être sur les lieux de l'incendie avec Lucy. Je ne sais pas.

Je lui tournai le dos et je fixai le port. Je tremblais, et mes mains étaient tellement glacées que j'en avais les ongles bleuis.

Marino se leva. Je sentis qu'il m'observait.

— Allons nous en assurer, dit-il.


Quand nous parvînmes sur le lieu du sinistre à Walnut Street, l'activité avait considérablement diminué. La plupart des camions étaient partis et les quelques pompiers épuisés qui restaient commençaient à enrouler les tuyaux. Une fumée blanche montait du centre du magasin, mais je ne distinguais aucune flamme. Des voix et des bruits de pas s'élevaient de l'intérieur, et de temps en temps le faisceau d'une torche trouait l'obscurité, réfléchi par les débris de verre. Je pataugeai dans les flaques jonchées de marchandises et, quand j'atteignis l'entrée, j'entendis la voix de McGovern qui parlait d'un médecin légiste.

— Amenez-le ici tout de suite, aboyait-elle. Et faites attention là-bas, OK ? Impossible de savoir jusqu'où ça s'est éparpillé, et je ne veux pas qu'on marche sur quoi que ce soit.

— Quelqu'un a un appareil photo ?

— D'accord, moi ici, j'ai une montre, en acier, d'homme. Le verre est brisé. Et une paire de menottes.

— Quoi ?

— Vous m'avez bien compris. Des menottes, des Smith & Wesson, des vraies de vrai. Fermées, et verrouillées comme si quelqu'un les portait. En fait, elles sont verrouillées à *double* tour.

— Vous vous foutez de moi.

Je me frayai un chemin à l'intérieur tandis que de grosses gouttes d'eau froide s'écrasaient sur mon casque et me ruisselaient dans le cou. Je reconnus la voix de Lucy, mais je fus incapable de discerner ce qu'elle disait. Elle semblait presque hystérique, et je perçus brusquement un bruit d'éclaboussures et une bousculade.

— Attendez ! Attendez ! ordonna McGovern. Lucy ! Que quelqu'un la fasse sortir d'ici !

— Non ! hurla Lucy.

— Allons, allons, disait McGovern. Je te tiens le bras. Calme-toi, d'accord ?

— Non ! hurla Lucy. Non ! Non ! Non !

Puis il y eut un grand bruit d'éclaboussures et un cri de surprise.

— Mon Dieu ! Ça va ? demanda McGovern.

J'étais à mi-chemin à l'intérieur lorsque je vis McGovern aider Lucy à se relever. Ma nièce était hystérique, sa main saignait, mais elle n'avait pas l'air de s'en soucier. Je m'avançai vers elles comme je pus, le cœur serré, sentant le sang se glacer dans mes veines à chaque pas.

— Laisse-moi voir, dis-je en prenant doucement la main de Lucy.

Elle tremblait de la tête aux pieds.

— Quand as-tu fait ton rappel antitétanique ? demandai-je.

— Tante Kay, gémit-elle. Tante Kay.

Elle passa les bras autour de mon cou, et nous faillîmes tomber. Elle pleurait tellement qu'elle était incapable de parler, et me broyait comme dans un étau.

— Que s'est-il passé ? demandai-je à McGovern.

— Sortez d'ici tout de suite, toutes les deux.

— Dites-moi ce qui s'est passé ! exigeai-je.

Je ne bougerais pas tant qu'elle ne m'aurait pas répondu. Elle hésita de nouveau.

— Nous avons trouvé des restes. Un corps brûlé. Kay, je vous en prie.

Elle me prit le bras, mais je me dégageai violemment.

— Il faut que nous sortions, dit-elle.

Je reculai et regardai vers le fond, où des enquêteurs tenaient conciliabule en pataugeant dans l'eau tandis que les faisceaux des torches tâtonnaient dans l'obscurité comme des doigts lumineux.

— Encore des ossements par ici, dit l'un. Non, fausse alerte. Bouts de bois brûlé.

— En tout cas, ça, c'en est pas.

— Merde, où est le légiste ?

— Je vais m'en occuper, dis-je à McGovern comme si l'affaire était de mon ressort. Faites sortir Lucy et enveloppez-lui la main d'un linge propre. Je reviens dans une minute. Lucy, ça va aller.

Je sentis qu'un tremblement s'emparait de moi. J'ignorais comment, mais j'avais compris.

— Kay, n'y allez pas ! dit McGovern en haussant le ton. Non !

Mais à présent, je savais que je devais y aller, et je la plantai là brusquement pour me diriger dans le fond à grand bruit d'eau tandis que mes genoux se dérobaient sous moi. Les enquêteurs se turent à mon approche et, au premier abord, je ne sais pas ce que je regardais alors que je suivais les faisceaux de leurs torches braqués sur quelque chose de calciné, mêlé à du papier trempé et des matériaux isolants, quelque chose qui gisait sur des débris de plâtre et de bois carbonisé.

Puis je vis la forme d'une ceinture et sa boucle, et la pointe d'un fémur qui saillait comme un gros bâton brûlé. Mon cœur battait à se rompre à mesure que je discernais les restes d'un corps rongé et d'une tête noircie qui n'avait plus de visage, mais seulement quelques mèches de cheveux argentés.

– Faites-moi voir la montre, dis-je aux enquêteurs, hagarde.

L'un d'eux me la tendit et je la lui pris des mains. C'était une Breitling d'homme en acier inoxydable, une Aerospace.

– Non, murmurai-je en tombant à genoux dans l'eau. Non, je vous en prie.

Je me couvris le visage de mes mains. Mon esprit s'obscurcit. Mes yeux se voilèrent, je vacillai et une main me soutint. Je sentis la bile remonter dans ma gorge.

– Allons, Doc, dit doucement une voix d'homme tandis que des mains me relevaient.

– Ça ne peut pas être lui ! criai-je. Mon Dieu, faites que ce ne soit pas lui. Je vous en prie, je vous en prie, je vous en prie.

J'étais incapable de garder mon équilibre, et il fallut deux agents pour m'aider à sortir tandis que je tentais de rassembler ce qui restait de moi. Une fois dans la rue, je n'adressai la parole à personne et me dirigeai comme un spectre d'un pas lourd vers l'Explorer de McGovern, où celle-ci était assise sur la banquette arrière avec Lucy, la main enveloppée d'une serviette trempée de sang.

– Il me faut une trousse de premiers secours.

– Il vaudrait peut-être mieux l'emmener à l'hôpital, répondit McGovern en me fixant d'un regard où se mêlaient la crainte et la pitié.

– Trouvez-la.

McGovern passa le bras derrière le dossier pour prendre quelque chose. Elle posa une mallette orange sur la banquette et l'ouvrit. Lucy était presque en état de choc et tremblait, le visage livide.

– Il faut une couverture, dis-je.

J'ôtai la serviette et lui nettoyai la main avec de l'eau minérale. Un épais morceau de la peau de son pouce était presque entièrement arraché, et je le tamponnai à profusion avec de la bétadine. L'odeur d'iode me piqua les narines tandis que ce que je venais de voir prenait les allures d'un cauchemar. Ça ne pouvait être vrai.

– Il lui faut des points de suture, dit McGovern.

251

Non, cela n'avait pas eu lieu. C'était un rêve.

— Il faut l'emmener à l'hôpital pour lui faire des points de suture.

Mais j'avais déjà sorti la benzoïne et les pansements stériles, car je savais qu'il n'était pas possible de faire des points de suture sur une blessure de ce genre. Je terminai mon pansement avec une épaisse couche de gaze alors que les larmes ruisselaient sur mon visage. Quand je levai les yeux pour regarder par la vitre, je trouvai Marino debout près de la portière, le visage tordu par une grimace de fureur et de chagrin. On aurait dit qu'il allait vomir. Je descendis de l'Explorer.

— Lucy, tu dois venir avec moi, dis-je en lui prenant le bras. J'avais toujours été plus à même d'agir quand je m'occupais de quelqu'un d'autre.

— Allez, viens, répétai-je.

Les gyrophares clignotaient, donnaient aux gens et à la scène une allure étrange. Marino partit avec nous alors que la camionnette du légiste arrivait. On procéderait à des radios, des relevés dentaires, peut-être même une analyse d'ADN pour confirmer l'identification. La tâche prendrait probablement un certain temps, mais cela n'avait aucune importance. Je savais déjà. Benton était mort.

# 17

POUR AUTANT que l'on pût reconstituer les événements à ce moment-là, nous savions que Benton avait été attiré dans ce piège où il avait trouvé une mort épouvantable. Nous n'avions pas la moindre idée de ce qui l'avait fait venir dans cette petite épicerie de Walnut Street. Nous ne savions pas davantage s'il n'avait pas été enlevé quelque part, puis forcé de gravir l'échelle qui menait à la réserve du petit magasin dans ce quartier défavorisé de la ville. Nous pensions qu'à un moment donné il avait été menotté, et les recherches firent également apparaître par la suite l'existence d'un fil de fer tordu en forme de 8 qui avait très probablement servi à entraver ses chevilles, lesquelles avaient entièrement brûlé.

On retrouva ses clés et son portefeuille, mais pas son pistolet 9 mm Sig Sauer, ni sa chevalière en or. Il avait laissé plusieurs tenues de rechange dans sa chambre d'hôtel, ainsi que son attaché-case, qu'on fouilla avant de me le remettre. Je passai la nuit chez Teun McGovern. Elle avait fait poster des agents aux alentours, puisque Carrie était toujours en liberté, et que la suite n'était plus qu'une question de temps.

Carrie allait achever ce qu'elle avait entrepris, et la seule question importante était en fait de savoir lequel d'entre nous serait le suivant, et si elle parviendrait à ses fins. Marino s'était installé dans le minuscule appartement de Lucy et montait la garde sur son canapé. Tous les trois, nous n'avions rien à nous dire, puisqu'il n'y avait rien à dire, en réalité. Ce qui était fait était fait.

McGovern avait essayé de percer mon silence. La nuit précédente, plusieurs fois, elle avait apporté du thé ou un repas léger dans ma chambre à rideaux bleus qui donnait sur les rangées de pavillons en vieilles briques et les lanternes de bronze de Society Hill. Elle avait eu la sagesse de ne pas me forcer à manger, et j'étais trop anéantie pour faire quoi que ce fût d'autre que dormir. Chaque fois, je me réveillais avec la nausée, puis je me rappelais pourquoi.

Je ne me souvenais pas de mes rêves. Je pleurais tellement que j'en avais les yeux gonflés au point de ne plus pouvoir les ouvrir. Tard dans la matinée du jeudi, je pris une longue douche, puis entrai dans la cuisine de McGovern. Elle portait un tailleur bleu de Prusse et buvait du café en lisant le journal.

– Bonjour, dit-elle, surprise et heureuse que je me sois aventurée au-delà de ma chambre close. Comment allez-vous ?

– Dites-moi ce qui se passe.

Je m'assis en face d'elle. Elle posa sa tasse sur la table et repoussa sa chaise.

– Laissez-moi vous servir un café.

– Dites-moi où nous en sommes, répétai-je. Je veux savoir, Teun. Est-ce qu'on a déjà trouvé quelque chose ? À la morgue, je veux dire ?

Prise de court, elle fixa un moment par la fenêtre un vieux magnolia ployant sous des boutons flasques et brunis.

– Ils travaillent encore dessus, dit-elle enfin. Mais selon toute apparence, il semblerait qu'il ait eu la gorge tranchée. Il avait des entailles sur le visage. Là, et là, précisa-t-elle en désignant sa joue gauche et l'espace entre les deux yeux. Il n'avait pas de traces de suie ni de brûlures dans la trachée et pas de monoxyde de carbone. Donc, il était déjà mort quand le feu a pris, expliqua-t-elle. Je suis désolée, Kay. Je... Eh bien, je ne sais pas quoi dire.

– Comment se fait-il que personne ne l'ait vu pénétrer dans le bâtiment ? demandai-je, comme si je n'avais pas compris toute l'horreur de ce qu'elle venait de me dire. Quelqu'un l'a peut-être fait entrer de force avec une arme, et personne n'a rien vu ?

– L'épicerie fermait à 17 heures. Il n'y a aucun signe d'effraction et, pour une raison inconnue, l'alarme antivol n'était pas branchée, donc elle ne s'est pas déclenchée. Nous avons eu des problèmes avec ces magasins qui brûlent pour escroquer l'assurance. C'est toujours la même famille de Pakistanais qui est impliquée, d'une manière ou d'une autre.

(Elle prit une gorgée de café.) Et c'est le même *modus operandi*, continua-t-elle. Le stock est peu important, le feu prend peu de temps après la fermeture et personne dans le quartier ne voit jamais rien.

— Mais ceci n'a rien à voir avec une escroquerie à l'assurance ! m'exclamai-je avec une fureur soudaine.

— Bien sûr que non, répondit-elle calmement. Ou du moins pas directement. Mais si vous voulez bien entendre ma théorie, je peux vous la donner.

— Dites-moi.

— C'est peut-être Carrie qui a mis le feu...

— Bien sûr que oui !

— Je suis en train de dire qu'elle s'est peut-être mise en cheville avec le propriétaire afin de mettre le feu pour son compte. Il l'a peut-être même payée pour ça, sans avoir la moindre idée de ce qu'elle avait en tête. Je vous l'accorde, pour cela, il aurait fallu qu'elle planifie beaucoup de choses.

— Elle n'a rien eu d'autre à faire pendant des années que planifier.

Mon cœur se serra de nouveau et des larmes me montèrent dans la gorge et aux yeux.

— Je rentre chez moi, décidai-je. Il faut que je fasse quelque chose. Je ne peux pas rester ici.

— Je crois que vous feriez mieux de...

— Je dois me débrouiller pour découvrir ce qu'elle va faire maintenant, dis-je comme si j'en étais capable. Il faut que je comprenne comment elle s'y prend. Il y a forcément un plan d'ensemble, un schéma général, autre chose derrière tout ça. Est-ce qu'on a retrouvé des copeaux de métal ?

— Il ne restait pas grand-chose. Il était dans la réserve, au départ de feu. Il y avait une grande quantité de combustible là-haut, mais nous ne savons pas quoi, sinon qu'il y avait beaucoup de billes de polystyrène. Et ça, ça brûle très bien. Pas de trace d'accélérateur de combustion, pour l'instant.

— Teun, les copeaux de métal de l'affaire Shephard. Il faut que nous les emportions à Richmond pour les comparer à ceux que nous avons déjà. Vos enquêteurs peuvent les faire parvenir à Marino.

Elle posa sur moi un regard sceptique, las et triste.

— Il faut que vous affrontiez la réalité, Kay. Laissez-nous nous occuper du reste.

255

— C'est ce que je fais, Teun.

Je me levai et baissai les yeux sur elle.

— De la seule façon dont je puisse le faire. Je vous en prie.

— Vous ne devriez plus être chargée de cette affaire. Quant à Lucy, je la mets en congé pendant au moins une semaine.

— Vous ne me retirerez pas cette enquête, la prévins-je. Pour rien au monde.

— Vous n'êtes pas en état de vous montrer objective.

— Et qu'est-ce que vous feriez si vous étiez à ma place ? demandai-je. Vous rentreriez chez vous ?

— Mais je ne suis pas à votre place.

— Répondez-moi.

— Personne ne pourrait m'empêcher de continuer. Je serais obsédée. J'agirais exactement comme vous, dit-elle en se levant à son tour. Je vais faire de mon mieux pour vous aider.

— Merci. Merci, Teun.

Elle me dévisagea un moment, appuyée contre le comptoir, les mains dans les poches de son pantalon.

— Kay, ne vous rendez pas responsable de ce qui est arrivé.

— C'est Carrie que je rends responsable, répondis-je dans un brusque flot de larmes amères. Voilà exactement qui je rends responsable.

# 18

QUELQUES HEURES PLUS TARD, Marino nous ramenait à Richmond, Lucy et moi. Ce fut le pire voyage en voiture dont je me souvienne : nous fixions tous les trois la route sans rien dire, et l'atmosphère était pénible et oppressante. Ce qui nous arrivait paraissait irréel et, lorsque la vérité nous assaillait, c'était comme un violent coup de poing dans la poitrine. Des images très nettes de Benton me revenaient, et je me demandais si le fait que nous n'ayons pas passé notre dernière nuit ensemble était une bénédiction, ou bien une tragédie plus grande encore.

D'une certaine manière, je ne savais pas si j'aurais été capable de supporter le souvenir récent de son contact, de son souffle, de son corps entre mes bras. L'instant d'après, je voulais l'étreindre et faire à nouveau l'amour avec lui. Mon esprit plongeait dans des abîmes obscurs et se heurtait à la perspective de devoir affronter la vision de ses affaires personnelles restées chez moi, de ses vêtements.

Ses restes allaient être renvoyés à Richmond et, malgré tout ce que je savais de la mort, ni lui ni moi n'avions jamais beaucoup pensé au genre d'obsèques que nous désirions, ni au lieu où nous voulions être enterrés. Nous n'avions pas envie d'y penser, et nous n'avions donc rien prévu.

L'I-95 Sud défilait dans un brouillard trouble, interminable, comme si le temps s'était arrêté. Quand mes yeux s'embuaient de larmes, je me détournais vers la vitre pour dissimuler mon visage. À l'arrière, Lucy ne disait rien, mais sa colère, son chagrin et sa peur étaient aussi palpables qu'un mur de béton.

— Je vais démissionner, dit-elle enfin lorsque nous traversions Fredericksburg. Cette fois-ci, c'est trop. Je trouverai quelque chose ailleurs. Peut-être dans l'informatique.

– Foutaises, répondit Marino en la regardant dans le rétroviseur. C'est exactement ce que cette salope veut que tu fasses. Que tu démissionnes de la police. Que tu sois une perdante, une paumée.

– Je suis une perdante et une paumée.

– Putain de foutaises.

– Elle l'a tué à cause de moi, continua-t-elle du même ton abattu et monocorde.

– Elle l'a tué parce qu'elle en avait envie. Et on peut rester là à s'apitoyer sur notre sort, ou bien essayer de savoir ce qu'on va faire avant qu'elle dégomme le suivant d'entre nous.

Mais ma nièce refusait de se laisser consoler. Indirectement, c'était elle qui nous avait exposés à la vindicte de Carrie des années auparavant.

– Elle veut que tu culpabilises, lui dis-je.

Lucy ne répondit pas et je me retournai pour la regarder. Elle portait une combinaison de démineur et des rangers sales, et elle était décoiffée. Elle sentait encore le feu, car elle n'avait pas pris de douche. Elle n'avait pas non plus dormi ni mangé, pour autant que je sache. Son regard était fixe et dur, et dans ses yeux brillait la froide résolution qu'elle avait prise. J'avais déjà vu ce regard, lorsque le désespoir et la haine la rendaient autodestructrice. Une partie d'elle voulait mourir, et peut-être même était-elle déjà morte.

Nous arrivâmes chez moi à 17 h 30, et les rayons du soleil étaient encore chauds et éclatants dans un ciel d'un bleu brumeux, mais sans nuage. Je ramassai les journaux sur le pas de la porte en entrant et j'eus à nouveau le cœur chaviré en voyant la une du matin sur la mort de Benton. Bien que l'identification fût encore officieuse, il était dit qu'il avait trouvé la mort au cours d'un incendie dans des circonstances suspectes alors qu'il aidait le FBI à retrouver la meurtrière en fuite, Carrie Grethen. Les enquêteurs ne précisaient pas pourquoi Benton se trouvait dans la petite épicerie qui avait brûlé.

– Qu'est-ce que vous voulez faire de tout ça ? demanda Marino.

Il avait ouvert le coffre où reposaient trois gros sacs en papier brun contenant les effets personnels de Benton récupérés dans sa chambre d'hôtel. Je fus incapable de décider quoi que ce soit.

– Vous voulez que je les mette dans votre bureau ? demanda-t-il. Je peux m'occuper de les trier, si vous voulez, Doc.

– Non, non, laissez-les là-bas.

Il transporta les sacs dans le couloir. Il marchait d'un pas lourd et quand il revint dans l'entrée, je me tenais toujours près de la porte ouverte.

– Je vous appelle plus tard. Et ne laissez pas cette porte ouverte, c'est bien compris ? Gardez l'alarme branchée et n'allez nulle part, ni vous ni Lucy.

– Je ne pense pas que vous ayez à vous inquiéter pour cela.

Lucy avait laissé tomber ses bagages dans sa chambre près de la cuisine, et regardait fixement par la fenêtre tandis que Marino s'en allait. Je m'approchai et lui posai doucement les mains sur les épaules.

– Ne démissionne pas, dis-je en posant le front sur sa nuque.

Elle ne se retourna pas, mais je sentis un frisson douloureux la parcourir.

– Nous sommes dans le même bateau, Lucy, continuai-je du même ton calme. Il ne reste plus que nous. Toi et moi, c'est tout. Benton aurait souhaité que nous restions unies. Il n'aurait pas voulu que tu renonces. Et puis moi, qu'est-ce que je ferais, hein ? Si tu abandonnes, tu m'abandonnes aussi.

Elle se mit à sangloter.

– J'ai besoin de toi, dis-je péniblement. Plus que jamais.

Elle se retourna et s'accrocha à moi comme elle le faisait quand elle était une enfant effrayée privée d'affection. Ses larmes ruisselaient dans mon cou et pendant un moment, nous restâmes au beau milieu de cette pièce encore encombrée d'ordinateurs et de manuels universitaires, et couverte des posters de ses idoles adolescentes.

– C'est ma faute, tante Kay. Tout est ma faute ! C'est moi qui l'ai tué ! s'écria-t-elle.

– Non, dis-je en l'étreignant, baignée de larmes.

– Comment pourras-tu jamais me pardonner ? C'est moi qui te l'ai enlevé !

– Mais non, Lucy. Tu n'as rien fait.

– Je ne peux pas supporter de vivre avec ça.

— Tu le peux et tu le feras. Nous avons besoin de nous aider mutuellement pour vivre avec cela.

— Moi aussi, je l'aimais. Tout ce qu'il a fait pour moi. C'est lui qui m'a fait débuter au Bureau, qui m'a donné ma chance. Qui m'a soutenue. Pour tout.

— Ça va aller.

Elle s'arracha à mon étreinte et se laissa tomber sur le bord du lit en s'essuyant le visage d'un revers de sa chemise souillée de suie. Elle posa les coudes sur les genoux, la tête entre les mains, regardant ses larmes tomber sur le parquet.

— Je te le dis, et il faut que tu m'écoutes, gronda-t-elle. Je ne sais pas si je serai capable de continuer, tante Kay. Tout le monde a un point de rupture. Un point de départ ou un point final. (Elle laissa échapper un soupir.) Un point au-delà duquel on ne peut plus continuer. J'aurais préféré que ce soit moi qu'elle tue. Elle m'aurait peut-être rendu service.

Elle organisait sa propre chute devant mes yeux, et je la regardai avec une détermination grandissante

— Tante Kay, si je ne continue pas, tu dois me comprendre, et ne pas culpabiliser, murmura-t-elle en s'essuyant de nouveau le visage avec sa manche.

Je m'approchai et lui relevai le menton. Fiévreuse, elle avait mauvaise haleine et sentait fort.

— Toi, tu vas m'écouter, dis-je sur un ton qui l'aurait effrayée autrefois. Tu vas me faire le plaisir de chasser cette foutue idée de ta tête, et tout de suite. Tu as de la chance de ne pas être morte et tu ne vas pas te suicider, si c'est ce que tu voulais dire, comme je le crois. Tu sais à quoi se résume le suicide, Lucy ? À une histoire de colère, de revanche. Une espèce d'allez-vous-faire-foutre définitif. Et tu ferais cela à Benton ? Tu ferais cela à Marino ? Tu me ferais cela, à moi ?

Je gardai son visage dans mes mains jusqu'à ce qu'elle se décide à me regarder enfin.

— Tu ne vas tout de même pas laisser cette salope de Carrie gagner ? Où est cet esprit combatif que je te connaissais ?

— Je ne sais pas, chuchota-t-elle dans un soupir.

— Sûrement que si. Et ne t'avise pas de me gâcher la vie, Lucy. Elle l'est déjà suffisamment comme ça. Comment oserais-tu m'obliger à passer le restant de mes jours avec l'écho d'un coup de feu qui résonnerait dans ma tête ? Je ne te croyais pas lâche.

— Je ne le suis pas.

Elle plongea son regard dans le mien.

— Demain, nous contre-attaquons.

Elle hocha la tête et déglutit péniblement.

— Va prendre une douche.

J'attendis d'entendre l'eau couler dans la salle de bains, puis j'allai dans la cuisine. Nous avions besoin de manger, même si je doutais que nous en ayons envie. Je décongelai des filets de poulet et les mis à cuire dans un bouillon avec tous les légumes frais que je pus trouver. Je ne lésinai pas sur le romarin, le laurier et le porto, mais je ne mis rien de plus fort, pas même du poivre, car nous avions besoin de douceur. Marino appela deux fois pendant le dîner pour s'assurer que tout allait bien.

— Vous pouvez passer, lui dis-je. J'ai fait du potage, même s'il risque de paraître un peu léger à votre goût.

— Ça va, assura-t-il, mais je savais que ce n'était pas vrai.

— Vous pouvez venir dormir ici. J'aurais dû vous le proposer plus tôt.

— Non, Doc. J'ai des trucs à faire.

— Je serai au bureau demain à la première heure.

— Je sais pas comment vous faites, répondit-il d'un ton presque accusateur, comme si le fait que je pense au travail impliquait que je ne fasse pas preuve des sentiments qui convenaient à la situation.

— J'ai un plan. Et quoi qu'il arrive, je vais le mettre à exécution.

— J'aime pas ça, quand vous vous mettez à tirer des plans.

Je raccrochai et rapportai les bols de soupe vides à la cuisine. Plus je pensais à ce que je devais entreprendre, plus je devenais obsessionnelle.

— Ce serait compliqué pour toi de trouver un hélicoptère ? demandai-je à ma nièce.

— Quoi ? demanda-t-elle, stupéfaite.

— Tu m'as bien entendue.

— Ça t'ennuierait de me dire pour quoi faire ? Tu sais, je ne peux pas en commander un comme on appelle un taxi.

— Appelle Teun. Dis-lui que je m'occupe de cette affaire et que j'ai besoin de toute la coopération possible. Dis-lui que si ça se passe comme je l'ai prévu, je vais avoir besoin d'elle et d'une équipe à Wilmington. Je ne sais pas encore quand. Peut-être tout de suite. Mais j'ai besoin qu'on me laisse le champ libre. Il va falloir qu'ils me fassent confiance.

Lucy se leva et alla à l'évier remplir son verre d'eau fraîche.

– C'est de la folie, décréta-t-elle.

– Peux-tu ou non m'obtenir un hélicoptère ?

– Si j'ai la permission, oui. Les garde-frontières en possèdent, et c'est généralement ceux dont on se sert. On pourra probablement en obtenir un à Washington DC.

– Très bien, déniches-en un le plus vite possible. Demain matin, je fonce au labo pour avoir la confirmation de ce que je pense déjà savoir. Ensuite, nous irons peut-être à New York.

– Pourquoi ? demanda-t-elle, l'air intéressée, mais sceptique.

– Nous allons atterrir à Kirby, et j'ai bien l'intention d'aller au fond des choses, répondis-je.

Marino rappela vers 22 heures, et je lui assurai une fois de plus que Lucy et moi allions bien, que nous nous sentions en sécurité dans la maison avec son système d'alarme sophistiqué, les éclairages de sécurité et les armes. À sa voix pâteuse et à la télévision qui hurlait dans le fond, je déduisis qu'il avait dû boire.

– Il faut que vous me retrouviez au labo à 8 heures, dis-je.

– Je sais, je sais.

– C'est très important, Marino.

– Vous n'avez pas besoin de me le dire, Doc.

– Allez dormir un peu.

– Vous idem.

Mais j'en fus incapable. Je restai à mon bureau pour examiner les morts suspectes par incendie de l'ESA. J'étudiai l'affaire de Venice Beach, puis celle de Baltimore, m'efforçant de voir ce que les affaires et les victimes avaient éventuellement en commun en dehors du départ de feu et de la suspicion d'incendie criminel, même si les enquêteurs n'avaient pu le prouver. J'appelai d'abord la police de Baltimore et trouvai quelqu'un qui semblait disposé à en parler.

– C'est Johnny Montgomery qui a bossé là-dessus, dit l'inspecteur, que j'entendis tirer sur sa cigarette.

– Vous savez quoi que ce soit ?

– Mieux vaut que vous lui parliez directement. Et il aura probablement besoin de vérifier votre identité.

– Il peut m'appeler à mon bureau demain matin, dis-je en lui donnant le numéro. Je devrais y être dès 8 heures. Et par e-mail ? L'inspecteur Montgomery a une adresse électronique à laquelle je peux lui écrire ?

– Ça, je peux vous la donner.

Je l'entendis ouvrir un tiroir, puis il me transmit le renseignement.

– Il me semble avoir déjà entendu parler de vous, ajouta-t-il pensivement. Si vous êtes la légiste à laquelle je pense, je sais que vous êtes une dame. Une jolie dame, d'après ce que j'ai vu à la télé. Mmm. Ça vous arrive de venir à Baltimore ?

– J'ai fait mes études de médecine dans votre charmante ville.

– Bon, alors maintenant, je sais que vous êtes une bonne.

– Austin Hart, le jeune homme qui est mort dans l'incendie, était également étudiant à Johns Hopkins, l'encourageai-je.

– Et il était homo. Personnellement, je pense que c'est pour ça qu'il a été tué.

– Ce qu'il me faut, c'est une photo de lui et tout ce que vous savez de sa vie, ses habitudes, ses passe-temps, dis-je, profitant de ce qu'il avait baissé sa garde.

– Ah, ouais, dit-il en soufflant sa fumée. Le genre joli garçon. Il paraît qu'il faisait le mannequin pour payer ses études de médecine. Des pubs pour les slips Calvin Klein, ce genre de truc. Probablement un amant jaloux. La prochaine fois que vous venez à Baltimore, Doc, il faut que vous voyiez Camden Yards. Vous connaissez le nouveau stade, non ?

– Absolument, répondis-je en tirant avec excitation des conclusions de ce qu'il venait de m'apprendre.

– Je peux vous avoir des billets, si vous voulez.

– Ce serait très gentil à vous. Je vais contacter l'inspecteur Montgomery, et je vous remercie de votre aide.

Je raccrochai avant qu'il ait eu le temps de me demander quelle était mon équipe de base-ball préférée, puis expédiai immédiatement un e-mail à Montgomery pour lui faire part de mes demandes, bien que j'aie déjà presque toutes les réponses à mes questions. Ensuite, j'essayai la division Pacifique de la police de Los Angeles, qui couvrait Venice Beach, et j'eus à nouveau de la chance. L'inspecteur qui avait enquêté sur l'affaire Marlene Farber était de service en soirée, et il venait d'arriver. Il s'appelait Stuckey, et n'éprouva apparemment pas le besoin de vérifier mon identité.

– J'aimerais bien que quelqu'un me la résolve, celle-là, dit-il sans plus de détours. Six mois et toujours rien. Pas le moindre tuyau qui se soit révélé utile.

– Que pouvez-vous me dire sur Marlene Farber ?

– Elle avait de petits rôles de temps en temps dans « General Hospital ». Et dans « Northern Exposure ». Vous avez dû voir ça ?

– Je ne regarde pas beaucoup la télé. PBS, c'est à peu près tout.

– Quoi d'autre, quoi d'autre ? Ah oui. « Ellen ». Pas des rôles très importants, mais qui sait jusqu'où elle aurait pu aller ? Une sacrée jolie fille. Elle sortait avec un producteur, mais nous sommes quasi certains qu'il n'a rien à voir avec ça. La seule chose qui intéressait réellement ce mec, c'était la coke et baiser toutes les starlettes à qui il décrochait des rôles. Vous savez, quand on m'a donné l'affaire, j'ai regardé des tas de cassettes de séries où elle figurait. Elle n'était pas mauvaise. C'est dommage.

– Quoi que ce soit d'inhabituel sur les lieux du crime ?

– Tout était inhabituel. Je n'ai pas la moindre idée de la façon dont un feu pareil a pu prendre dans une salle de bains au premier étage, et l'ATF n'a pas compris non plus. Il n'y avait rien à brûler à part du papier-toilette et des serviettes. Pas de signe d'effraction non plus, et l'alarme antivol ne s'est jamais déclenchée.

– Est-ce qu'on aurait par hasard retrouvé ses restes dans la baignoire, détective Stuckey ?

– Ça aussi, c'est un truc bizarre, sauf si elle s'est suicidée. Peut-être qu'elle a foutu le feu et qu'elle s'est ouvert les veines ou je ne sais quoi. Des tas de gens s'ouvrent les veines dans leur baignoire.

– Des indices ?

– C'était plus que de la craie, madame. On aurait dit qu'elle était passée dans un four crématoire. Il restait assez du buste pour qu'on l'identifie avec les radios mais, en dehors de ça, c'était plus que quelques dents, des bouts d'os et quelques cheveux.

– Est-ce qu'elle était aussi mannequin, par hasard ?

– Oui, pour des pubs télé, ou dans la presse. Elle gagnait

bien sa vie. Elle conduisait une Viper noire et elle vivait dans une sacrée belle baraque devant l'océan.

— Je me demande si vous pourriez m'envoyer des photos et les rapports par e-mail ?

— Donnez-moi votre adresse, je vais voir ce que je peux faire.

— J'en ai besoin rapidement, inspecteur Stuckey.

Je raccrochai en réfléchissant à cent à l'heure. Toutes les victimes étaient belles et avaient un rapport avec la photographie ou la télévision. C'était un dénominateur commun qui ne pouvait pas être ignoré, et j'étais convaincue que Marlene Farber, Austin Hart, Claire Rawley et Kellie Shephard avaient été choisis pour une raison importante aux yeux de l'assassin. Tout découlait de là. Le schéma correspondait à celui d'un serial-killer, comme Bundy qui choisissait des femmes à cheveux longs et raides ressemblant à la petite amie qui l'avait quitté. Ce qui ne collait pas, c'était Carrie Grethen. Pour commencer, elle était en captivité à Kirby lorsque les trois premiers meurtres s'étaient produits, et son *modus operandi* n'avait jamais rien eu de commun avec ça.

J'étais déroutée. Carrie n'était pas là, tout en y étant quand même. Je m'assoupis dans mon fauteuil un moment, et me réveillai en sursaut à 6 heures. J'avais des élancements dans la nuque à force d'être restée dans une mauvaise position, et mon dos tout ankylosé me faisait mal. Je me levai et m'étirai lentement, consciente de ce que j'avais à accomplir, mais ignorant si j'allais en être capable. Le simple fait d'y penser me remplissait de terreur et mon cœur battait la chamade, comme un poing qui frappe contre une porte. Je fixai les sacs en papier que Marino avaient déposés devant une bibliothèque bourrée de livres de droit. Ils étaient scotchés et étiquetés, et je les emportai dans la chambre de Benton.

Bien qu'il ait habituellement partagé mon lit, cette aile de la maison avait toujours été la sienne. C'était là qu'il travaillait et rangeait ses affaires car, à mesure que nous vieillissions l'un et l'autre, nous avions appris que l'espace personnel était notre allié le plus sûr. Nos retraites rendaient nos batailles moins sanglantes, et les absences durant la journée rendaient les nuits plus attrayantes. La porte était grande ouverte, telle qu'il l'avait laissée. La lumière était éteinte et les rideaux fermés. Les ombres se firent plus nettes tandis que je demeurais pétrifiée sur le seuil à contempler la pièce. Il me fallut rassembler tout le courage dont j'avais pu faire preuve dans ma vie pour allumer.

Son lit était soigneusement fait, avec sa couette et ses draps bleu roi. Benton était toujours méticuleux, même lorsqu'il était pressé. Il ne m'avait jamais demandé de changer ses draps ou de m'occuper de sa lessive, et c'était dû en partie à une indépendance et une autonomie auxquelles il n'avait jamais renoncé, même avec moi. Il fallait qu'il fasse les choses à sa façon. À cet égard, nous étions si semblables que j'étais émerveillée que nous ayons pu jamais nous trouver. Je ramassai sa brosse à cheveux sur une commode, sachant qu'elle serait peut-être utile pour les analyses d'ADN s'il était nécessaire de confirmer l'identification. Puis j'allai à la petite table de chevet en merisier regarder les livres et les épais dossiers qui y étaient empilés.

Il lisait *Retour à Cold Mountain*, le roman de Charles Frazier dont il avait marqué une page, presque à la moitié, avec un morceau d'enveloppe déchiré. Bien sûr, il y avait aussi les épreuves de la dernière édition d'un manuel de classification criminologique qu'il corrigeait, et la vue de ses notes griffonnées au crayon me terrassa. Je tournai tendrement les pages, passai les doigts sur les mots à peine lisibles qu'il avait écrits, et les larmes m'assaillirent à nouveau. Je posai les sacs sur le lit et les déchirai pour les ouvrir.

La police avait vidé à la hâte les tiroirs et la penderie, et le contenu des sacs n'était pas soigneusement plié, mais plutôt roulé et entassé. Je sortis et lissai une à une les chemises en coton blanc, les cravates et deux paires de bretelles. Il avait emporté deux costumes d'été, qui étaient froissés comme du papier crépon. Il y avait également des chaussures habillées, des vêtements de sport, chaussettes et slips, mais ce fut sa trousse de toilette qui m'arrêta.

Des mains méthodiques l'avaient fouillée. Le bouchon de la bouteille de Givenchy III s'était desserré, et l'eau de toilette avait coulé. Le parfum vif et masculin me saisit. Je sentis à nouveau ses joues fraîchement rasées. Brusquement, je le vis derrière son bureau, dans les anciens locaux de l'Académie du FBI. Je me souvenais de ses traits réguliers, de son costume impeccable et de son odeur, à l'époque où je commençais déjà à tomber amoureuse de lui sans le savoir encore. Je pliai soigneusement ses vêtements et les empilai avant de déchirer un autre sac. Je déposai l'attaché-case en cuir noir sur le lit et l'ouvris.

Au premier coup d'œil, je vis qu'il manquait le pistolet Colt Mustang 0.380 qu'il portait parfois à la cheville, et il me parut significatif qu'il l'ait emporté avec lui le soir de sa mort. Il transportait toujours son 9 mm dans son holster, mais le Colt lui servait d'arme de rechange lorsqu'il jugeait la situation dangereuse. Ce geste singulier indiquait que Benton avait une idée bien précise lorsqu'il avait quitté le lieu de l'incendie à Lehigh. Je soupçonnai qu'il était allé retrouver quelqu'un, mais je ne comprenais pas pourquoi il n'en avait informé personne, à moins qu'il fût devenu imprudent, ce dont je doutais.

Je pris son agenda en cuir marron et le feuilletai pour chercher le moindre rendez-vous récent qui pourrait me frapper. Il y avait un rendez-vous chez le coiffeur, un autre chez le dentiste et divers voyages prévus, mais rien ne figurait à la date de sa mort, excepté une mention de l'anniversaire de sa fille, Michelle, pour le milieu de la semaine suivante. J'imaginai qu'elle et ses sœurs étaient avec leur mère, Connie, l'ex-femme de Benton. Je redoutais déjà l'idée de devoir tôt ou tard partager leur chagrin, quelle que fût l'opinion qu'elles avaient de moi.

Il avait griffonné des notes et des questions sur le profil de Carrie, ce monstre qui devait peu de temps après causer sa perte. Cette ironie du sort était inconcevable, et je l'imaginai en train d'essayer de disséquer le comportement de Carrie dans l'espoir de prévoir ce qu'elle allait faire. Sans doute n'avait-il pas un instant songé qu'au moment même où il se concentrait sur elle, elle était très probablement en train de penser à lui, elle aussi. Elle avait monté de toutes pièces l'épisode du comté de Lehigh et la cassette vidéo et, à présent, il était très probable qu'elle fût en train de parader dans le rôle d'un membre d'une équipe de production.

Mon regard s'arrêta sur des mots griffonnés : *relation/ fixation criminelle/victime, fusion de l'identité/érotomanie, victime perçue comme quelqu'un d'un statut supérieur.* Au dos de la page, il avait noté : *vie modelée après. Comment faire concorder avec victimologie de Carrie ? Kirby. Quel accès à Claire Rawley ? Apparemment aucun. Incohérent. Suggère autre criminel ? Complice ? Gault. Bonnie & Clyde. Son* modus operandi *original. Peut-être quelque chose là. Carrie pas seule. W/M. 28-45 ? Hélicoptère blanc ?*

Un frisson me parcourut alors que je me rendais compte de ce à quoi pensait Benton lorsqu'il prenait des notes à la morgue pendant que Gerde et moi travaillions. Il avait envisagé ce qui brusquement semblait une évidence : Carrie n'était pas seule dans cette histoire. Elle s'était alliée, d'une manière ou d'une autre, avec un partenaire, peut-être durant son incarcération à Kirby. En fait, j'étais certaine que cette alliance précédait son évasion et je me demandai si, pendant les cinq ans où elle était restée là-bas, elle avait pu rencontrer un autre patient psychopathe qui avait été relâché par la suite. Peut-être avait-elle correspondu avec lui aussi librement et audacieusement qu'avec les médias et moi.

Il était également significatif que l'on ait retrouvé l'attaché-case de Benton dans sa chambre d'hôtel, alors que je savais qu'il l'avait avec lui plus tôt dans la journée, à la morgue. Il était évident qu'il était retourné dans sa chambre après avoir quitté Lehigh. Où il était allé ensuite et pourquoi, l'énigme demeurait. Je continuai de lire ses notes sur le meurtre de Kellie Shephard. Benton avait souligné *carnage, frénésie* et *désorganisé.* Il avait griffonné *perte de contrôle* et *réaction de la victime différente des prévisions. Rituel gâché. Ne devait pas se passer comme ça. Fureur. Va tuer à nouveau bientôt.*

Je refermai l'attaché-case d'un geste sec et le laissai sur le lit, le cœur serré. Je sortis de la chambre, éteignis la lumière et refermai la porte, sachant que la prochaine fois que j'y reviendrais, ce serait pour vider les tiroirs et les penderies et décider, d'une certaine manière, de vivre avec le sentiment de l'écrasante absence de Benton. J'allai voir comment se portait Lucy et la trouvai endormie, son pistolet sur sa table de chevet. Incapable de rester en place, j'errai jusqu'à l'entrée et débranchai l'alarme juste le temps de ramasser le journal sur le perron. Puis je me rendis dans la cuisine et préparai du café. À 7 h 30, j'étais prête à partir pour le bureau, et Lucy n'avait toujours pas bougé. Je retournai sans bruit dans sa chambre, où le soleil qui passait par le store caressait son visage de ses pâles rayons.

— Lucy ? soufflai-je en lui effleurant l'épaule.

Elle se réveilla en sursaut et se redressa à demi.

— Je m'en vais, dis-je.

— Moi aussi, il faut que je me lève.

Elle repoussa les couvertures.

— Tu veux prendre une tasse de café avec moi ? demandai-je.

— Oui, bien sûr, dit-elle en posant les pieds par terre.

— Tu devrais manger quelque chose.

Elle avait dormi avec un short de jogging et un T-shirt et elle me suivit, aussi silencieuse qu'un chat.

— Des céréales, ça te va ? demandai-je en sortant une tasse d'un placard.

Elle ne répondit pas et se contenta de me regarder ouvrir la boîte de muesli maison que Benton mangeait presque tous les matins avec des fruits frais. La simple odeur des céréales suffit à m'anéantir à nouveau, j'eus l'impression que ma gorge se serrait et que mon estomac se nouait. Je restai pétrifiée un long moment, incapable de saisir la cuiller, de prendre un bol ou de bouger le petit doigt.

— Laisse, tante Kay, dit Lucy, qui comprit parfaitement ce qui m'arrivait. De toute façon, je n'ai pas faim.

Je remis le couvercle d'une main tremblante.

— Je ne sais pas comment tu vas faire pour continuer à vivre ici, dit-elle en se servant du café.

— C'est là que j'habite, Lucy.

J'ouvris le réfrigérateur et lui tendis la bouteille de lait.

— Où est sa voiture ? demanda-t-elle en remplissant sa tasse.

— À l'aéroport de Hilton Head, je suppose. Il a pris directement l'avion de là-bas pour New York.

— Qu'est-ce que tu vas en faire ?

— Je ne sais pas, dis-je, de plus en plus bouleversée. Pour l'instant, ce n'est pas une priorité. Il y a déjà toutes ses affaires ici. (Je pris une profonde inspiration, puis :) Je ne peux pas prendre toutes les décisions d'un seul coup.

— Tu devrais te débarrasser de tout dès aujourd'hui.

Elle s'appuya sur le comptoir et but son café en me considérant du même regard morne.

— Je le pense vraiment, reprit-elle d'une voix sans émotion.

— Eh bien, je ne toucherai à rien tant que son corps n'aura pas été rapatrié.

— Je peux t'aider, si tu veux.

Elle reprit une gorgée de café. J'étais furieuse contre elle.

— Je ferai cela à ma façon, Lucy, dis-je en sentant le chagrin qui me submergeait. Pour une fois, je ne vais pas tourner le dos à quelque chose et partir en courant. C'est ce que j'ai fait toute ma vie, à commencer par le jour où mon père est mort. Ensuite, Tony est parti et Mark a été tué, et j'ai appris à me défaire d'une relation achevée comme on se défait d'une vieille maison, à m'en aller comme si je n'y avais jamais vécu. Mais tu sais quoi ? Ça ne marche pas.

Elle fixait ses pieds nus en silence.

— Tu as parlé à Janet ? demandai-je.

— Elle est au courant. Et elle est dans tous ses états parce que je ne veux pas la voir. Je ne veux voir personne.

— Plus tu fuis, plus tu restes au même endroit. Si tu n'as rien appris d'autre de moi, Lucy, apprends au moins cela. N'attends pas que la moitié de ta vie se soit écoulée.

L'espace d'un long moment, elle continua de fixer l'embrasure du grand salon.

— Je ne peux pas m'empêcher de penser qu'il va entrer d'un instant à l'autre, murmura-t-elle.

— Je sais. Moi aussi.

— Je vais appeler Teun. Dès que j'apprends quelque chose, je te bipe, déclara-t-elle.

Le soleil brillait à l'est et les gens qui se rendaient à leurs bureaux clignaient des yeux dans la lumière de ce qui promettait d'être une belle et chaude journée. Je suivis le flot de la circulation sur la 9ᵉ Rue, passant devant les grilles en fer forgé de Capitol Square, avec ses bâtiments et monuments d'un blanc immaculé dédiés à Stonewall Jackson et George Washington. Je songeai à Kenneth Sparkes et à son influence politique. Je me souvenais de la peur et de la fascination que j'éprouvais quand il appelait pour formuler plaintes et exigences. À présent, j'avais pour lui une peine immense.

Tout ce qui venait de se produire n'avait pas lavé son nom de tout soupçon, pour la simple raison que même ceux d'entre nous qui savaient que nous avions peut-être affaire à des meurtres en série ne disposaient pas de la liberté de communiquer une telle information aux médias. J'étais certaine que Sparkes ignorait nos découvertes. J'éprouvais désespérément l'envie de lui parler, de soulager en quelque sorte sa conscience comme si, ce faisant, j'aurais pu soulager la mienne. L'angoisse me broyait la poitrine d'une poigne de fer glacée, et lorsque je quittai Jackson Street pour gagner le parking de nos locaux, la vue d'un fourgon mortuaire qui déchargeait un sac en plastique noir me fit tressaillir comme jamais jusqu'alors.

Je m'efforçai de ne pas imaginer les restes de Benton qui subissaient le même sort, de ne pas voir le compartiment glacé et obscur de la chambre froide où ils se trouvaient. C'était affreux de connaître comme moi tous ces détails. La mort n'était pas une abstraction, et je pouvais me représenter la moindre étape du processus, le moindre bruit et la moindre odeur dans un lieu où le contact d'une main n'était pas affectueux mais un geste clinique visant à résoudre une affaire criminelle. Je descendais de ma voiture lorsque Marino arriva.

— Ça vous embête si je fourre ma bagnole ici ? demanda-t-il tout en sachant parfaitement que ce parking n'était pas destiné à la police.

Marino ne pouvait s'empêcher de transgresser les règles.

— Allez-y, répondis-je. L'une des camionnettes est en réparation. Enfin, il me semble. Et puis vous ne restez pas longtemps.

— Qu'est-ce que vous en savez ?

Il ferma sa portière et secoua sa cendre. Marino avait retrouvé sa grossièreté naturelle, et je trouvai cela incroyablement rassurant.

— Vous allez d'abord à votre bureau ? demanda-t-il en me suivant sur la rampe qui menait aux portes de la morgue.

— Non, je monte directement.

— Alors je vais vous dire ce qui vous attend probablement déjà sur votre bureau. On a une identification positive pour Claire Rawley. Grâce aux cheveux sur sa brosse.

Je n'en fus pas étonnée, mais la confirmation me remplit à nouveau de tristesse.

— Merci. Au moins, nous savons, maintenant.

## 19

LES LABORATOIRES CONSACRÉS à l'analyse des indices
se trouvaient au troisième étage, et je m'arrêtai tout
d'abord au microscope à balayage électronique, le MBE, qui
permettait de traiter un spécimen tel que le copeau de métal
de l'affaire Shephard sous un faisceau d'électrons. La composition élémentaire du spécimen émettait des électrons et
les images étaient diffusées sur un moniteur vidéo.

En bref, le MBE reconnaissait presque tous les cent trois
éléments, qu'il s'agisse de carbone, de cuivre ou de zinc,
et grâce à la haute résolution et au grossissement élevé de
l'appareil, on pouvait distinguer avec une netteté saisissante,
pour ne pas dire irréelle, des traces aussi minimes qu'un
résidu de poudre ou les poils d'une feuille de marijuana.

Le MBE Zeiss trônait dans une pièce sans fenêtre remplie
de placards et d'étagères, de comptoirs et d'éviers. Comme
cet appareil extrêmement coûteux était très sensible aux
vibrations mécaniques, aux champs magnétiques et aux
perturbations électriques et caloriques, son environnement
était très précisément contrôlé.

Les systèmes de ventilation et de climatisation étaient
indépendants du reste du bâtiment. L'éclairage inactinique,
fourni par des lampes à filament, ne causait pas d'interfé-
rences électriques et était dirigé vers le plafond pour éclairer
délicatement la pièce par réflexion. Les parois des murs
étaient faites de béton armé et blindé, totalement insensible
aux vibrations de la circulation du personnel et de l'autoroute voisine.

Mary Chan, microscopiste hors pair, menue et au teint
pâle, se trouvait au téléphone, entourée de ses appareillages
complexes. Avec ses tableaux de commande, ses unités

d'alimentation, son canon à électrons, sa colonne optique, son analyseur à rayons X et sa chambre sous vide reliée à un cylindre d'azote, le MBE avait l'air de la console d'une navette spatiale. Mary portait sa blouse boutonnée jusqu'au col, et elle me fit comprendre d'un geste amical qu'elle serait à moi dans un instant.

– Prends encore sa température et essaie du tapioca. Si elle vomit encore, rappelle-moi, d'accord ? disait-elle à quelqu'un. Il faut que je te laisse, maintenant. Ma fille, s'excusa-t-elle. Elle a mal au ventre, très probablement d'avoir mangé trop de glace hier soir. Elle est tombée sur le pot de Chunky Monkey pendant que j'avais le dos tourné.

Elle souriait bravement mais avait l'air fatiguée, et je me doutai qu'elle n'avait pas dû dormir de la nuit.

– Bon sang, j'adore ça, le Chunky Monkey, dit Marino en lui tendant notre paquet d'échantillon.

– Un autre copeau de métal, expliquai-je. Je suis désolée de vous sauter dessus comme cela, Mary, mais si vous pouviez y jeter un coup d'œil tout de suite, c'est urgent.

– Une autre affaire, ou bien la même ?

– L'incendie du comté de Lehigh, en Pennsylvanie, répondis-je.

– C'est vrai ? fit-elle d'un air étonné en coupant le Scotch avec un scalpel. Seigneur, celui-là avait l'air épouvantable, d'après ce que j'ai entendu aux nouvelles, en tout cas. Et puis ce type du FBI. Bizarre, bizarre.

Elle n'avait aucune raison d'être au courant de ma relation avec Benton.

– Entre ces affaires et celle de Warrenton, on ne peut pas s'empêcher de se demander si ce n'est pas le même cinglé pyromane en liberté, continua-t-elle.

– C'est ce que nous essayons de déterminer.

Mary décapsula la petite boîte à échantillon métallique et souleva la couche de coton avec une pince à épiler, révélant deux minuscules copeaux brillants. Elle recula son fauteuil à roulettes jusqu'à un comptoir derrière elle et entreprit de placer un ruban de carbone noir adhésif double face sur un minuscule morceau d'aluminium. Elle y déposa ensuite le copeau qui semblait présenter la plus grande surface. Il avait peut-être la moitié de la taille d'un cil ordinaire. Elle alluma le microscope, plaça l'échantillon sur le plateau et ajusta le rai de lumière pour jeter un coup d'œil à un grossissement moyen avant de recourir au MBE.

— Je distingue deux surfaces différentes, dit-elle en réglant la mise au point. Une très brillante, l'autre d'un gris assez terne.

— C'est différent de l'échantillon de Warrenton, dis-je. Les deux surfaces étaient brillantes, n'est-ce pas ?

— Exact. Je pense que c'est parce que l'une des surfaces a été exposée à l'oxydation atmosphérique. Pour une raison quelconque.

— Vous permettez ?

Elle s'écarta vivement et je jetai un coup d'œil dans l'objectif. À un grossissement de quatre, le copeau de métal ressemblait à un ruban d'aluminium froissé, et je distinguais tout juste les fines stries causées par l'instrument qui avait été utilisé pour produire ce copeau. Mary prit plusieurs polaroïds et roula de nouveau son fauteuil vers la console du MBE. Elle appuya sur le bouton qui servait à faire le vide ou à le casser.

— Ça va prendre quelques minutes. Vous pouvez attendre ici ou revenir dans un moment.

— Je vais me chercher un café, dit Marino, qui n'avait jamais été très porté sur les innovations technologiques et devait avoir envie de fumer.

Mary ouvrit un manomètre pour remplir la chambre d'azote afin d'éviter toute contamination telle que des moisissures. Ensuite, elle appuya sur un bouton de la console et déposa notre échantillon sur un portoir.

— Maintenant, il faut descendre à $10^{-6}$ millimètres de mercure. C'est le niveau de vide nécessaire pour lancer l'analyse. Généralement, ça prend deux ou trois minutes, mais je préfère laisser la pompe un peu plus longtemps pour faire vraiment le vide, expliqua-t-elle en prenant sa tasse de café. Je trouve les bulletins d'information très déconcertants, dit-elle alors. Ils sont pleins de sous-entendus.

— Ce n'est pas nouveau, dis-je d'un ton narquois.

— À qui le dites-vous ! Chaque fois que je lis les comptes rendus de mes dépositions au tribunal, je me demande toujours si ce n'était pas quelqu'un d'autre qui se trouvait à la barre. Je veux dire, d'abord ils collent tout sur le dos de Sparkes et, pour être franche, je n'étais pas loin de penser qu'il avait peut-être incendié sa maison et la fille. Probablement pour de l'argent et pour se débarrasser d'elle parce qu'elle savait quelque chose. Et puis voilà que tout d'un coup, il y a ces deux autres incendies en Pennsylvanie et deux autres personnes tuées, et qu'on suggère que tout est lié ? Et où était Sparkes pendant tout ça ? (Elle but une gorgée de café.) Excusez-moi, docteur Scarpetta, je ne vous ai même pas demandé si vous en vouliez.

– Non, merci.

Je regardai la lumière verte se déplacer sur la jauge tandis que le niveau de mercure montait lentement.

– Je trouve aussi bizarre que cette cinglée se soit évadée de cet asile à New York – comment elle s'appelle ? Carrie quelque chose ? – et qu'on retrouve mort le profileur du FBI chargé de l'enquête... Je crois que nous pouvons y aller, maintenant.

Elle alluma le faisceau d'électrons et le moniteur. Le grossissement était fixé à cinq cents. Elle le réduisit et nous commençâmes à distinguer l'image du courant du filament à l'écran. Il eut d'abord l'air d'une onde, puis commença à s'aplatir. Elle appuya sur quelques touches pour réduire encore le grossissement, cette fois à vingt, et l'image des signaux émis par l'échantillon apparut.

– Je vais modifier la taille du faisceau pour avoir un peu plus d'énergie, dit-elle en réglant des potentiomètres. Voilà notre copeau de métal, presque comme un ruban enroulé, annonça-t-elle.

La topographie était simplement une vue agrandie de ce que nous avions eu sous le microscope optique un instant plus tôt et, comme l'image n'était pas très lumineuse, il y avait des chances pour qu'il s'agisse d'un élément au nombre atomique assez bas. Elle régla la vitesse de balayage de l'image directe et réduisit un peu le signal de bruit de fond, qui parasitait l'écran comme de la neige.

– Là, on voit très bien la face brillante et la face terne.

– Et vous pensez que c'est dû à une oxydation, dis-je en approchant un siège.

– Eh bien, nous avons deux surfaces d'un même matériau. Je dirais que la face brillante est celle qui a été raclée récemment, tandis que l'autre était exposée.

– Ça me paraît logique.

Le morceau de métal entortillé ressemblait à un obus suspendu dans les airs.

— Nous avons eu une affaire, l'an dernier, reprit Mary en appuyant sur un bouton pour prendre une photo à mon intention, avec un type au crâne fracassé par un tuyau provenant d'un atelier d'usinage. Le tissu du cuir chevelu contenait un morceau de métal provenant d'un tour. Il était entré dans la blessure. Bien, changeons l'arrière-plan de dispersion et voyons le genre de rayons X qu'on peut obtenir avec ça.

L'écran vidéo vira au gris et fut remplacé par le décompte des secondes. Mary pressa d'autres boutons sur le tableau de commandes et un spectre orange vif apparut brusquement sur l'écran, sur un fond bleu vif. Elle déplaça un curseur, et nous obtînmes quelque chose qui ressemblait à une stalagmite psychédélique.

— Voyons s'il y a d'autres métaux, dit-elle en effectuant d'autres réglages. Non. C'est très net. Je crois qu'on a le même suspect. On va charger le magnésium et voir si les spectres correspondent.

Elle superposa le spectre du magnésium et celui de notre échantillon : ils étaient identiques. Elle appela la table périodique des éléments à l'écran : la case du magnésium était colorée en rouge. Nous venions d'obtenir la confirmation et, bien que je m'y sois attendue, j'en demeurai quand même ébahie.

— À votre avis, comment du magnésium pur peut-il se retrouver dans une blessure ? demandai-je à Mary au moment où Marino revenait.

— Eh bien, je vous ai raconté l'histoire du tuyau.

— Quel tuyau ? demanda Marino.

— La seule chose qui me vienne à l'esprit, c'est un atelier d'usinage, continua-t-elle. Sauf qu'usiner du magnésium, c'est relativement peu courant. Je veux dire, je ne vois vraiment pas à quoi ça pourrait servir.

— Merci, Mary. Nous avons encore une étape à franchir, mais je vais avoir besoin de l'échantillon de Warrenton pour pouvoir le confier au labo des armes.

Elle jeta un coup d'œil à sa montre au moment où le téléphone sonnait de nouveau, et je ne pus qu'imaginer la quantité de travail qui l'attendait.

— Tout de suite, m'accorda-t-elle avec générosité.

Les labos d'examen des projectiles et armes à feu se trouvaient au même étage et faisaient en réalité partie du même département, étant donné que les rayures, les éraflures et les marques de percuteur laissées sur les cartouches et les balles permettaient d'identifier les armes. L'espace dont ils disposaient dans les nouveaux locaux était un véritable stade en comparaison de l'ancien, ce qui en disait tristement long sur la continuelle dégradation de la société par-delà nos murs.

Il n'était pas rare que des écoliers dissimulent des armes dans leurs casiers, les exhibent dans les toilettes et les emportent dans les bus scolaires, et il était très courant d'avoir affaire à des criminels âgés de onze ou douze ans. Les armes à feu demeuraient le choix qui s'imposait pour se suicider ou tuer son conjoint, voire le voisin dont le chien aboyait constamment. Plus effrayant encore, il y avait les fous et les forcenés qui faisaient irruption dans les lieux publics et se mettaient à tirer dans la foule, ce qui expliquait pourquoi mon bureau et l'entrée des locaux étaient protégés par des vitres blindées.

Le domaine de Rich Sinclair, moquetté et bien éclairé, donnait sur le Colisée, qui m'avait toujours évoqué un champignon en métal prêt à prendre son envol. Pour l'heure, il utilisait des poids afin de tester la résistance de la détente d'un pistolet Taurus, et Marino et moi entrâmes donc au son du chien claquant sur le percuteur. Je n'étais pas d'humeur à bavarder et fis de mon mieux pour ne pas paraître impolie lorsque je demandai de but en blanc à Sinclair ce dont j'avais besoin, et sur-le-champ.

– Voici le copeau de métal de Warrenton, dis-je en ouvrant la capsule à indice. Et voici celui que l'on a retrouvé sur le corps dans l'incendie de Lehigh, dis-je en ouvrant l'autre. Tous les deux portent des stries nettement visibles au MBE.

Toute la question était de voir si les stries, ou marques, correspondaient, indiquant par là que le même instrument avait été utilisé pour produire les copeaux de magnésium que nous avions recueillis. Comme les rubans de métal étaient très fins et très fragiles, Sinclair se servit d'une étroite spatule en plastique pour les prendre. Ils n'étaient pas très coopératifs et avaient tendance à sauter, comme s'ils essayaient de lui échapper chaque fois qu'il tentait de les extraire de leur lit de coton. Il les plaça au centre de deux carrés de carton noir, qu'il déposa sur le plateau du microscope de comparaison.

– Oh, oui, dit-il immédiatement, c'est bon, ça.

Il les manipula du bout de sa spatule pour les aplatir un peu tout en passant le grossissement à quarante.

– C'est peut-être une lame d'un type indéfini, dit-il. Les stries proviennent probablement de la finition. C'est un défaut, parce que aucune finition ne peut être parfaitement lisse. Le fabricant est peut-être content du résultat, mais il ne voit pas ce qu'on voit, nous. Tenez, voilà une zone plus visible, je pense.

Il se poussa pour nous laisser regarder. Marino se pencha sur l'appareil.

– On dirait des traces de ski dans la neige. Et ça vient de la lame, alors ? Ou d'autre chose ?

– Oui, ce sont des imperfections, des marques d'usinage produites par ce qui a rayé ce métal. Vous voyez la correspondance, quand on aligne les deux copeaux ? (Marino ne voyait pas.) Tenez, regardez, vous, Doc, dit Sinclair en s'écartant.

Ce que je distinguai au microscope suffisait à un tribunal : les stries de l'échantillon de Warrenton correspondaient à celles de l'autre échantillon. Il était évident que le même instrument avait éraflé quelque chose composé de magnésium dans les deux meurtres. Toute la question était de savoir de quel instrument il s'agissait, et comme les copeaux étaient très minces, on pouvait envisager une lame pointue. Sinclair prit plusieurs polaroïds pour moi et les glissa dans des enveloppes de glyassine.

– Bon, d'accord, et on fait quoi, maintenant ? demanda Marino en me suivant jusqu'au centre du laboratoire consacré aux armes, où nous croisâmes des chercheurs occupés à examiner du tissu taché de sang sous des cagoules de protection, tandis que d'autres s'occupaient d'un tournevis et d'une machette autour d'un grand comptoir en forme de U.

– Maintenant, je vais faire des courses, décrétai-je.

Je n'avais pas ralenti le pas pour répondre, au contraire, j'étais de plus en plus pressée, car je savais que j'étais sur le point de reconstituer ce que Carrie – ou son complice – avait fait.

– Comment ça, *des courses* ?

De l'autre côté du mur, nous percevions l'écho des détonations étouffées des essais de tirs.

– Et si vous alliez vous occuper de Lucy ? suggérai-je. Je vous retrouverai plus tard tous les deux.

– J'aime pas ça, quand vous me faites le coup du *plus tard*, grommela Marino alors que les portes de l'ascenseur s'écartaient. Ça veut dire que vous allez vous trimballer partout et fourrer votre museau là où vous devriez pas. Et c'est pas le moment pour vous de vous balader toute seule dans les rues. On a pas la moindre idée de l'endroit où se trouve Carrie.

– Pas la moindre, c'est vrai, mais j'espère justement que ça va changer.

Nous sortîmes au premier étage, je me dirigeai d'un pas décidé vers la porte du parking et montai dans ma voiture. Marino avait l'air tellement dépité que je crus qu'il allait piquer sa crise.

– Vous voulez bien me dire où vous foutez le camp ? beugla-t-il.

– Dans un magasin d'articles de sport, répondis-je en démarrant. Le plus grand que je pourrai trouver.

Il s'agissait d'un Jumbo Sports au sud de la James River, très près du quartier qu'habitait Marino, seule raison d'ailleurs pour laquelle je connaissais ce magasin, étant entendu que flâner dans les rayons à la recherche de ballons de basket, de frisbees, d'haltères ou de clubs de golf m'effleurait rarement l'esprit.

Je pris le Powhite Expressway, et deux péages plus loin, je sortais sur le Midlothian Turnpike. Le magasin était un grand bâtiment de brique rouge dont les murs extérieurs étaient ornés de silhouettes d'athlètes peintes en rouge et encadrées de blanc. Le parking était curieusement plein pour cette heure, et je me demandai combien de sportifs pouvaient passer leur pause-déjeuner dans un endroit pareil.

Je n'avais pas la moindre idée de la répartition des articles, et il me fallut examiner pendant un bon moment les panneaux au-dessus des kilomètres de rayons. Il y avait des gants de boxe en solde et des appareils capables de procéder à des supplices que je ne soupçonnais pas. Des enfilades interminables de tenues pour tous les sports imaginables, dans des couleurs tellement criardes que je me demandai ce qu'on avait fait du blanc, couleur civilisée des vêtements que je portais toujours chaque fois que j'avais l'occasion, très appréciée, de jouer au tennis. Je déduisis que les couteaux devaient se trouver avec le matériel de camping et de chasse, un rayon très vaste situé dans le fond du magasin. Il offrait des arcs, des flèches, des cibles, des tentes, des canoës, des accessoires de cuisine, des tenues de camouflage et, à cette heure, j'étais la seule femme qui semblait s'y intéresser. Je traînai patiemment devant la vitrine des couteaux sans que personne n'ait d'abord l'air de se soucier de me servir.

Un type bronzé voulait offrir à son fils une carabine à air comprimé pour son dixième anniversaire, tandis qu'un vieil homme en costume blanc demandait des renseignements sur les trousses de secours prévues pour les morsures de serpent et les répulsifs contre les moustiques.

— Excusez-moi, dis-je finalement lorsque ma patience fut à bout.

L'employé, qui avait l'air d'un étudiant, sembla ne pas m'entendre.

— Vous devriez d'abord demander conseil à votre médecin avant d'utiliser les kits pour morsures de serpent, disait-il au vieil homme en blanc.

— Et comment je suis censé faire ça quand je viens de me faire mordre par un trigonochépale au beau milieu de la forêt?

— Je voulais dire, demandez-lui conseil avant de vous aventurer dans les bois, monsieur.

Ce manque de logique me fit perdre totalement patience.

— Les trousses de secours pour les morsures de serpents sont non seulement inutiles, mais aussi dangereuses, inter-vins-je. Garrotter, faire une incision locale et aspirer le venin ne peuvent que faire empirer les choses. Si vous vous faites mordre, dis-je en m'adressant à l'homme en blanc, il faut immobiliser la partie touchée, éviter des premiers secours dangereux et vous rendre dans un hôpital.

Les deux hommes restèrent ébahis.

— Alors ça ne sert à rien d'emporter quoi que ce soit? demanda le client. Ça ne sert à rien d'acheter quoi que ce soit, c'est ce que vous voulez dire?

— Non, rien en dehors d'une bonne paire de bottes et d'une

canne pour tâter le terrain. Évitez les herbes hautes et ne fourrez pas vos mains dans des trous. Étant donné que le venin est transporté dans le corps par le système lymphatique, des bandes de compression comme les bandes Ace sont très bien, ainsi qu'une attelle pour garder le membre totalement immobilisé.

— Vous êtes une espèce de docteur ? demanda le vendeur.

— J'ai déjà eu affaire à des morsures de serpents.

Je me gardai bien d'ajouter qu'en l'occurrence, les victimes n'avaient pas survécu.

— Je me demandais si vous aviez le nécessaire pour affûter des couteaux, lui demandai-je.

— Des affûteurs de cuisine ou pour le camping ?

— Voyons d'abord le camping.

Il me désigna un mur où étaient accrochées diverses pierres à affûter et d'autres matériels du même genre. Certains étaient en métal, d'autres en céramique. Toutes les marques étaient assez discrètes pour ne pas révéler la composition de leurs articles. Je les passai à nouveau en revue, lorsque mon regard s'arrêta sur un petit paquet dans le rang du bas. L'étiquette indiquait *pierre à feu*, et précisait qu'elle était à base de magnésium. Je sentis monter mon excitation en lisant le mode d'emploi. Pour démarrer un feu, il suffisait de racler la surface du magnésium et de bâtir un petit tas de copeaux de la taille d'une pièce de vingt-cinq cents. Les allumettes n'étaient pas nécessaires, car la pierre à feu comprenait un déclencheur d'étincelles.

Je repartis en courant avec une demi-douzaine de pierres à la main et, dans ma hâte, je me perdis dans les rayons. Je me retrouvai dans les balles et les chaussures de bowling, puis les gants de base-ball, et je finis dans le rayon natation, où un étalage de bonnets de bain aux couleurs fluorescentes me fascina immédiatement. L'un d'eux était rose fuchsia. Je songeai au résidu que j'avais retrouvé dans les cheveux de Claire Rawley. Dès le début, j'avais pensé qu'elle portait quelque chose sur la tête quand elle avait été assassinée, ou du moins lorsque le feu l'avait atteinte.

Nous avions songé à un bonnet de douche, mais abandonné rapidement l'hypothèse, car le plastique, trop fin, n'aurait pas tenu cinq secondes dans la chaleur. Ce à quoi je n'avais pas pensé, c'était à un bonnet de natation et, en

281

inspectant rapidement le rayon, je découvris qu'ils étaient tous faits de latex, de Lycra ou de silicone.

Le bonnet rose était en silicone, matériau dont je savais qu'il supportait nettement mieux que les autres des températures élevées. J'en achetai plusieurs, puis rentrai à mon bureau en ayant de la chance de ne pas me faire arrêter, étant donné la façon dont je doublais tout le monde en changeant de voie. Des images m'obsédaient, mais leur vision était trop horrible. Pour une fois, je priai pour que mon hypothèse soit fausse et, si je fonçais pour rentrer au labo, c'était parce que je tenais à m'en assurer.

— Mon Dieu, Benton, murmurai-je comme s'il se trouvait auprès de moi. Je t'en prie, fasse le Ciel que ce ne soit pas ça.

## 20

IL ÉTAIT 13 H 30 lorsque je me garai à nouveau dans le parking et descendis de voiture. Je gagnai rapidement l'ascenseur et montai au troisième. Je cherchais Jerri Garmon, qui avait examiné le résidu rose au début de l'affaire et m'avait signalé qu'il s'agissait de silicone.

Après avoir passé la tête dans plusieurs bureaux, je la dénichai dans la pièce qui abritait les derniers appareils en date utilisés pour analyser les substances organiques, depuis l'héroïne jusqu'aux liants pour peintures. Une seringue à la main, elle était en train d'injecter un échantillon dans la chambre d'injection du chromatographe à phase gazeuse et ne remarqua pas ma présence.

— Jerri, dis-je, hors d'haleine, je suis navrée de vous déranger, mais j'ai apporté quelque chose qui devrait vous intéresser.

Je lui tendis le bonnet de natation rose. Elle le considéra sans réagir.

— Du silicone, précisai-je.

Son regard s'éclaira.

— Wow ! Un bonnet de natation ? Bravo. Qui y aurait pensé ? dit-elle. Ça montre bien qu'il y a trop de choses à garder en tête, de nos jours.

— On peut le brûler ?

— Mon truc va prendre du temps, de toute façon. Venez, vous avez piqué ma curiosité.

Le véritable laboratoire d'examen des indices, où les échantillons étaient traités avant de passer par des instruments compliqués comme le MBE et le spectrophotomètre de masse, résidait dans un vaste local qui n'était déjà plus assez grand. Des quantités de pots en aluminium étanche utilisés pour recueillir les débris d'incendies et les résidus inflammables s'empilaient en pyramides sur des étagères, ainsi que d'énormes bocaux de Driérite bleue granulée, des boîtes de pétri, des bechers, des capillaires à charbon, ainsi que les habituels sacs en kraft renfermant les échantillons. Le test auquel je souhaitais procéder était simple et rapide.

Le four à moufle qui se trouvait dans un coin ressemblait assez à un petit crématoire en céramique beige, de la taille d'un mini-bar d'hôtel, pour être exact, et pouvait chauffer jusqu'à mille trois cent soixante-dix degrés. Elle l'alluma et très rapidement, la jauge indiqua que la température montait. Jerri déposa le bonnet dans un récipient en porcelaine blanche assez semblable à un bol, puis sortit d'un tiroir une paire d'épais gants en amiante qui la protégeaient jusqu'au coude. Elle attendit, prête à intervenir, une paire de pinces à la main, pendant que la température atteignait trente-sept degrés. À cent vingt, elle jeta un coup d'œil au bonnet, demeuré absolument intact.

— Je peux vous dire tout de suite qu'à cette température, le latex et le Lycra fumeraient comme jamais et commenceraient à fondre, m'informa Jerri. Mais ce truc ne ramollit même pas et la couleur est restée la même.

Le bonnet de silicone ne se mit à fumer qu'à deux cent soixante degrés. À trois cent quatre-vingt-dix-huit, la couleur vira au gris sur les bords. Il ramollit et commença à fondre. À presque cinq cent quarante, il s'enflamma, et Jerri dut prendre des gants plus épais.

— C'est incroyable, dit-elle.

— On comprend pourquoi le silicone est utilisé pour l'isolation, remarquai-je, également stupéfaite.

— Mieux vaut vous reculer.

— Ne vous inquiétez pas.

Je m'écartai de son chemin pendant qu'elle retirait le bol avec les pinces et le transportait dans ses mains gantées. L'exposition à l'air pur raviva les flammes et le temps qu'elle le pose sous une hotte chimique et mette l'aspiration en marche, la surface du bonnet flambait violemment, l'obligeant à recouvrir le bol d'un couvercle.

Les flammes finirent par s'étouffer, et elle ôta le couvercle pour voir ce qui restait. Mon cœur bondit dans ma poitrine quand je remarquai les fragiles cendres blanches et quelques résidus de silicone intact encore très roses. Le bonnet de bain n'avait pas fondu au point de devenir une pâte visqueuse ou un liquide. Il s'était simplement désintégré jusqu'au moment où une baisse de température, une absence d'oxygène ou peut-être même un jet d'eau avait arrêté le processus. Le résultat de notre expérience était parfaitement similaire à ce que j'avais retrouvé dans les longs cheveux blonds de Claire Rawley.

La vision de son corps dans la baignoire, un bonnet de bain rose sur la tête, était effroyable, et ce qu'elle impliquait dépassait presque mon entendement. Quand la salle de bains s'était embrasée, la porte de la douche s'était effondrée. Des pans de vitre et les parois de la baignoire avaient protégé le corps des flammes qui s'élançaient du départ de feu et gagnaient le plafond. La température dans la baignoire n'avait jamais dépassé cinq cent quarante degrés, et un minuscule morceau de silicone du bonnet était resté en guise d'indice, préservé pour la simple et affreuse raison que la porte de la douche était vieille et faite d'un seul tenant dans une épaisse et solide plaque de verre.

En rentrant à la maison, je fus retardée par la circulation de l'heure de pointe, et plus j'étais pressée, plus elle semblait devenir dense. Plusieurs fois, je faillis tendre la main vers le téléphone, voulant à tout prix appeler Benton pour lui dire ce que j'avais découvert. Puis je revis l'eau et les décombres au fond de l'épicerie réduite en cendres de Philadelphie. Je revis ce qui restait de la montre en acier que je lui avais offerte à Noël. Je revis ce qui restait de lui. J'imaginai le fil de fer qui lui avait entravé les chevilles, et les menottes fermées à clé. Désormais, je savais ce qui s'était passé et pourquoi. Benton avait été tué comme les autres mais, cette fois, c'était par vengeance, par dépit, pour satisfaire le désir diabolique de Carrie de faire de lui l'un de ses trophées.

Je m'engageai dans mon allée, et les larmes m'aveuglèrent. Je me mis à courir alors que des cris s'étouffaient dans ma poitrine, et je claquai la porte. Lucy apparut sur le seuil de la cuisine, vêtue d'un treillis et d'un T-shirt noirs, une bouteille de sauce salade à la main.

— Tante Kay ! s'exclama-t-elle en se précipitant sur moi. Mais qu'est-ce qu'il y a, tante Kay ? Où est Marino ? Mon Dieu, il va bien ?

— Il ne s'agit pas de Marino, m'étranglai-je.

Elle passa un bras autour de moi et m'accompagna jusqu'au canapé dans le grand salon.

— Benton, gémis-je. Comme les autres. Comme Claire Rawley. Un bonnet de bain sur la tête pour écarter les cheveux. La baignoire. Comme de la chirurgie.

— Quoi ? fit-elle, abasourdie.

— Ils voulaient le visage ! (Je bondis sur mes pieds.) Tu ne comprends pas ? hurlai-je. Les incisions au ras de l'os à la tempe et au maxillaire. C'est comme un scalp, mais en pire ! Il ne met pas le feu pour maquiller un meurtre ! Il brûle tout parce qu'il ne veut pas qu'on sache ce qu'il leur a fait ! Il leur vole leur beauté, tout ce qui est beau chez eux : il leur arrache le visage.

Lucy resta bouche bée, stupéfaite.

— C'est le nouveau truc de Carrie ?

— Oh, non ! dis-je. Pas complètement.

Je me mis à arpenter la pièce en me tordant les mains.

— C'est comme pour Gault, elle aime regarder. Peut-être qu'elle l'aide. Peut-être que ça a mal tourné avec Kellie Shephard, ou bien simplement que Kelly a résisté parce que Carrie était une femme. Il y a eu lutte, des coups de couteau, jusqu'au moment où le complice de Carrie est intervenu et a finalement tranché la gorge de Kellie, là où on a trouvé les copeaux de magnésium. Ils viennent de son couteau, pas de celui de Carrie. C'est lui qui met le feu, c'est lui le pyromane, pas Carrie. Et il n'a pas pris le visage de Kellie parce qu'il avait été taillé et abîmé durant la lutte.

— Tu ne penses pas qu'ils aient fait ça à, à..., commença Lucy, les poings fermés sur ses genoux.

— À Benton ? dis-je en haussant à nouveau la voix. Si je pense qu'ils lui ont pris son visage, à lui aussi.

Je donnai un coup de pied dans la boiserie et m'appuyai contre le mur. Je m'immobilisai, comme terrassée, le cerveau vide.

— Carrie savait qu'il était capable d'imaginer tout ce qu'elle pourrait lui faire, dis-je lentement à voix basse. Elle a dû savourer chaque minute, en le voyant assis là menotté, pendant qu'elle le narguait avec son couteau. Oui. Je crois qu'ils lui ont fait ça à lui aussi. En réalité, j'en suis sûre.

La fin me fut presque impossible à formuler.

— J'espère simplement qu'il était déjà mort.

— Il l'était forcément, tante Kay.

Lucy me rejoignit et passa ses bras autour de mon cou en pleurant, elle aussi.

— Ils n'auraient pas pris le risque qu'on l'entende hurler.


Dans l'heure qui suivit, je transmis les dernières informations en date à Teun McGovern. Elle convint qu'il était crucial pour nous de découvrir, dans la mesure du possible, l'identité du complice de Carrie et comment elle l'avait rencontré. McGovern était plus furieuse qu'elle ne le laissa paraître quand je lui expliquai ce que je soupçonnais et ce que je savais. Kirby était peut-être notre seul espoir, et d'après elle, étant donné ma fonction, j'étais la mieux placée pour que ma visite là-bas produise un résultat, car elle appartenait à la police alors que j'étais médecin.

La garde-frontières avait fait livrer un Bell JetRanger à HeloAir, près de l'aéroport international de Richmond, et Lucy voulait que nous partions sur-le-champ pour faire le voyage de nuit. Je lui avais dit que c'était hors de question, pour au moins une bonne raison, c'est qu'une fois à New York, nous ne saurions pas où descendre, et qu'il n'était en tout cas pas possible de dormir sur Ward's Island. J'avais besoin de pouvoir prévenir Kirby de notre venue le matin à la première heure. Ce ne serait pas une demande d'autorisation, mais une mise devant le fait accompli. Marino jugeait qu'il devait nous accompagner, mais je refusai fermement.

— Pas de flics, lui dis-je lorsqu'il passa chez moi peu avant 22 heures.

— Vous avez complètement perdu les pédales.

— Vous m'en voudriez si c'était le cas ?

Il baissa les yeux sur ses vieilles chaussures de sport usées qui n'avaient jamais eu l'occasion de servir à leur fonction originelle.

— Lucy est bien du NRT, remarqua-t-il.

— En ce qui me concerne, c'est mon pilote.

— Mm.

– Je dois procéder comme je veux, Marino.

– Mince, Doc, je sais pas quoi dire. Je sais même pas comment vous arrivez à faire tout ça.

Il était devenu tout rouge, et quand il leva de nouveau les yeux je vis qu'ils étaient injectés de sang et remplis de chagrin.

– Je veux y aller parce que je veux trouver ces salopards, dit-il. Ils lui ont tendu un piège. Vous le savez bien, non? Le Bureau a l'enregistrement d'un mec qui a appelé le mardi à 15 h 15. Il prétendait avoir un tuyau concernant l'affaire Shephard mais uniquement pour Benton Wesley. Ils lui ont fait le baratin habituel, comme quoi tout le monde disait toujours ça, mais le type avait vraiment un truc à dire. Il a déclaré, et je le cite : *Dites-lui que c'est au sujet d'une dingue que j'ai vue à l'hôpital du comté de Lehigh. Assise à une table derrière Kellie Shephard.*

– Bon sang ! m'exclamai-je en sentant la rage monter en moi.

– Donc, d'après ce qu'on sait, Benton a rappelé le numéro que cette ordure avait donné. Il se trouve que c'était la cabine téléphonique de l'épicerie qui a brûlé, continua-t-il. Ce que je crois, c'est que Benton est allé retrouver le mec – le dingue qui est complice de Carrie. Sans savoir à qui il avait affaire jusqu'au moment où... Boum !

Je sursautai.

– Ils braquent Benton avec un pistolet, ou peut-être un couteau sous la gorge. Ils lui passent les menottes et ils les verrouillent. Et pourquoi ils font ça? Parce qu'il est flic et qu'il sait ce que les pauvres gens savent pas. En général, les flics se contentent de passer les menottes en les cliquant pour retenir quelqu'un. Si le prisonnier se débat, les menottes se resserrent. Seulement s'il réussit à trouver une épingle à cheveux ou un truc du même genre pour les crocheter, il peut se libérer. Si elles sont verrouillées, pas possible. Impossible de s'en sortir sans la clé. C'est quelque chose que Benton a dû piger quand ça lui est arrivé. Un foutu mauvais signe qu'il avait affaire à un mec qui savait sacrément ce qu'il faisait.

– J'en ai assez entendu, dis-je à Marino. Rentrez chez vous. Je vous en prie.

J'avais un début de migraine. Je le sentais à chaque fois que toute ma nuque et mon crâne commençaient à m'élancer

288

et que j'avais des nausées. Je raccompagnai Marino à la porte. Je l'avais blessé. Il était accablé de chagrin et il ne pouvait rien faire, car il ne savait pas comment exprimer ses sentiments. Je n'étais même pas sûre qu'il sache vraiment ce qu'il éprouvait.

– Il n'est pas mort, vous savez, dit-il alors que j'ouvrais la porte. J'y crois pas. Je l'ai pas vu et j'y crois pas.

– On va renvoyer son corps dans très peu de temps, dis-je tandis que les cigales chantaient dans l'obscurité et que des papillons de nuit voletaient vers le halo de la lampe du perron. Benton est mort, déclarai-je avec une étonnante fermeté. Ce serait le trahir que refuser de l'admettre.

– Il va rappliquer un de ces jours, dit Marino d'une voix suraiguë. Attendez un peu. Je le connais, ce salaud. Il se laisserait pas avoir comme ça.

Mais Benton s'était laissé avoir comme ça. C'était souvent le cas : Gianni Versace qui rentrait chez lui après avoir acheté des magazines et pris un café, ou Lady Di qui avait oublié de mettre sa ceinture. Je refermai la porte une fois que Marino fut parti. Je branchai l'alarme, geste désormais devenu un réflexe qui me valait parfois des ennuis quand j'oubliais que je l'avais mise en marche et que j'ouvrais une porte-fenêtre. Lucy était étendue sur le canapé et regardait la télévision dans le salon, lumière éteinte. Je m'assis à côté d'elle et posai ma main sur son épaule.

Nous restâmes sans rien dire pendant que passait un documentaire sur les gangsters des débuts de Las Vegas. Je lui caressai les cheveux et la trouvai bien fiévreuse. Je me demandai ce qu'elle pouvait bien avoir en tête. Et cela m'inquiétait beaucoup. Les pensées de Lucy étaient différentes. Elles lui étaient propres, impossibles à interpréter grâce à quelque pierre de Rosette de la psychothérapie ou par simple intuition. Mais cela, je l'avais appris à ses côtés depuis sa naissance. C'est ce qu'elle taisait qui était le plus significatif – et Lucy ne parlait plus de Janet.

– Allons nous coucher pour pouvoir nous lever de bonne heure, madame la pilote, suggérai-je.

– Je crois que je vais tout bêtement dormir là, dit-elle en baissant le volume avec la télécommande.

– Tout habillée ?

Elle haussa les épaules.

– Si nous arrivons à HeloAir vers 9 heures, j'appellerai Kirby de là-bas.

– Et s'ils ne veulent pas que tu viennes ? demanda-t-elle.

– Je leur dirai que je suis déjà en route. New York est républicain en ce moment. Si nécessaire, je ferai appel à mon ami le sénateur Lord, il lancera le délégué à la Santé et le maire sur le sentier de la guerre. Je ne crois pas que Kirby apprécie. Ils trouveront plus simple de nous laisser atterrir, tu ne crois pas ?

– Ils n'ont pas de missiles sol-air, là-bas, non ?

– Si, et ça s'appelle des patients.

Ce fut notre premier rire depuis des jours.

Je serais bien incapable d'expliquer comment je parvins à dormir aussi bien, mais lorsque mon réveil sonna à 6 heures, je me retournai. Je m'aperçus que je ne m'étais pas réveillée une seule fois depuis minuit, ce qui indiquait un mieux, une renaissance dont j'avais si désespérément besoin. La dépression était un voile au travers duquel je commençais à voir, et l'espoir revenait en moi. Je faisais ce que Benton aurait voulu que je fasse, pas pour venger sa mort, cela dit, car il ne l'aurait jamais souhaité.

Son vœu aurait été que j'empêche qu'il arrive quoi que ce soit à Marino, Lucy ou moi-même. Il aurait voulu que je protège d'autres vies qui m'étaient inconnues, d'autres personnes inconscientes qui travaillaient dans des hôpitaux ou comme mannequins et qui avaient été condamnées à une mort affreuse dès l'instant où un monstre les avait remarquées, de ses yeux cruels dévorés de jalousie.

Lucy alla courir alors que le soleil se levait et, bien que cela me mît sur les nerfs de la savoir dehors toute seule, je savais qu'elle avait emporté un pistolet dans sa banane, et que nous ne pouvions ni l'une ni l'autre cesser de vivre à cause de Carrie. Celle-ci semblait faire preuve d'un tel avantage sur nous. Si nous continuions comme d'habitude, nous risquions notre vie. Si nous nous terrions de peur, nous mourrions quand même, mais, en fait, d'une manière bien pire.

– Je suppose que tout était calme, dehors ? demandai-je à Lucy quand elle rentra et me rejoignit dans la cuisine.

Je posai le café sur la table. La sueur coulait sur son visage et ses épaules, et je lui jetai un torchon. Elle ôta ses chaussures et ses chaussettes, et je fus frappée par le souvenir de Benton assis au même endroit et faisant la même chose. Il s'attardait toujours un peu dans la cuisine après son jogging. Il aimait se relaxer, me rendre visite avant de prendre sa douche et d'enfiler son costume.

— Des gens qui promenaient leurs chiens sur Windsor Farms, dit-elle. Personne en vue dans le quartier. J'ai demandé au type à la grille s'il y avait quoi que ce soit, du genre des taxis ou des livreurs de pizza pour toi, des coups de fil étranges ou des visiteurs inattendus. Il a dit que non.

— Ravie de l'apprendre.

— Ça, c'est de la roupie de sansonnet. Je ne crois pas que ce soit elle qui ait fait ça.

— Qui, alors ? demandai-je, surprise.

— Ça m'ennuie de te le dire, mais il y a des tas de gens qui ne sont pas trop copains avec toi.

— Une vaste proportion de la population carcérale.

— Et d'autres qui ne sont pas en prison, du moins pas encore. Comme le scientologue dont tu as autopsié le gosse. Tu n'as pas envisagé qu'ils aient envie de te harceler ? D'envoyer des taxis, une benne, ou d'appeler la morgue et de raccrocher au nez du pauvre Chuck ? C'est un vrai cadeau, non, un assistant qui a trop la trouille et qui ne veut plus rester seul dans les locaux ? Ou pire, qui démissionne. De la roupie de sansonnet, répéta-t-elle. Mesquin, méprisable. Le produit d'un esprit petit et ignorant.

Je n'avais pas du tout pensé à cela.

— Il reçoit toujours ces coups de fil ? demanda-t-elle.

Elle me lorgna par-dessus sa tasse. Par la fenêtre au-dessus de l'évier, le soleil était une mandarine sur un horizon bleu clair.

— Je vais lui poser la question.

J'appelai le bureau, et Chuck décrocha immédiatement.

— La morgue ? dit-il d'un ton mal assuré.

Il n'était pas tout à fait 7 heures, et il devait être seul.

— C'est le docteur Scarpetta.

— Oh, dit-il, soulagé. Bonjour.

— Chuck, ces coups de fil anonymes, vous en recevez toujours ?

— Oui, madame.

– On ne dit rien ? Vous n'entendez même pas de respiration ?

– Parfois, il me semble qu'il y a un bruit de circulation dans le fond, comme quelqu'un qui téléphonerait depuis une cabine.

– J'ai une idée.

– D'accord.

– La prochaine fois que cela se produit, je veux que vous répondiez : « Bonjour, monsieur et madame Quinn. »

– Quoi ? demanda Chuck, abasourdi.

– Contentez-vous de faire ce que je vous dis, répondis-je. J'ai dans l'idée que ça y mettra bon terme.

Lucy riait quand je raccrochai.

– Bien vu, dit-elle.

## 21

APRÈS LE PETIT DÉJEUNER, je traînai dans ma chambre et dans mon bureau en réfléchissant à ce que nous devions emporter. Ma valise en aluminium faisait partie du lot : cela devenait une habitude de la trimbaler partout, ces derniers temps. Je pris également un pantalon et une chemise de rechange, mes affaires de toilette pour la nuit et mon Colt 38. Bien qu'ayant l'habitude de porter une arme, je n'avais auparavant jamais ne serait-ce que songé à en prendre une à New York, où cela pouvait vous valoir la prison sans plus de formalités. Quand Lucy et moi fûmes montées en voiture, je lui confiai ce que j'avais fait.

– Ça s'appelle adapter son éthique à la situation, déclara-t-elle. Je préfère être arrêtée que morte.

– C'est aussi comme cela que j'ai vu les choses, dis-je, moi qui avais été naguère une citoyenne respectueuse des lois.

HeloAir était un service d'affrètement d'hélicoptères situé à l'ouest de l'aéroport de Richmond, où certaines des cinq cents plus grosses entreprises du monde possédaient leurs propres terminaux privés pour des King Airs, des Lear Jets et des Sikorskys. Le Bell JetRanger était dans le hangar, et pendant que Lucy s'en occupait, je trouvai à l'intérieur un pilote qui fut assez aimable pour me laisser utiliser le téléphone de son bureau. Je fouillai dans mon portefeuille pour prendre ma carte AT & T, puis composai le numéro des bureaux du Centre psychiatrique pénitentiaire de Kirby.

Lorsqu'on me la passa en ligne, la directrice, une psychiatre nommée Lydia Ensor, se montra très désagréable. Je tentai de lui expliquer en détail qui j'étais, mais elle me coupa.

— Je sais précisément qui vous êtes, dit-elle avec un accent du Midwest. Je suis parfaitement au courant de la situation et je me montrerai aussi coopérative que possible. En revanche, je ne comprends pas très bien l'objet de votre intérêt, docteur Scarpetta. Vous êtes bien médecin expert général de Virginie, n'est-ce pas ?

— C'est cela. Et également consultante en médecine légale pour l'ATF et le FBI.

— Et, bien entendu, eux aussi m'ont contactée, dit-elle, sincèrement intriguée. Donc, vous désirez des renseignements liés à l'une de vos affaires ? À un décès ?

— Docteur Ensor, j'essaie pour l'instant de relier entre elles un certain nombre d'affaires. J'ai des raisons de soupçonner que Carrie Grethen est peut-être impliquée dans toutes, soit directement, soit indirectement, et cela même lorsqu'elle était internée à Kirby.

— Impossible.

— Il est évident que vous ne connaissez pas cette femme, dis-je avec fermeté. Moi, en revanche, j'ai travaillé sur ses victimes la moitié de ma carrière, du moment où elle et Temple Gault se sont lancés dans une randonnée meurtrière qui a débuté en Virginie pour s'achever à New York, où Gault a été tué. Et maintenant, il y a ceci. Cinq nouveaux meurtres, et peut-être plus.

— Je ne connais que trop bien l'histoire de Miss Grethen, répondit le docteur Ensor d'un ton défensif, bien que sans agressivité. Je peux vous assurer que notre établissement a veillé sur elle avec la sécurité maximale que nous appliquons toujours à ces patients...

Je l'interrompis :

— Il n'y a pratiquement rien d'utilisable dans ses examens psychiatriques.

— Comment pouvez-vous être au courant de son dossier médical... ?

— Parce que je fais partie de l'équipe nationale mise en place par l'ATF pour enquêter sur ces meurtres liés à des incendies, dis-je en pesant mes mots. Et je travaille pour le FBI, comme je viens de vous le dire. Toutes les affaires dont nous parlons sont sous ma juridiction parce que je suis consultante au niveau fédéral. Mais mon devoir n'est pas d'arrêter quiconque ou de souiller la réputation d'une institution comme la vôtre. Mon travail consiste à rendre la justice aux morts et à offrir toute la paix possible à ceux qui restent. Pour cela, je dois répondre à des questions. Et, ce qui est plus important, je dois tout faire pour empêcher que quelqu'un d'autre ne meure. Carrie va à nouveau tuer. Si elle ne l'a pas déjà fait.

La directrice demeura un moment sans rien dire. Je regardai par la fenêtre et vis l'hélicoptère bleu foncé qu'on remorquait sur le tarmac.

– Docteur Scarpetta, que voulez-vous que nous fassions? demanda finalement le docteur Ensor d'une voix tendue.

– Avait-on attribué à Carrie une assistante sociale? Un conseiller juridique? Y avait-il quelqu'un à qui elle parlait vraiment?

– Bien évidemment, elle a passé un bon moment avec un psychologue, mais il ne fait pas partie de notre personnel. Il est surtout là pour procéder à des examens et faire ses recommandations au tribunal.

– Dans ce cas, elle l'a probablement manipulé, dis-je en voyant Lucy grimper sur les patins de l'hélicoptère et commencer son inspection avant le vol. Qui d'autre? Y a-t-il eu quelqu'un dont elle était proche?

– Son avocat, alors. Oui, son conseil. Si vous voulez lui parler, je peux arranger cela.

– Je vais quitter l'aéroport, dis-je. Nous devrions atterrir dans trois heures environ. Vous avez un terrain d'atterrissage pour hélicoptère?

– Je ne me souviens pas que quiconque ait jamais atterri ici. Il y a plusieurs parcs dans les environs. Je peux venir vous chercher.

– Je ne pense pas que ce sera nécessaire. Je crois que nous atterrirons tout près.

– Dans ce cas, je vous attends, et je vous emmènerai chez son conseil, ou quiconque vous souhaiterez voir.

– Je souhaiterais visiter le pavillon de Carrie Grethen et les endroits où elle passait ses journées.

– Tout ce que vous voudrez.

– Vous êtes très aimable.

Avec des gestes rapides et assurés, Lucy ouvrait les trappes d'accès pour vérifier les niveaux des liquides, le câblage et tout ce qui pouvait être nécessaire avant de prendre notre envol. Agile et sûre d'elle, elle monta sur le fuselage pour inspecter le rotor principal, et je me demandai combien d'accidents d'hélicoptère se produisaient au sol. Ce ne fut que lorsque je me fus assise sur le siège du copilote que je remarquai le fusil d'assaut AR-15 fixé derrière elle et, en même temps, je me rendis compte que les commandes de mon côté n'avaient pas été désactivées. Les passagers n'avaient pas le droit d'accéder aux commandes de vol, et le pédalier anticouple devait être repoussé suffisamment loin pour qu'un profane ne puisse le manœuvrer par inadvertance.

— Comment ça se fait ? demandai-je à Lucy en bouclant mon harnais quatre points.

— Le vol va être long.

Elle actionna plusieurs fois la manette des gaz pour s'assurer qu'elle coulissait bien.

— J'en suis consciente.

— Une traversée du pays, ce sera une bonne occasion de te faire la main.

Elle souleva le pas collectif et fit de grands X avec le manche.

— De me faire la main sur quoi ? demandai-je, de plus en plus inquiète.

— Un peu de pilotage, quand la seule chose à faire est de maintenir l'altitude, la vitesse et l'assiette.

— Pas question.

Elle appuya sur le démarreur et le moteur se mit à ronfler.

— Oh que si !

Les pales commencèrent à tourner et le rugissement enfla.

— Si tu dois voler avec moi, dit ma nièce, pilote et instructeur diplômée, en haussant la voix pour couvrir le bruit, je tiens à savoir que tu peux me donner un coup de main en cas de pépin, OK ?

Je ne répondis rien. Elle mit les gaz et augmenta le nombre de rotations par minute. Elle appuya sur quelques interrupteurs, vérifia les feux de position, puis elle brancha la radio et nous mîmes nos casques. Nous prîmes notre essor au-dessus de la plate-forme comme si la gravité avait disparu. Lucy vira dans le vent, et nous nous élançâmes en prenant de la vitesse. L'hélicoptère semblait s'élever tout seul au-dessus des arbres alors que le soleil était déjà haut à l'est.

Quand nous eûmes quitté la ville et que nous fûmes hors de portée de la tour de contrôle, elle entama la leçon numéro un.

Je savais déjà identifier la plupart des commandes, et connaissais le rôle de chacune d'entre elles, mais j'avais une connaissance extrêmement limitée de leur emploi combiné. Par exemple, j'ignorais que lorsqu'on lève le pas collectif et que l'on augmente la puissance, l'hélicoptère fait une embardée sur la droite, ce qui signifie qu'il faut enfoncer la pédale gauche anticouple pour contrebalancer le couple du rotor principal et garder l'assiette. J'appris aussi que plus votre altitude augmente, lorsque vous tirez sur le pas collectif, plus votre vitesse diminue, ce qui implique que vous devez pousser le pas cyclique. Et ainsi de suite. C'était comme de jouer de la batterie, pour autant que je sache, sauf que dans le cas présent, il fallait veiller à éviter les oiseaux myopes, les tours, les antennes et les autres aéronefs.

Lucy se montra très patiente, et le temps passa rapidement, alors que nous progressions à cent dix nœuds. Lorsque nous atteignîmes le nord de Washington, j'étais déjà capable de maintenir l'appareil relativement stable tout en réglant en même temps le gyro directionnel, de façon que ses indications restent cohérentes par rapport à la boussole. Notre cap était à cinquante degrés et, malgré mon incapacité à maîtriser un seul élément de plus, le système de guidage par satellite, par exemple, Lucy déclara que je me débrouillais plutôt bien.

– Nous avons un petit avion à trois heures, annonça-t-elle au micro. Tu le vois ?

– Oui.

– Alors tu réponds « Tally-ho ». Et il est au-dessus de l'horizon. Tu t'en rends compte, n'est-ce pas ?

– Tally-ho.

– Non, dit Lucy en riant. *Tally-ho* ne veut pas dire 10-4, affirmatif. Et si quelque chose est au-dessus de l'horizon, ça signifie qu'il est aussi au-dessus de nous. C'est important, parce que si deux appareils sont ensemble sur l'horizon et que celui qu'on voit n'a pas l'air de bouger, cela signifie qu'il vole à notre altitude et que soit il se dirige vers nous, soit il s'éloigne de nous. Alors, il est plus futé de faire attention pour déterminer exactement ce qu'il fait, hein ?

Elle poursuivit ses leçons jusqu'à ce que New York se

découpe sur le ciel, et je n'eus plus à m'occuper des commandes. Lucy nous fit passer à basse altitude au-dessus de la Statue de la Liberté et d'Ellis Island, où mes ancêtres italiens avaient débarqué pour bâtir, à partir de rien, une nouvelle existence dans le pays où tout était possible. La ville nous entoura peu à peu, et les bâtiments du quartier d'affaires me parurent énormes alors que nous les survolions à cent cinquante mètres et que l'ombre de l'hélicoptère glissait sur l'eau au-dessous de nous. C'était une journée chaude et claire, et des hélicoptères faisaient visiter la ville aux touristes tandis que d'autres transportaient des hommes d'affaires qui avaient tout, sauf du temps à perdre.

Lucy s'affairait à la radio, mais le contrôle d'approche ne semblait pas vouloir nous prendre en considération, car le trafic aérien était extrêmement chargé, et les contrôleurs ne s'intéressaient pas tellement à des appareils volant à deux cent dix mètres. À cette altitude, en ville, les règles se bornaient à ouvrir l'œil et à éviter les obstacles, et c'était à peu près tout. Nous suivîmes l'East River en survolant les ponts de Brooklyn, Manhattan et Williamsburg, passant à quatre-vingt-dix nœuds au-dessus des péniches d'ordures, pétroliers et vedettes blanches de touristes. Alors que nous survolions les bâtiments en ruine et l'ancien hôpital de Roosevelt Island, Lucy informa La Guardia de ce que nous faisions. Entre-temps, Ward's Island était apparue devant nous. Cette partie de la rivière à la pointe sud-ouest était bien nommée : la Porte de l'Enfer.

Ce que je savais de Ward's Island, je le devais à mon inlassable intérêt pour l'histoire de la médecine. L'île, comme bien d'autres situées autour de New York, avait servi de lieu de relégation pour les prisonniers, les malades et les handicapés mentaux. Le passé de Ward's Island était particulièrement sinistre, si je me souvenais bien, puisque, au milieu du XIX$^e$ siècle, l'endroit était dépourvu de chauffage et d'eau courante. On y parquait les malades du typhus en quarantaine et on y cantonnait les Juifs de Russie. Au tournant du siècle, l'asile de fous de la ville avait été installé sur l'île. Aujourd'hui, même si sa population était composée de fous nettement plus dangereux, les conditions de vie étaient bien meilleures. Les patients avaient l'air conditionné, des avocats et de quoi se distraire. Ils avaient droit aux soins dentaires et médicaux, à des psychothérapeutes, des groupes de soutien et des activités sportives.

Nous pénétrâmes dans l'espace aérien de classe B au-dessus de Ward's Island dans une apparence de civilisation trompeuse, survolant à basse altitude des parcs verdoyants et ombragés tandis que se dressaient devant nous les affreux bâtiments de brique rouge de l'hôpital psychiatrique de Manhattan, du Centre psychiatrique pour enfants et de Kirby. Le Triborough Bridge Parkway coupait l'île par le milieu, où, incongru, un petit cirque avait élu domicile avec ses tentes aux rayures de couleurs vives, ses poneys et ses acrobates. La foule était clairsemée : je vis des gosses qui mangeaient de la barbe à papa, et je me demandai pourquoi ils n'étaient pas à l'école. Un peu plus loin au nord se dressaient l'usine de recyclage des eaux usées et l'académie de formation des pompiers de New York, où une grande échelle était déployée sur un parking.

Le Centre psychiatrique pénitentiaire était un bâtiment de douze étages aux fenêtres grillagées et vitres opaques pourvues d'appareils de climatisation. Des rouleaux de barbelés flasques surplombaient les allées et les zones de promenade, pour empêcher une évasion que Carrie avait apparemment trouvée très facile. À cet endroit, la rivière faisait mille huit cents mètres de large, elle était agitée par de puissants courants et dangereuse. Il ne me semblait guère probable que l'on puisse la traverser à la nage. Mais il existait, paraît-il, une passerelle. Peinte couleur vert-de-gris, elle s'étendait à environ deux kilomètres au sud de Kirby. Je demandai à Lucy de la survoler et, d'en haut, je vis des gens qui l'empruntaient dans les deux sens pour entrer et sortir de l'East River Housing de Harlem.

– Je ne vois pas comment elle aurait pu traverser en plein jour, dis-je à Lucy, sans que personne ne la remarque. Mais même si elle avait réussi, qu'est-ce qu'elle aurait fait après ? La police était partout, en particulier de l'autre côté du pont. Et comment a-t-elle atterri dans le comté de Lehigh ?

Lucy décrivait lentement des cercles à cent cinquante mètres d'altitude dans le vrombissement des pales. On distinguait les restes d'un ferry qui avait dû effectuer dans le temps la traversée entre East River Drive et la 106ᵉ Rue, ainsi que les ruines d'une jetée. Ce n'était plus à présent qu'un tas de bois pourrissant traité à la créosote qui occupait un petit espace découvert, sur le côté ouest de Kirby, et plongeait dans des eaux peu avenantes. Le terrain semblait convenir pour l'atterrissage, à condition que nous restions plus près de la rivière que des allées grillagées et des bancs de l'hôpital.

Pendant que Lucy effectuait une première reconnaissance en altitude, je contemplai les gens au sol. Tous portaient des vêtements civils, certains s'étiraient ou étaient allongés dans l'herbe, d'autres étaient assis sur des bancs ou se promenaient sur les allées entre des poubelles rouillées. Même à cent cinquante mètres, je reconnaissais les tenues débraillées et le comportement étrange de ceux qui sont brisés sans espoir d'être jamais guéris. Ils nous fixaient, fascinés, tandis que nous scrutions les alentours pour repérer d'éventuels obstacles, câbles électriques, haubans, ou bien un terrain accidenté ou trop meuble. Une dernière reconnaissance à basse altitude nous confirma que l'atterrissage ne présentait aucun risque. Entre-temps, d'autres gens nous regardaient par les fenêtres ou étaient sortis des bâtiments pour voir ce qui se passait.

– Peut-être que nous aurions dû essayer l'un des parcs, dis-je. J'espère qu'on ne va pas déclencher une émeute.

Lucy entama une descente en vol stationnaire, écrasant violemment les hautes herbes. Une poule faisane et sa portée, apeurées, s'enfuirent le long de la rive et disparurent dans des buissons. Il était difficile d'imaginer que quoi que ce fût d'innocent et de vulnérable puisse vivre dans la proximité d'une humanité aussi perturbée. Je songeai brusquement à la lettre que m'avait envoyée Carrie, à l'étrange adresse qu'elle avait donnée pour Kirby : *1, place du Faisan*. Que voulait-elle dire ? Qu'elle avait vu les faisans, elle aussi ? Et dans ce cas, en quoi cela importait-il ?

L'hélicoptère se stabilisa doucement et Lucy baissa les gaz pour amener le moteur au ralenti. Les deux minutes d'attente nécessaires avant de couper le contact parurent durer une éternité. Les pales tournaient en même temps que les secondes sur l'horloge digitale, tandis que les patients et le personnel de l'hôpital nous fixaient. Les uns demeuraient parfaitement immobiles, leurs yeux vitreux braqués sur nous, tandis que d'autres, sans nous prêter aucune attention, continuaient à tripoter les clôtures ou à se déplacer d'une démarche saccadée, tête baissée. Un vieil homme qui roulait une cigarette nous fit des signes, une femme avec des rouleaux sur la tête marmonnait, et un jeune homme avec un walkman se lança dans une espèce de danse sur l'allée, apparemment en notre honneur.

Lucy baissa la manette des gaz et mit le rotor principal en position de freinage, coupant le moteur. Une fois que les pales se furent totalement immobilisées et que nous descendîmes, une femme se détacha de la foule des malades mentaux et du personnel qui s'en occupait. Les cheveux courts, coiffés avec élégance, elle portait un tailleur très chic à chevrons, et cela malgré la chaleur. Je devinai sans qu'on me le dise qu'il s'agissait du docteur Lydia Ensor, et elle sembla me repérer elle aussi, car c'est à moi qu'elle serra d'abord la main, avant de saluer Lucy et de se présenter.

– Je dois avouer que vous avez fait votre petit effet, déclara-t-elle avec un léger sourire.

– Et j'en suis désolée.

– Ne vous inquiétez pas pour cela.

– Je reste dans l'hélicoptère, intervint Lucy.

– Tu es sûre ?

– Certaine, répondit-elle en regardant l'étrange foule.

– La plupart sont des patients qui consultent au centre psychiatrique qui est juste là-bas, dit le docteur Ensor en montrant une éminence. Et d'Odyssey House, ajouta-t-elle en désignant du menton un bâtiment de brique rouge nettement plus petit derrière Kirby, où semblaient se trouver un jardin et un court de tennis usé au filet déchiré. La drogue, la drogue, toujours la drogue, fit-elle. Ils viennent pour qu'on les aide et nous les surprenons à se rouler un joint en sortant.

– Je reste ici, répéta Lucy. Sinon, je peux aller chercher du carburant et revenir, ajouta-t-elle à mon intention.

– Je préfère que tu attendes.

Le docteur Ensor et moi remontâmes vers Kirby sous les regards fixes qui déversaient sur nous une douleur et une haine aussi noires qu'indicibles. Un homme à la barbe broussailleuse nous hurla qu'il voulait faire un tour en gesticulant vers le ciel, agitant les bras comme un oiseau et sautillant sur un pied. Des visages ravagés vivaient dans d'autres univers, vides ou remplis du mépris amer de celui qui est enfermé et regarde des gens comme nous, qui n'étions esclaves ni de la drogue ni de la folie. Nous étions des privilégiés. Nous étions les vivants. Nous étions Dieu pour ceux qui étaient incapables de faire quoi que ce soit, hormis se détruire et détruire les autres. Nous, nous pouvions rentrer chez nous à la fin de la journée.

L'entrée du Centre psychiatrique pénitentiaire de Kirby était semblable à celle de n'importe quelle institution d'État, avec des murs peints de la même couleur vert-de-gris que le pont qui enjambait la rivière. Le docteur Ensor me conduisit jusqu'à un coin du mur et appuya sur un bouton.

— Approchez-vous de l'interphone, dit une voix brusque qui ressemblait à celle du magicien d'Oz.

Elle s'approcha et s'annonça dans le micro.

— Docteur Ensor.

— Oui, madame, dit la voix redevenue humaine. Entrez.

L'entrée dans le saint des saints de Kirby était typique d'un pénitencier, avec son sas dont les portes ne pouvaient pas être ouvertes en même temps et ses panneaux précisant les articles interdits, tels qu'armes à feu, explosifs, munitions, alcool ou objets en verre. Les politiciens et les travailleurs sociaux avaient beau prétendre le contraire, ce n'était pas un hôpital. Les patients étaient des détenus. C'étaient des criminels violents enfermés dans un bâtiment de haute sécurité parce qu'ils avaient violé et tué. Ils avaient abattu leur famille, brûlé leur mère, étripé leurs voisins ou démembré leur conjoint. C'étaient des monstres qui étaient devenus des célébrités, comme Robert Chambers, l'assassin de yuppies, ou Rakowitz, qui avait tué et fait cuire sa petite amie avant, paraît-il, d'en servir des morceaux à des sans-abri, ou encore Carrie Grethen, la pire d'entre eux.

Une fois ouvert le verrou électronique des portes aux barreaux peints également en vert-de-gris, les gardiens en uniforme bleu se montrèrent particulièrement courtois envers le docteur Ensor et envers moi, puisque j'étais manifestement son invitée. Cependant, ils nous firent tout de même passer par un détecteur de métal et nos sacs furent consciencieusement fouillés. Je fus gênée lorsqu'on me rappela qu'il n'était permis d'entrer qu'avec une seule dose de médicament, étant donné que j'avais sur moi assez de Motrin, d'Imodium, de Tums et d'aspirine pour soigner tout un service hospitalier.

— Vous devez pas vous sentir très bien, madame, plaisanta l'un des gardes.

– Ça s'entasse, dis-je, soulagée d'avoir laissé mon revolver dans mon attaché-case fermé à clé à l'intérieur du compartiment à bagages de l'hélicoptère.

– Bon, je vais devoir les garder jusqu'à votre sortie. Ils vous attendront ici, OK ? N'oubliez pas de les demander en partant.

– Merci, dis-je, comme s'il venait de me faire une faveur.

Nous fûmes autorisées à passer une autre porte portant un panneau : *Ne pas toucher aux barreaux.* Puis nous empruntâmes des couloirs ternes et austères en passant devant des pièces fermées où avaient lieu des auditions.

– Il faut que vous gardiez à l'esprit que les conseillers juridiques sont employés par la Legal Aid Society, une organisation privée à but non lucratif, sous contrat avec la municipalité de New York. Le personnel qu'ils nous envoient fait partie de leur division criminelle, et il doit être clairement distingué du personnel de Kirby. (Elle tenait à ce que je comprenne bien la situation.) Cependant, au bout d'un certain temps ici, il est vrai qu'ils deviennent un peu copains avec mon équipe, ajouta-t-elle tandis que nous marchions, nos talons claquant sur les dalles. L'avocate en question, qui s'est occupée de Miss Grethen dès le début, va probablement se hérisser quand vous lui poserez toutes vos questions. Je ne pourrai rien y faire, conclut-elle en me jetant un coup d'œil.

– Je comprends très bien. Si un avocat de la défense ou un conseiller juridique ne se hérissait pas à mon approche, je me dirais que le monde a changé.

Le service d'assistance juridique psychiatrique était perdu quelque part au cœur de Kirby, et tout ce que je pourrais dire avec certitude, c'est qu'il se situait au premier étage. La directrice ouvrit une porte et me fit pénétrer dans un petit bureau tellement encombré de paperasses que des centaines de dossiers étaient empilés sur le sol. L'avocate assise au bureau était un boudin mal attifé, avec des cheveux noirs frisés et coiffés n'importe comment. Elle était grosse, avec une poitrine volumineuse qui aurait bien eu besoin d'un soutien-gorge.

– Susan, je vous présente le docteur Scarpetta, médecin expert général de Virginie, annonça le docteur Ensor. Elle est venue au sujet de Carrie Grethen, comme vous le savez. Docteur Scarpetta, je vous présente Susan Blaustein.

– Bon, dit Mlle Blaustein, ne montrant aucune envie de se

lever ni de me serrer la main et continuant de feuilleter un épais dossier.

— Bien, je vous laisse toutes les deux. Susan, je vous fais confiance pour faire visiter les lieux au docteur Scarpetta, sinon je demanderai à quelqu'un du personnel, dit le docteur Ensor.

Au regard qu'elle me jeta, je compris que j'allais avoir droit à une descente aux enfers.

— Pas de problème.

L'ange gardien des criminels avait un accent de Brooklyn à couper au couteau.

— Asseyez-vous, me dit-elle, tandis que la directrice s'éclipsait.

— Quand Carrie a-t-elle été internée ici ? demandai-je.

— Il y a cinq ans, répondit-elle sans lever le nez de ses paperasses.

— Vous connaissez son passé, notamment les meurtres qui doivent faire l'objet d'un procès en Virginie ?

— Allez-y, je suis au courant.

— Carrie s'est évadée d'ici il y a onze jours, le 10 juin, continuai-je. Quelqu'un a-t-il une idée de la manière dont cela a pu se produire ?

Blaustein tourna une page et prit sa tasse de café.

— Elle n'est pas venue au dîner. C'est tout, répondit-elle. J'ai été aussi surprise que les autres quand elle a disparu.

— Le contraire m'aurait étonné, répliquai-je.

Elle tourna une autre page, toujours sans croiser mon regard. J'en avais plus qu'assez.

— Mademoiselle Blaustein, repris-je d'un ton sec en me penchant vers son bureau. Avec tout le respect que je dois à vos clients, voudriez-vous que je vous parle des miens ? Voudriez-vous que je vous parle des hommes, des femmes et des enfants dont Carrie Grethen a fait une vraie boucherie ? D'un petit garçon enlevé dans une épicerie où sa mère l'avait envoyé acheter une boîte de sauce aux champignons ? Abattu d'une balle dans la tête, des parties de son corps découpées pour dissimuler les marques de morsures avant que son pauvre petit corps, vêtu seulement d'un slip, soit abandonné contre une benne à ordures sous une pluie glaciale ?

— Je vous l'ai dit, je connais toutes ces affaires, dit-elle en continuant sa lecture.

– Je vous suggère de laisser ce dossier de côté et de me prêter attention. Je suis peut-être médecin légiste, mais je suis également avocate, et votre petit cinéma ne prend pas avec moi. Il se trouve que vous représentez une psychopathe en liberté, en train d'assassiner des gens au moment où je vous parle. Ne me laissez pas découvrir au bout du compte que vous détenez des informations qui auraient pu épargner ne serait-ce qu'une vie.

Elle me jeta un regard froid et arrogant, car son seul pouvoir dans la vie était de défendre des perdants et de faire tourner en bourrique les gens comme moi.

– Laissez-moi simplement vous rafraîchir la mémoire, continuai-je. Depuis que votre cliente s'est évadée de Kirby, elle est soupçonnée d'avoir assassiné ou d'avoir été complice de meurtre dans deux affaires qui se sont déroulées à quelques jours d'intervalle. Des meurtres cruels qu'on a tenté de maquiller par des incendies. Ces deux affaires étaient précédées d'autres du même type que nous pensons désormais être liées, alors que votre cliente, à cette époque, était encore incarcérée ici.

Susan Blaustein me fixait sans rien dire.

– Vous pouvez m'aider ?

– Toutes mes conversations avec Carrie sont protégées par le secret professionnel. Je suis sûre que vous le savez, me fit-elle remarquer, même si visiblement ce que je venais de dire avait éveillé sa curiosité.

– Est-il possible qu'elle ait eu des relations avec quelqu'un de l'extérieur ? demandai-je. Et dans ce cas, comment et avec qui ?

– À vous de me le dire.

– Vous a-t-elle jamais parlé de Temple Gault ?

– Secret professionnel.

– Donc, elle vous en a parlé, conclus-je. Bien évidemment. Comment ne l'aurait-elle pas fait ? Saviez-vous qu'elle m'a écrit, mademoiselle Blaustein, pour me demander de venir la voir et de lui apporter les photos de l'autopsie de Gault ?

Elle ne répondit rien, mais son regard s'était animé.

– Il a été écrasé par un train dans la Bowery. Réduit en charpie sur les rails.

– C'est vous qui avez procédé à l'autopsie ?

– Non.

– Alors pourquoi Carrie vous demandait-elle les photos, docteur Scarpetta ?

– Parce qu'elle savait que je pouvais me les procurer. Carrie voulait les voir, voir le sang, la chair. Cela s'est produit moins d'une semaine avant son évasion. Je me demandais si vous saviez qu'elle envoyait de telles lettres ? Ce qui, selon moi, prouve bien qu'elle avait prémédité tout ce qu'elle allait faire ensuite.

– Non. (Blaustein pointa un index sur moi.) Ce qu'elle pensait, c'est qu'on voulait tout lui coller sur le dos parce que le FBI était incapable de se dépêtrer de cette affaire et avait besoin de trouver un coupable, accusa-t-elle.

– Je vois que vous lisez les journaux.

La colère se peignit sur son visage.

– J'ai parlé avec Carrie pendant cinq ans, dit-elle. Ce n'était pas elle qui couchait avec le FBI, n'est-ce pas ?

– D'une certaine manière, si, répondis-je en pensant à Lucy. Et très franchement, mademoiselle Blaustein, je ne suis pas venue pour modifier l'opinion que vous avez de votre cliente. Mon objectif est d'enquêter sur un certain nombre de meurtres et de faire le nécessaire pour en empêcher d'autres.

L'avocate recommença son manège avec ses paperasses.

– Il me semble que l'une des raisons pour lesquelles Carrie est restée aussi longtemps ici, c'est qu'à chaque fois que l'on procédait à des examens sur sa santé mentale, vous faisiez tout pour qu'on conclue qu'elle était irresponsable, continuai-je. Ce qui impliquait qu'elle soit également reconnue comme incapable d'être jugée, n'est-ce pas ? En d'autres termes, qu'elle était tellement atteinte mentalement qu'elle ne pouvait prendre conscience des charges qui pesaient contre elle ? Et pourtant, elle devait bien être consciente de sa situation, d'une manière ou d'une autre, sinon comment aurait-elle pu inventer de toutes pièces cette fable d'un piège tendu par le FBI ? Ou bien est-ce vous qui avez sorti cet atout de votre manche ?

– Cette entrevue est terminée, annonça Blaustein.

Si elle avait été un juge, elle aurait asséné un coup de maillet sur son bureau.

– Carrie n'est rien d'autre qu'une simulatrice, dis-je. Elle a joué la comédie, elle vous a manipulée. Laissez-moi deviner. Elle était très déprimée, elle était incapable de se rappeler quoi que ce soit d'important. Elle devait probablement être sous Ativan, ce qui n'a sûrement pas dû l'affecter. Elle avait manifestement assez de force pour écrire des lettres. Et de quels autres privilèges jouissait-elle ? Du téléphone ? Des photocopies ?

— Les patients ont des droits civiques, répondit calmement Blaustein. Elle était très calme. Elle jouait beaucoup aux échecs et aux cartes. Elle aimait lire. Au moment des crimes, il y avait des circonstances aggravantes et des circonstances atténuantes, et elle n'était pas responsable de ses actes. Elle éprouvait beaucoup de remords.

— Carrie a toujours très bien su se vendre, dis-je. Elle a toujours été très douée pour obtenir ce qu'elle voulait, et elle voulait rester suffisamment longtemps ici pour passer à l'étape suivante. Et à présent, c'est fait. J'ouvris ma pochette et en sortis une copie de la lettre que m'avait écrite Carrie, que je laissai tomber sous le nez de Blaustein.

— Veuillez prêter tout particulièrement attention à l'adresse de l'en-tête. *1, place du Faisan, Kirby – Pavillon des femmes*. Avez-vous une idée de ce qu'elle voulait dire par là, ou bien souhaitez-vous que je hasarde une réponse ?

— Je n'en ai pas la moindre idée.

Elle lisait la lettre, l'air perplexe.

— Il est possible que le *1, place...* soit un jeu de mots sur *1, Hogan Place*, l'adresse du procureur qui allait procéder à sa mise en accusation.

— Je n'ai pas la moindre idée de ce qu'elle pouvait bien avoir en tête.

— Parlons des faisans, dis-je alors. Vous avez des faisans le long de la rive juste devant votre bureau.

— Je n'avais pas remarqué.

— Moi si, parce que c'est là que nous avons atterri. Et c'est exact, vous ne les auriez pas remarqués, à moins de vous aventurer dans un champ d'herbes hautes jusqu'au bord de l'eau, près de l'ancienne jetée.

Elle ne répondit rien, mais je vis qu'elle commençait à se troubler.

— Donc, ma question est : comment Carrie ou tout autre détenu pourrait-il avoir remarqué ces faisans ?

Elle demeura silencieuse.

– Vous savez très bien comment, n'est-ce pas ? la pressai-je. (Elle me fixa.) Un patient sous haute surveillance n'aurait jamais dû avoir le droit d'aller dans ce champ ni même de s'en approcher, mademoiselle Blaustein. Si vous ne souhaitez pas m'en parler, je demanderai à la police de vous poser la question, étant donné que l'évasion de Carrie est plutôt une priorité pour les forces de l'ordre, ces derniers temps. D'ailleurs, pour tout vous dire, je crois que votre très cher maire n'est pas très content de la mauvaise publicité que Carrie fait à une ville devenue célèbre pour sa lutte contre le crime.

– J'ignore comment Carrie était au courant, articula enfin Mlle Blaustein. C'est la première fois que j'entends parler de ces foutus faisans. Peut-être que quelqu'un du personnel lui en a parlé. Peut-être un des livreurs du magasin, quelqu'un de l'extérieur, comme vous, en d'autres termes.

– Quel magasin ?

– Les programmes pour les patients privilégiés leur permettent de gagner un crédit ou de l'argent pour le magasin. Ce sont surtout des friandises. Ils sont livrés une fois par semaine et ils doivent payer de leur poche.

– Et où Carrie se procurait-elle de l'argent ?

Blaustein refusa de me le dire.

– Quel jour était-elle livrée ?

– Cela dépendait. En général, durant la semaine, le lundi ou le mardi, vers la fin de l'après-midi.

– Elle s'est évadée en fin d'après-midi, un mardi, observai-je.

– C'est exact.

Son regard se durcit.

– Et le livreur ou la livreuse ? demandai-je alors. Quelqu'un s'est-il soucié de vérifier si cette personne avait quoi que ce soit à voir avec cette évasion ?

– Il s'agissait d'un livreur, dit Blaustein sans émotion. Personne n'a réussi à le retrouver. C'était un remplaçant du livreur habituel, qui était apparemment en congé de maladie.

– Un *remplaçant* ? Je vois. Carrie s'intéressait à autre chose qu'aux chips !

Je haussai le ton.

– Laissez-moi deviner. Les livreurs portent un uniforme et conduisent une camionnette. Carrie enfile un uniforme et sort avec le livreur. Elle monte dans la camionnette et elle file.

— Spéculation. Nous ne savons pas comment elle est sortie.

— Oh, moi je pense que vous le savez, mademoiselle Blaustein. Et je me demande si vous n'avez pas donné aussi de l'argent à Carrie, étant donné l'intérêt que vous lui portiez.

— Si vous m'accusez de l'avoir aidée à s'évader..., dit-elle en bondissant sur ses pieds et en pointant de nouveau vers moi un index accusateur.

Je la coupai sèchement.

— Vous l'avez aidée d'une manière ou d'une autre.

Je refoulai mes larmes en songeant à Carrie en liberté, puis à Benton.

— Espèce de monstre, dis-je en la fusillant du regard. J'aimerais que vous passiez juste une journée avec les victimes. Juste une foutue journée à tremper vos mains dans leur sang et à toucher leurs plaies. Les innocents que toutes les Carrie du monde charcutent pour s'amuser. Je crois que certaines personnes ne seraient pas ravies d'apprendre que Carrie jouissait de tels privilèges, et d'une source de revenus injustifiée. D'autres que moi.

Nous fûmes interrompues par un coup frappé à la porte, et le docteur Ensor entra.

— J'ai pensé que je pourrais vous faire faire la visite, me dit-elle. Susan semble occupée. Vous en avez terminé ? demanda-t-elle à l'avocate.

— Tout à fait.

— Très bien, dit-elle avec un sourire glacial.

Je compris que la directrice était parfaitement consciente du fait que Susan Blaustein avait outrepassé les limites de la décence, et s'était rendue coupable d'abus de pouvoir et de confiance. En fin de compte, Blaustein avait manipulé l'hôpital tout autant que Carrie.

— Merci, dis-je à la directrice.

Je sortis sans saluer l'avocate de Carrie.

Va au diable, songeai-je

Je suivis de nouveau le docteur Ensor, cette fois dans un vaste ascenseur en acier qui ouvrait sur l'un des couloirs nus peints en beige fermés par des portes à serrures à code. Tout était surveillé par un circuit vidéo. Apparemment, Carrie

309

avait bénéficié du programme animaux, qui comprenait des visites quotidiennes au onzième étage, où se trouvaient des animaux en cages dans une petite pièce avec vue sur les barbelés.

La ménagerie, faiblement éclairée, sentait l'humidité, l'odeur musquée des animaux et des copeaux, et résonnait de griffements de pattes sur les barreaux. Il y avait des perruches, des cochons d'Inde et un hamster. Sur une table était posée une caisse de terreau où poussaient des plantes.

— Nous cultivons nos graines pour oiseaux, expliqua le docteur Ensor. Les patients sont encouragés à les faire pousser et à les vendre. Bien sûr, il n'est pas question de production de masse, ici. Il y en a tout juste assez pour nos propres oiseaux et comme vous pouvez le voir dans certaines des cages et sur le sol, les patients ont tendance à donner à leurs animaux des chips et des boulettes au fromage.

— Carrie venait ici tous les jours ?

— C'est ce que l'on m'a dit, maintenant que j'ai fait ma petite enquête sur toutes ses activités.

Elle marqua une pause en jetant un regard circulaire sur les cages où des animaux au museau rose s'agitaient et grattaient.

— De toute évidence, je n'étais pas au courant de tout à l'époque. Par exemple, durant les six mois où c'est elle qui a supervisé le programme, nous avons eu un nombre inhabituel de disparitions et d'accidents inexpliqués. Une perruche par-ci, un hamster par-là. Les patients venaient et trouvaient leur protégé mort dans sa cage, ou bien la porte ouverte et l'oiseau envolé.

Elle regagna le couloir, les lèvres pincées.

— Il est très dommage que vous ne soyez pas venue à ce moment-là, remarqua-t-elle avec une ironie désabusée. Vous auriez peut-être pu me dire de quoi ils mouraient. Ou à cause de qui.

Plus loin dans le couloir s'ouvrait une autre porte qui donnait sur une petite pièce sombre où se trouvait un ordinateur relativement moderne et une imprimante sur une table en bois toute simple. Je remarquai également une prise téléphonique au mur. Un mauvais pressentiment m'envahit avant même que le docteur Ensor ne prenne la parole.

— C'est peut-être là que Carrie passait la majeure partie

de son temps libre, dit-elle. Comme vous le savez sans aucun doute, elle avait une excellente formation en informatique. Elle était très douée pour encourager les autres patients à apprendre à utiliser l'ordinateur. C'est elle qui en a eu l'idée. Elle nous a proposé de trouver des donateurs pour du matériel réformé et désormais, nous avons un ordinateur et une imprimante à chaque étage.

Je m'assis devant le terminal. J'appuyai sur une touche pour sortir de l'économiseur d'écran et regardai les icônes des programmes disponibles.

— Quand les patients travaillaient ici, étaient-ils surveillés ?

— Non, on les faisait entrer et la porte était ensuite fermée à clé. Une heure plus tard, on les ramenait à leur cellule. (Elle prit un air songeur.) Je serais la première à admettre que j'ai été impressionnée du nombre de patients qui se sont mis à apprendre le maniement d'un traitement de texte et, pour certains, d'un tableur.

Je lançai America OnLine, et une boîte de dialogue me demanda un nom et un mot de passe. Elle me regarda faire.

— Ils n'avaient absolument pas accès à l'Internet, dit-elle.

— Comment le savons-nous ?

— Les ordinateurs ne sont pas connectés.

— Mais ils ont une carte modem, dis-je. En tout cas, celui-là, oui. Il n'est simplement pas connecté parce qu'il n'y a pas de ligne téléphonique qui va à la prise, expliquai-je en désignant l'emplacement sur le mur avant de me tourner vers elle. Serait-il possible qu'un câble téléphonique ait disparu dans vos murs ? Dans l'un des bureaux, peut-être ? Celui de Susan Blaustein, par exemple ?

La directrice détourna le regard. La colère et l'angoisse se peignirent sur son visage tandis qu'elle comprenait où je voulais en venir.

— Seigneur, murmura-t-elle.

— Bien sûr, elle peut se l'être procuré de l'extérieur. Peut-être par le biais du livreur du magasin ?

— Je ne sais pas.

— Le fait est qu'il y a beaucoup de choses que nous ignorons, docteur Ensor. Nous ne savons pas, par exemple, ce que Carrie pouvait bien faire quand elle était ici. Elle pouvait entrer et sortir des groupes de discussion, passer des petites annonces, trouver des correspondants. Je suis sûre que vous vous tenez suffisamment au courant pour savoir le nombre de crimes qui sont fomentés sur l'Internet. Pédophilie, viol, homicide, pornographie avec des mineurs.

– C'est pour cela que c'était surveillé d'aussi près, dit-elle. Ou du moins censé l'être.

– Carrie a pu planifier son évasion comme cela. Et vous dites qu'elle a commencé à se servir de l'ordinateur il y a combien de temps ?

– Environ un an. Après une longue période de conduite exemplaire.

– *Conduite exemplaire*, répétai-je.

Je pensai aux affaires de Baltimore, Venice Beach, et, plus récemment, Warrenton. Je me demandai s'il était possible que Carrie ait rencontré son complice par e-mail, sur un site web ou dans un forum. Était-il possible qu'elle ait commis des crimes informatiques pendant son incarcération ? Aurait-elle pu œuvrer en coulisse, conseiller et encourager un psychopathe qui volait des visages humains ? Après quoi, elle se serait évadée et aurait elle-même pris la relève.

– Y a-t-il un ancien pensionnaire de Kirby qui aurait été pyromane, en particulier avec des antécédents d'homicide ? Quelqu'un que Carrie aurait pu connaître ? Peut-être quelqu'un qui suivait les mêmes formations ? demandai-je, histoire de ne rien laisser au hasard.

Le docteur Ensor éteignit le plafonnier et nous repartîmes dans le couloir.

– Il ne me vient personne à l'esprit. Du moins de l'espèce dont vous parlez. J'ajouterai qu'un surveillant était toujours présent pendant les formations.

– Et les patients hommes et femmes n'étaient jamais ensemble durant les loisirs ?

– Non. Jamais. Hommes et femmes sont totalement séparés.

Bien que je n'eusse pas la certitude que le complice de Carrie soit un homme, je le soupçonnais, et je me souvenais de ce qu'avait écrit Benton dans ses notes, à propos d'un homme blanc entre vingt-huit et quarante-cinq ans. Les surveillants, qui n'étaient jamais que des gardiens sans armes, s'assuraient peut-être que l'ordre régnait dans les salles de formation, mais je doutais sérieusement qu'ils aient pu deviner que Carrie se connectait sur l'Internet. Nous reprîmes l'ascenseur, cette fois pour nous rendre au troisième étage.

– Le service des femmes, expliqua le docteur Ensor. Nous en avons en ce moment vingt-six, sur un total de cent soixante-dix patients. Voici le parloir.

Elle désigna à travers la vitre un vaste espace ouvert doté de fauteuils confortables et de téléviseurs. Pour l'instant, il n'y avait personne.

– Recevait-elle des visites ? demandai-je tout en continuant à marcher.

– Pas de l'extérieur, non, jamais. Ce qui inspirait d'autant plus de compassion à son égard, je suppose, dit-elle avec un sourire désabusé. En fait, voici la résidence des femmes, ajouta-t-elle en désignant une autre salle où étaient alignés des lits d'une personne. Elle dormait là-bas, près de la fenêtre.

Je sortis la lettre de Carrie et la relus, en m'arrêtant au cinquième paragraphe :

> LUCY-VILAINE à la télé. Vole par la fenêtre. Viens avec nous. En cachette. Viens jusqu'à l'aube. Ris et chante. Toujours le même refrain.
> LUCY LUCY LUCY et nous !

Brusquement, je songeai à la cassette vidéo de Kellie Shephard et à l'actrice de Venice Beach qui jouait de petits rôles dans des feuilletons télévisés. Je pensai aux séances photo et aux équipes de production, de plus en plus convaincue qu'il y avait un rapport. Mais qu'est-ce que Lucy avait à voir avec tout cela ? Pourquoi Carrie aurait-elle vu Lucy à la télévision ? Ou bien était-ce simplement qu'elle avait appris d'une manière ou d'une autre que Lucy savait voler, piloter des hélicoptères ?

Il y eut un brouhaha et des surveillantes firent entrer un groupe de prisonnières qui étaient sorties en récréation. Ces femmes au visage ravagé étaient en sueur et parlaient bruyamment. L'une d'elles était encadrée et portait un dispositif antiagression, un DAA, terme politiquement correct utilisé pour qualifier les entraves qui lui enchaînaient les mains et les chevilles à une épaisse ceinture de cuir. C'était une jeune femme blanche, qui posa sur moi un regard égaré avec un sourire niais. Avec ses cheveux décolorés presque blancs, son teint pâle et son physique androgyne, elle aurait pu être Carrie et un bref instant, dans mon imagination, elle *fut* Carrie. J'eus la chair de poule en voyant ses pupilles qui semblaient tournoyer, m'aspirer, tandis que les autres patientes nous dépassaient et que certaines faisaient exprès de me bousculer.

— Tu es avocate ? postillonna une Noire obèse en me foudroyant du regard.

— Oui, dis-je en lui rendant son regard sans ciller, ayant appris depuis longtemps à ne pas me laisser intimider par la haine.

— Venez, dit la directrice en me tirant par le bras. J'avais oublié qu'elles devaient rentrer à cette heure-ci. Veuillez m'excuser.

Mais j'étais heureuse de ce qui venait de se passer. En un certain sens, j'avais regardé Carrie droit dans les yeux, sans me détourner.

— Dites-moi exactement ce qui s'est produit le soir où elle a disparu, s'il vous plaît, demandai-je.

Le docteur Ensor composa un code sur un autre clavier et poussa une nouvelle série de portes rouge vif.

— Pour autant que je puisse m'en souvenir, répondit-elle, Carrie est sortie avec les autres patientes pour cette même récréation. On lui a livré ses friandises et à l'heure du dîner, elle avait disparu.

Nous empruntâmes l'ascenseur et elle consulta sa montre.

— Immédiatement, des recherches ont été lancées et la police a été contactée. Mais pas la moindre trace, et c'est bien ce qui n'a cessé de me tracasser, continua-t-elle. Comment a-t-elle pu quitter l'île en plein jour sans qu'on la voie ? Nous avions des flics, des chiens, des hélicoptères...

Je l'arrêtai là, au beau milieu de l'entrée.

— Des hélicoptères ? Plusieurs ?

— Oh, oui.

— Vous les avez vus ?

— Il aurait été difficile de les manquer. Ils ont tourné au-dessus de nous pendant des heures. Tout l'hôpital était en émoi.

— Décrivez-les-moi, dis-je en sentant les battements de mon cœur s'accélérer. Je vous en prie.

— Oh, mon Dieu, répondit-elle. D'abord, trois de la police, puis les médias ont débarqué comme un vol de frelons.

— Est-ce que par hasard il y en avait un petit blanc ? Comme une libellule ?

Elle parut surprise.

— Je me rappelle en effet en avoir vu un dans ce genre. J'ai cru qu'il s'agissait simplement d'un pilote curieux de connaître la cause de toute cette agitation.

## 22

L UCY ET MOI quittâmes Ward's Island sous un vent chaud et une basse pression qui alourdissaient le Bell JetRanger. Nous suivîmes l'East River et continuâmes de voler à travers l'espace aérien de classe B de La Guardia, où nous fîmes escale le temps de nous ravitailler en carburant, d'acheter des crackers au fromage et des sodas aux distributeurs, et d'appeler l'Université de Caroline du Nord à Wilmington. Cette fois-ci, on me passa la directrice du département de conseil aux étudiants, ce que je pris pour un bon signe.

— Je comprends que vous ayez besoin de vous protéger, lui dis-je derrière la porte fermée d'une cabine téléphonique. Mais réfléchissez, je vous en prie. Deux autres personnes ont été assassinées après Claire Rawley.

Il y eut un long silence, puis le docteur Chris Booth se décida :

— Pouvez-vous venir en personne ?

— C'était mon intention.

— Dans ce cas, très bien.

Après quoi, j'appelai Teun McGovern pour l'informer du cours des événements.

— Je pense que Carrie s'est évadée de Kirby dans le même Schweizer blanc que celui qui a survolé la ferme de Kenneth Sparkes au moment où nous y étions.

— Elle sait piloter ? demanda McGovern, qui n'y comprenait plus rien.

— Non, non. Je ne la vois pas faire ça.

— Ah.

— Le pilote est celui ou celle qui l'accompagne. La personne qui l'a aidée à s'évader et à mener sa vengeance. Les deux premiers meurtres, Baltimore et Venice Beach, étaient de simples échauffements. Nous aurions pu très bien ne jamais être au courant, Teun. Je crois que Carrie attendait de nous entraîner là-dedans. Elle a attendu jusqu'à Warrenton.

– Donc, vous pensez que Sparkes était bien la cible prévue au départ, réfléchit-elle d'un ton pensif.

– Pour attirer notre attention, être sûre que nous viendrions, oui.

– Dans ce cas, que vient faire Claire Rawley là-dedans ?

– C'est ce que je compte bien découvrir à Wilmington. Je crois qu'elle est la clé de l'énigme, d'une manière ou d'une autre. C'est le maillon qui nous mènera à lui, qui que cela puisse être. Et je suis également persuadée que Carrie sait quel va être mon raisonnement, et qu'elle m'attend.

– Vous croyez qu'elle est là-bas.

– Oh, oui. Je suis prête à le parier. Elle s'attendait que Benton vienne à Philadelphie, et c'est ce qu'il a fait. Elle s'attend que Lucy et moi nous rendions à Wilmington. Elle sait comment nous réfléchissons, comment nous travaillons, elle en sait au moins autant sur notre compte que nous sur le sien.

– En d'autres termes, vous êtes ses prochaines victimes.
La perspective me fit l'effet d'une douche froide.

– En théorie, oui.

– Nous ne pouvons pas prendre ce risque, Kay. Nous serons là-bas quand vous atterrirez. L'université doit avoir un terrain de sport, nous prendrons très discrètement nos dispositions. Quand vous vous poserez pour refaire le plein ou quoi que ce soit d'autre, bipez-moi et nous resterons en contact.

– Il ne faut pas lui laisser deviner votre présence. Cela risque de tout faire rater.

– Faites-moi confiance, elle n'en saura rien, affirma McGovern.

Nous quittâmes La Guardia avec deux cent quatre-vingts litres de carburant et la perspective d'un vol d'une longueur insupportable. Trois heures dans un hélicoptère, c'était plus qu'assez pour moi. Le poids du casque, le bruit et les vibrations me vrillaient le sommet du crâne et me donnaient l'impression de me désarticuler. Lorsqu'il fallait tenir plus de quatre heures, cela finissait généralement par un sérieux mal

317

de tête. Nous eûmes la chance d'avoir un vent arrière généreux et, bien que le compteur indiquât une vitesse de cent dix nœuds, le système de navigation par satellite donnait une vitesse au sol de cent vingt.

Lucy me fit reprendre les commandes. Je montrai plus de souplesse à mesure que j'apprenais à ne pas lutter et tenter de trop contrôler l'appareil. Quand les courants ascendants et les vents nous secouaient comme un enfant dans les mains d'une mère en colère, je me rendais à leur volonté. Essayer de manœuvrer en force dans les rafales ne faisait qu'empirer la situation et, pour moi qui avais toujours tendance à vouloir améliorer les choses, c'était difficile. J'appris à faire attention aux oiseaux et, de temps à autre, je repérais un avion en même temps que Lucy.

Les heures s'écoulèrent, monotones et indistinctes, alors que nous longions la côte, traversant la rivière Delaware puis remontant la rive est. Nous procédâmes à un ravitaillement près de Salisbury, dans le Maryland, j'en profitai pour aller aux toilettes et prendre un Coca, puis nous pénétrâmes en Caroline du Nord, où les élevages de porcs défiguraient le paysage avec leurs longs bâtiments en aluminium et leurs champs d'épandage couleur de sang. Nous entrâmes dans l'espace aérien de Wilmington à presque 14 heures. J'avais les nerfs à fleur de peau à la perspective de ce qui risquait de nous y attendre.

– Descendons à cent quatre-vingts mètres, dit Lucy. Et ralentissons.

– Tu veux que je le fasse, c'est ça ? m'enquis-je prudemment.

– À toi l'honneur.

Ce ne fut pas joli-joli, mais je m'en sortis.

– J'ai dans l'idée que l'université ne donne pas sur la mer et que c'est probablement un tas de bâtiments de brique.

– Bravo, Sherlock Holmes.

Partout où je regardais, je voyais de l'eau, des immeubles résidentiels, des usines de traitement des eaux et d'autres bâtiments industriels. L'océan s'étendait à l'est, étincelant et agité, imperturbable sous un troupeau de nuages d'un noir bleuté qui s'amoncelaient à l'horizon. Un orage se préparait. Il ne semblait pas pressé, mais menaçait d'être sérieux.

– Seigneur, je n'ai pas envie de me retrouver clouée au sol

ici, dis-je dans mon micro tandis que, comme prévu, apparaissait un ensemble de bâtiments géorgiens en brique rouge.

— Je ne suis pas sûre qu'elle soit là, dit Lucy en examinant les alentours. Où pourrait-elle être, tante Kay ?

— Là où elle pense que nous sommes, dis-je avec une fermeté étonnante.

— Je prends les commandes, dit Lucy en joignant le geste à la parole. Je ne sais pas si je préfère que tu aies raison ou tort.

— Tu préfères que j'aie raison, répondis-je. D'ailleurs, tu l'espères tellement que tu me fais peur, Lucy.

— Ce n'est pas moi qui nous ai amenées ici.

Carrie avait essayé de détruire Lucy. Carrie avait assassiné Benton.

— Je sais qui nous a menées jusqu'ici, dis-je. C'est elle.

L'université s'étendait juste au-dessous, et nous trouvâmes le terrain de sport où McGovern nous attendait. Des hommes et des femmes jouaient au football, mais il y avait un espace dégagé près des courts de tennis, et c'est là que Lucy décida d'atterrir. Elle survola deux fois la zone, en altitude, puis plus bas, et nous ne repérâmes aucun obstacle, en dehors d'un arbre isolé çà et là. Plusieurs voitures étaient garées sur les côtés et, alors que nous nous posions dans l'herbe, je remarquai qu'un conducteur était au volant d'une Explorer bleu marine. Puis je me rendis compte que le match de football était arbitré par Teun McGovern en short et polo, un sifflet autour du cou, et que ses deux équipes étaient mixtes et très athlétiques.

Je regardai alentour, comme si Carrie observait toute la scène, mais le ciel était vide et rien ne laissait penser qu'elle puisse se trouver là. Nous avions à peine touché le sol et coupé le moteur que l'Explorer traversa le terrain et se gara à bonne distance des pales. Il était conduit par une femme que je ne connaissais pas, et je fus stupéfaite de voir Marino installé à ses côtés.

— Je n'en crois pas mes yeux, dis-je à Lucy.

— Comment diable a-t-il fait pour arriver là ? dit-elle, également surprise.

Marino nous observa à travers le pare-brise tandis que nous attendions les deux minutes nécessaires avant de couper le contact. Il n'eut pas un sourire et ne se montra guère aimable quand je montai à l'arrière de la voiture pendant que Lucy fixait les pales du rotor principal. McGovern et ses joueurs continuaient leur semblant de match sans nous prêter la moindre attention, mais je remarquai les sacs de gym sous les bancs de touche et je ne me fis pas la moindre illusion sur ce qu'ils contenaient. On aurait dit que nous nous attendions à l'arrivée d'une armée, ou une embuscade de troupes ennemies, et je ne pus m'empêcher de me demander si Carrie ne s'était pas une fois de plus jouée de nous.

— Je ne m'attendais pas à vous voir, dis-je à Marino.

— Vous croyez que c'est possible que US Airways puisse vous emmener quelque part sans d'abord vous éjecter à Charlotte ? se plaignit-il. Il m'a fallu probablement autant de temps que vous pour arriver ici.

— Je m'appelle Ginny Correll, dit notre chauffeur en se retournant pour me serrer la main.

Âgée d'au moins une quarantaine d'années, c'était une blonde très séduisante, élégamment vêtue d'un tailleur vert pâle et, si je n'avais pas été au courant, j'aurais pu la prendre pour une enseignante de l'université. Mais il y avait dans la voiture un scanner et un émetteur-récepteur, et j'entrevis l'éclair d'un pistolet dans le holster sous sa veste. Elle attendit que Lucy monte dans l'Explorer puis effectua un demi-tour dans l'herbe tandis que le match se poursuivait.

— Voilà le topo, commença à expliquer Correll. Nous ne savions pas si le ou les suspects vous attendaient, vous suivaient ou quoi que ce soit d'autre, donc nous avons paré à toutes les éventualités.

— C'est ce que je vois, commentai-je.

— Ils vont quitter le terrain de football dans environ deux minutes, et le plus important c'est que nous avons des gars postés partout. Certains sont habillés en étudiants, d'autres se baladent en ville, vérifient les hôtels et les bars, etc. Pour l'instant, nous allons au centre de conseil universitaire où l'assistante de la directrice va nous recevoir. Elle s'occupait de Claire Rawley et elle dispose de tous ses dossiers.

— Parfait.

Marino intervint :

— Juste histoire que vous soyez au courant, Doc, on a un officier de la police du campus qui pense avoir repéré Carrie hier au syndicat des étudiants.

– Au Hawk's Nest, pour être précis, dit Correll. C'est le nom de la cafétéria.

– Cheveux courts teints en roux, des yeux bizarres. Elle achetait un sandwich et il l'a remarquée parce qu'elle l'a foudroyé du regard en passant près de sa table, et quand on lui a montré sa photo, il a dit que ça se pourrait bien que ce soit elle. Mais il pourrait pas le jurer non plus.

– Ce serait bien son genre de fusiller un flic du regard, dit Lucy. Désarçonner les gens, c'est son sport favori.

– J'ajouterai qu'il n'est pas non plus inhabituel qu'un étudiant ait l'air déjanté, dis-je.

– On visite les prêteurs sur gages des environs pour voir si quelqu'un correspondant au signalement de Carrie y aurait acheté une arme, et on enquête sur les vols de voitures de la région, continua Marino. On suppose que si elle et son complice ont volé des bagnoles à New York et à Philadelphie, ils risquent pas de s'amener par ici avec des plaques d'un autre État.

Le campus était un groupement impeccable de bâtiments géorgiens restaurés blottis parmi des palmiers, des magnolias, des pervenches grimpantes et des épicéas. Les gardénias étaient en fleur et quand nous descendîmes de voiture, leur parfum qui imprégnait l'air humide et chaud me monta à la tête.

J'aime les odeurs du Sud, et pendant un moment il me parut impossible que quoi que ce soit puisse arriver ici. C'était l'été, et il ne restait pas grand-monde sur le campus. Les parkings étaient presque déserts et les porte-vélos vides. Des planches de surf étaient fixées aux galeries de certaines des voitures qui passaient sur College Road.

Le centre de conseil se trouvait au deuxième étage de Westside Hall, et la salle d'attente, mauve et bleu, était très lumineuse. Sur les tables, à des stades d'avancement divers, étaient étalés des puzzles de deux mille pièces représentant des scènes champêtres, offrant une distraction bienvenue à ceux qui avaient rendez-vous. La réceptionniste nous attendait. Elle nous conduisit le long d'un couloir sur lequel s'ouvraient les salles de réunion et d'observation. Le docteur Chris Booth était une femme énergique, avec des yeux doux, remplis de sagesse. Elle devait approcher la soixantaine. Son visage buriné lui donnait du caractère. Sa peau était très bronzée et ridée, ses cheveux blancs coupés court et son corps mince, mais tonique.

C'était une psychologue dont le bureau en angle donnait sur le bâtiment des Beaux-Arts et un bosquet de chênes resplendissants. J'avais toujours été fascinée par ce qu'un bureau peut révéler d'une personnalité. L'endroit où elle travaillait était apaisant et sans prétention, néanmoins la disposition des sièges, conçus pour se prêter à des personnalités très différentes, était très étudiée. Il y avait un gros sac de billes mou pour le patient réceptif aux conseils qui voulait se pelotonner sur d'épais coussins, un fauteuil à bascule en rotin et une causeuse rigide. Le tout dans un camaïeu de verts clairs, avec des peintures de bateaux à voiles sur les murs et des bégonias dans des pots en terre cuite.

– Bonjour, dit le docteur Booth avec un sourire en nous priant d'entrer. Je suis ravie de vous voir.

– Et moi de même, répondis-je.

Je m'installai dans le fauteuil à bascule, tandis que Ginny se perchait sur la causeuse. Marino balaya la pièce d'un regard circonspect et opta pour le sac de billes en s'efforçant de ne pas s'y laisser engloutir. Le docteur Booth s'assit dans son fauteuil, le dos à son bureau parfaitement net, sur lequel il n'y avait rien d'autre qu'une boîte de Pepsi light. Lucy resta debout près de la porte.

– J'espérais que quelqu'un viendrait me voir, commença le docteur Booth, comme si elle nous avait convoqués à une réunion. Mais franchement, je ne savais pas qui contacter, ni même si j'en avais le droit.

Elle nous considéra tour à tour de ses yeux gris perçants.

– Claire était très particulière – même si je sais que c'est ce que tout le monde dit d'une morte.

– Pas tout le monde, répliqua Marino, cynique.

– Je veux simplement dire, expliqua le docteur Booth en souriant tristement, que j'ai conseillé ici bien des étudiants au fil des ans, mais que Claire m'a profondément touchée et que je fondais sur elle de grands espoirs. La nouvelle de sa mort m'a bouleversée.

Elle marqua une pause, le regard perdu par la fenêtre.

– Je l'ai vue pour la dernière fois deux semaines avant son décès, et j'ai essayé de me remémorer le moindre détail qui pourrait offrir une explication à ce qui s'est produit.

– Quand vous dites que vous l'avez vue, vous voulez dire ici ? En consultation ? demandai-je.

Elle hocha la tête.

– Oui. Pendant une heure.

Lucy s'impatientait de plus en plus.

– Avant d'en arriver là, dis-je, pourriez-vous nous donner le plus de renseignements possible sur son passé ?

– Absolument. D'ailleurs, j'ai les dates et heures de ses rendez-vous, si vous en avez besoin. Je l'ai vue plus ou moins régulièrement pendant trois ans.

– Plus ou moins régulièrement ? répéta Marino en se redressant sur son siège avant de recommencer à glisser et s'y enfoncer.

– Claire payait elle-même ses études. Elle travaillait comme serveuse au Blockade Runner de Wrightsville Beach. Elle ne faisait rien d'autre que travailler, mettre de l'argent de côté, payer un trimestre, puis arrêter ses études et retravailler pour gagner de l'argent. Je ne la voyais pas quand elle ne venait pas en cours, et c'est de là que provenaient nombre de ses difficultés, je pense.

– Je vais vous laisser vous occuper de tout ça, intervint brusquement Lucy. Je veux m'assurer que quelqu'un reste auprès de l'hélicoptère.


Lucy sortit en refermant la porte derrière elle et une vague de terreur m'envahit. Rien ne me prouvait qu'elle n'allait pas écumer les rues toute seule pour retrouver Carrie. Marino croisa un instant mon regard et je sentis que la même pensée lui traversait l'esprit. Notre accompagnatrice, Ginny, était assise bien droite sur la causeuse, attentive mais volontairement en retrait.

– Il y a environ un an, continua le docteur Booth, Claire a rencontré Kenneth Sparkes, et je sais que je ne vous apprends rien. Elle faisait du surf de compétition et il possédait une maison sur la plage, à Wrightsville. Pour résumer brièvement, ils ont eu une courte liaison extrêmement intense, à laquelle il a mis un terme.

– C'était pendant qu'elle poursuivait ses études, dis-je.

– Oui, son deuxième trimestre. Ils ont rompu à l'été et elle n'a pas réintégré l'université avant l'hiver suivant. Elle n'est pas revenue me voir avant février, quand son professeur d'anglais a remarqué qu'elle s'endormait constamment en cours et qu'elle sentait l'alcool. Soucieux, il est allé trouver le doyen : elle a été mise à l'essai, et à la condition de revenir me consulter. Tout cela était en rapport avec Sparkes, je le crains. Claire était une enfant adoptée et elle avait beaucoup souffert. Elle avait quitté la maison à l'âge de seize ans, était venue à Wrightsville et avait fait tous les boulots possibles pour s'en sortir.

— Où sont ses parents, à présent ? demanda Marino.

— Ses vrais parents ? Nous ne connaissons pas leur identité.

— Non, ses parents adoptifs.

— À Chicago. Ils n'ont eu aucun contact avec elle depuis qu'elle est partie. Mais ils savent qu'elle est décédée, je leur ai parlé.

— Docteur Booth, dis-je, avez-vous la moindre idée de la raison pour laquelle Claire serait allée chez Sparkes à Warrenton ?

— Elle était totalement incapable de supporter le rejet. Je ne peux que conjecturer qu'elle y est allée pour le voir, dans l'espoir de trouver une solution. Je sais qu'elle avait cessé de l'appeler au printemps dernier, parce qu'il avait fini par changer de numéro et se faire mettre sur liste rouge. La seule manière de le contacter devait être d'y aller, je suppose.

— Dans une vieille Mercedes qui appartenait à un psychothérapeute du nom de Newton Joyce ? demanda Marino en se redressant de nouveau.

— Alors, ça, je l'ignorais, dit le docteur Booth, surprise. Elle conduisait la voiture de Newton ?

— Vous le connaissez ?

— Pas personnellement, mais de réputation, oui. Claire s'est mis en tête d'aller le voir parce qu'elle pensait avoir besoin d'un point de vue masculin. C'était il y a deux mois. Je ne l'aurais sûrement pas choisi si j'avais eu mon mot à dire.

— Pourquoi ? demanda Marino.

Le docteur Booth se concentra, le visage tendu par la colère.

— Tout cela est une bien sale histoire, dit-elle enfin. Ce qui pourrait expliquer ma réticence à parler de Claire quand vous nous avez appelés. Newton est un gosse de riches qui n'a jamais eu besoin de travailler, mais qui a décidé de se lancer dans la psychothérapie. Une manière de jouir d'un certain pouvoir, je suppose.

– Il a l'air de s'être évanoui dans la nature, remarqua Marino.

– Ce qui n'aurait rien d'extraordinaire, répliqua-t-elle sèchement. Il va et vient à sa guise, parfois il disparaît pendant des mois, ou même des années de suite. Je suis à l'université depuis près de trente ans, et je me souviens de lui quand il était enfant. Il est capable de séduire n'importe qui, et de lui faire faire n'importe quoi, mais il ne s'intéresse qu'à lui-même. Disons que personne n'accuserait jamais Newton de manquer à la déontologie. C'est lui qui décide des règles, mais il ne s'est jamais laissé prendre.

– À quoi ? demandai-je. Prendre à quoi ?

– À dominer ses patients d'une manière tout à fait déplacée.

– En entretenant avec eux des relations sexuelles ? demandai-je.

– Je n'ai jamais entendu quoi que ce soit qui tende à le prouver. C'était plutôt psychologique, une question de domination, et il était très évident qu'il dominait Claire. Elle est complètement tombée sous sa coupe, comme ça, dit-elle avec un claquement des doigts. Dès leur première séance. Elle venait me voir et ne me parlait que de lui, comme obsédée. C'est pour cela que le fait qu'elle soit allée voir Sparkes paraît très étrange. Je pensais sincèrement qu'elle avait tiré un trait dessus et qu'elle s'était entichée de Newton. Franchement, je pense qu'elle aurait fait tout ce que Newton lui aurait dit.

– Est-il possible que ce soit lui qui lui ait suggéré d'aller voir Sparkes ? Pour des raisons thérapeutiques, disons pour marquer la rupture, demandai-je.

Elle eut un sourire ironique.

– Il lui a peut-être suggéré d'aller le voir, mais je doute que cela ait été pour l'aider. Je suis désolée de dire que si l'idée venait de Newton, dans ce cas, c'était très probablement pour la manipuler.

– J'aimerais vraiment savoir comment ils sont entrés en contact, dit Marino en se redressant dans son fauteuil. J'imagine que quelqu'un le lui a conseillé.

– Oh, non. Ils se sont rencontrés sur une séance photo.

– Que voulez-vous dire ? demandai-je en sentant le sang se glacer dans mes veines.

– Il est complètement fou de tout ce qui touche à Hollywood, et à force de fricoter, il travaille avec des équipes de production de films et de séances photo. Vous savez, le studio de Screen Gems est ici, en ville, et Claire suivait une UV de cinéma. Elle rêvait de devenir actrice, et Dieu sait qu'elle était assez belle pour ça. D'après ce qu'elle m'a dit, elle posait sur la plage pour un magazine de surf, je crois. Il faisait partie de l'équipe de production, c'est lui qui photographiait, en l'occurrence. Apparemment, il est très doué pour ça.

– Vous disiez qu'il s'absentait souvent, intervint Marino. Peut-être qu'il a d'autres résidences ?

– Je n'en sais pas plus sur lui, à franchement parler.

Dans l'heure qui suivit, la police de Wilmington disposait d'un mandat de perquisition pour la propriété de Newton Joyce, située dans le quartier historique, à quelque distance de l'océan. C'était une maison blanche d'un étage avec un toit à pignons qui s'avançait au-dessus du perron, au bout d'une rue calme bordée d'autres vieilles maisons du XIXe siècle ayant le même type de vérandas et de patios.

D'immenses magnolias ombrageaient la cour, ne laissant filtrer que quelques faibles rayons de soleil, et l'air était chargé d'insectes. Entre-temps, McGovern nous avait rejoints, et nous attendîmes sur le perron qu'un inspecteur ait terminé d'enfoncer un des panneaux vitrés de la porte avec une matraque. Après quoi, il passa la main à l'intérieur et ouvrit le verrou.

Marino, McGovern et un certain inspecteur Scroggins entrèrent les premiers, l'arme à la main et prêts à tirer. J'étais juste derrière, désarmée et troublée par l'atmosphère morbide de cet endroit, la demeure de Joyce. Nous pénétrâmes dans un petit salon aménagé pour recevoir des patients, meublé d'un divan victorien en velours rouge affreux, d'une table à plateau de marbre sous une lampe à abat-jour translucide et d'une table basse portant des magazines vieux de plusieurs mois. Une porte s'ouvrait sur son bureau, une pièce encore plus étrange.

Les murs en lambris de pin jaunis étaient presque entière-ment recouverts de photographies encadrées de ce qui me parut être des mannequins et des acteurs dans des poses variées. Il y en avait vraiment des centaines, et je conclus qu'elles étaient l'œuvre de Joyce. J'imaginais mal un patient venir confier ses problèmes au milieu de tant de corps et de visages si beaux. Sur le bureau trônaient un Rolodex, un agenda, du papier et un téléphone. Pendant que Scroggins écoutait les messages du répondeur, j'examinai le reste plus attentivement.

Dans la bibliothèque étaient rangés des classiques reliés en toile ou en cuir, trop poussiéreux pour avoir été ouverts récemment. Il y avait un canapé en cuir usé, probablement pour les patients, et, à côté, une petite table avec un unique verre à eau. Il était presque vide et le rebord portait une trace de rouge à lèvres pêche. Faisant face au canapé, un fauteuil en acajou finement sculpté, au dossier droit, évoquait un trône. J'entendis Marino et McGovern qui fouillaient d'autres pièces, tandis que des voix s'élevaient du répon-deur. Tous les messages avaient été laissés après le 5 juin, soit la veille de la mort de Claire. Des patients appelaient au sujet de leurs rendez-vous. Une agence de voyages avait laissé un message concernant deux billets pour Paris.

– À quoi dites-vous que ressemble cet inducteur de combustion ? demanda Scroggins en ouvrant un autre tiroir du bureau.

– À une mince barre de métal argenté, dis-je. Vous ne pourrez pas vous tromper en la voyant.

– Rien de ce genre ici. Mais ce mec adore les élastiques. Il doit y en avoir des milliers. On dirait qu'il faisait des petites balles bizarres, dit-il en brandissant une sphère par-faite composée d'élastiques. Alors là, comment il a fait ça, à votre avis ? demanda-t-il, stupéfait. Vous croyez qu'il a commencé avec un seul et qu'il a continué à enrouler les autres par-dessus, comme l'intérieur d'une balle de golf ?

Je n'en avais pas la moindre idée. Il continua :

– Mais quel genre de bonhomme ça peut être, hein ? Vous croyez qu'il restait assis là à faire ça tout en parlant à ses patients ?

– Au point où nous en sommes, répondis-je, plus rien ne me surprendrait.

– Quel timbré. Pour l'instant, j'ai trouvé treize, quatorze...
euh... dix-neuf balles.

Il les sortit et les posa les unes après les autres sur le bureau.
C'est alors que Marino m'appela du fond de la maison.

– Doc, je crois que vous feriez bien de venir.

Je me dirigeai vers l'endroit d'où provenaient les voix, et
pénétrai dans une petite cuisine aux appareils vétustes sur
lesquels s'étageaient en strates les vestiges d'anciens repas. De
la vaisselle s'empilait dans l'eau grasse de l'évier, et la poubelle débordait. La puanteur qui régnait était affreuse. Newton
Joyce était encore plus négligent que Marino, ce que je n'aurais jamais cru possible. De surcroît, ce désordre ne cadrait
guère avec la précision des petites balles d'élastiques ou ce
que je soupçonnais de la nature de ses crimes. Mais malgré les
textes des criminologues ou les versions qu'en donne Hollywood, les humains n'obéissent pas aux règles de la science, et
ne sont pas cohérents. Ce que Marino et McGovern avaient
découvert dans le garage nous en fournit un exemple parfait.

L'endroit communiquait avec la cuisine par une porte
bouclée d'un cadenas. Marino l'avait fait sauter avec les
pinces que McGovern était allée chercher dans sa voiture.
De l'autre côté se trouvait un atelier sans issue : la porte du
garage avait été condamnée avec des moellons. Le long de
l'un des murs peints en blanc s'alignaient des barils de kérosène de deux cents litres, ainsi qu'un congélateur dont la
porte était fermée par un cadenas qui laissait présager le pire.
Le sol en ciment était très propre avec, dans un coin, cinq
valises photographiques en aluminium et des glacières en
polystyrène de différentes tailles. Au centre se dressait une
vaste table en contreplaqué couverte de feutre, où reposaient
les outils des crimes de Joyce.

Une demi-douzaine de couteaux étaient soigneusement
alignés à intervalles parfaitement identiques. Tous reposaient dans leurs étuis en cuir, et une boîte en séquoia contenait des pierres à affûter.

– Bon sang, dit Marino en me désignant les couteaux,
je vais vous dire ce que c'est que ça, Doc. Ceux qui ont un
manche en os, ce sont des couteaux à écorcher R.W. Love-
less, fabriqués par Beretta. Pour collectionneurs, numérotés,
ça coûte dans les six cents billets chaque.

Il les fixa avec envie, mais s'abstint d'y toucher.

– Ceux en acier bleui, ce sont des Chris Reeves, au moins quatre cents billets. Le cabochon du manche se dévisse, si on veut y ranger des allumettes.

J'entendis une porte claquer, et Scroggins apparut avec Lucy. L'inspecteur considéra les couteaux avec le même respect admiratif que Marino. Après quoi les deux hommes et McGovern reprirent leur inspection des tiroirs et forcèrent deux placards qui contenaient de sinistres indices prouvant que nous avions découvert notre tueur. Dans un sac plastique Speedo étaient rangés huit bonnets de natation en silicone, tous du même rose fluo. Chacun était emballé dans son sachet plastique, portant encore l'étiquette indiquant que Joyce les avait achetés seize dollars pièce. Quant aux pierres à feu, nous en trouvâmes quatre dans un sac de supermarché.

Joyce avait également un ordinateur dans son antre de béton, et nous laissâmes à Lucy le soin de le consulter. Elle s'assit sur un pliant et se mit à taper, pendant que Marino s'emparait des pinces pour ouvrir le congélateur qui, étrangement, était de la même marque que le mien.

– C'est trop facile, dit Lucy. Il a téléchargé sa messagerie électronique sur une disquette. Pas de mot de passe, rien. Des trucs qu'il a envoyés et reçus. Ça couvre dans les dix-huit mois. Il y a un logging du nom de EXPKIRBY. *Expédié de Kirby*, sûrement. Tiens donc... Je me demande qui ça peut bien être, ça, ironisa-t-elle.

Je m'approchai et regardai par-dessus son épaule tandis que défilaient à l'écran les mots que Carrie avait envoyés à Newton Jones, dont l'horrible pseudonyme était *Écorcheur*, et ses messages à lui. Le 10 mai, il avait écrit :

*Je l'ai trouvé. Le lien rêvé. Qu'est-ce que tu dis d'un magnat des médias ? Ne suis-je pas génial ?*

Le lendemain, Carrie avait répondu :

*Oui. Génial. Il me les faut. Ensuite, fais-moi sortir d'ici, homme-oiseau. Tu me montreras après. Je veux plonger mon regard dans leurs yeux vides et voir.*

– Seigneur, murmurai-je. Elle voulait qu'il tue en Virginie, de façon que je sois obligée de travailler sur l'affaire.

Lucy déroula la fenêtre en tapant avec une impatience rageuse sur le curseur.

– Donc, il tombe sur Claire Rawley pendant une séance photo, et elle se révèle être l'appât. L'appât parfait, à cause de son ancienne relation avec Sparkes, continuai-je. Joyce et Claire vont à sa ferme, mais il est sorti. Sparkes est épargné. Joyce assassine la fille et la mutile, puis il incendie la maison.

Je marquai une pause, poursuivant ma lecture.

– Et maintenant, nous sommes là.

– Nous sommes là parce qu'elle le veut, dit Lucy. Nous étions censés découvrir cet endroit.

Elle enfonça brutalement la touche.

– Tu ne comprends pas ?

Elle se tourna pour me regarder.

– Elle nous a attirés ici pour que nous voyions tout cela.

Les pinces claquèrent brusquement et la porte du congélateur s'ouvrit avec un bruit de succion.

– Putain de merde ! s'écria Marino. Putain !

# 23

SUR LA PREMIÈRE ÉTAGÈRE métallique se trouvaient deux têtes de mannequins chauves, l'une d'homme, l'autre de femme, noires de sang coagulé. Elles avaient été utilisées comme formes pour les visages que Joyce avait volés. Il les avait posés dessus, puis congelés pour que ses trophées conservent leur forme. Il avait ensuite enveloppé ses épouvantables masques dans une triple épaisseur de sacs à congélation étiquetés comme des pièces à conviction avec un numéro, un lieu et une date.

Le plus récent était celui du dessus, et je le saisis machinalement. Mon cœur se mit à battre si fort que l'espace d'un instant, tout devint noir autour de moi. Un tremblement s'empara de mon corps, et je n'eus plus conscience de rien jusqu'au moment où je revins à moi dans les bras de McGovern. Elle était en train de m'aider à m'asseoir sur le siège qu'avait occupé Lucy au bureau.

– Qu'on lui apporte un peu d'eau, disait-elle. Tout va bien, Kay, tout va bien.

Mon regard se porta sur le congélateur à la porte grande ouverte, sur les sacs plastique empilés qui devaient tous contenir des chairs ensanglantées. Marino arpentait le garage en passant la main dans ses cheveux clairsemés. Il semblait prêt à succomber à une crise cardiaque, et Lucy avait disparu.

– Où est Lucy ? demandai-je, la bouche sèche.

– Elle est allée chercher une trousse de secours, répondit doucement McGovern. Ne dites rien, essayez de vous détendre, et nous allons vous sortir d'ici. Inutile que vous voyiez tout ça.

Mais c'était déjà fait. J'avais vu le visage vide, la bouche tordue et le nez qui n'avait plus de cartilage. J'avais vu la chair orangée étincelante de givre. La date sur le sachet était le 17 juin, le lieu indiqué, Philadelphie, tout cela avait pénétré en moi à l'instant même où j'avais regardé, et il avait été trop tard. Et puis, peut-être aurais-je tout de même regardé, tant il me fallait savoir.

– Ils sont venus ici, dis-je.

Je tentai de me lever, mais la tête me tourna de nouveau.

– Ils sont restés assez longtemps pour déposer ça. Pour qu'on le trouve.

– Foutue ordure ! hurla Marino. FOUTU ENCULÉ DE MERDE !

Il s'essuya les yeux d'un geste brusque du poing tout en continuant de faire les cent pas comme un lion en cage. Lucy apparut sur le seuil, pâle, le regard vitreux. Ma nièce avait l'air frappée de stupeur.

– McGovern à Correll, articula-t-elle dans son émetteur portable.

– Correll, répondit la voix.

– Amenez-vous tous ici.

– Dix-quatre.

– J'appelle les gars du labo, dit Scroggins.

Lui aussi était abasourdi, mais pas comme nous. Il n'y avait rien de personnel pour lui, là-dedans. Il n'avait jamais entendu parler de Benton Wesley. Scroggins inspectait soigneusement les sachets dans le congélateur, et ses lèvres remuaient tandis qu'il comptait.

– Seigneur Jésus, dit-il, stupéfait. Il y a vingt-sept de ces trucs.

– Les dates et les lieux, dis-je en rassemblant mes forces pour m'approcher de lui.

Nous regardâmes ensemble.

– Londres, 1981. Liverpool, 1983. Dublin, 1984, et un, deux, trois, quatre, cinq, six, sept, huit, neuf, dix, onze. Onze au total en Irlande, pour 1987. On dirait que c'est le moment où il s'y est vraiment mis, dit Scroggins avec l'excitation caractéristique des gens qui frôlent l'hystérie.

Je regardais en même temps que lui. La localisation des meurtres débutait en Irlande du Nord, avec Belfast, puis continuait en République d'Irlande, avec neuf victimes à Dublin et des villes voisines comme Ballboden, Santry et Howth. Ensuite, Joyce avait commencé à traquer ses proies aux États-Unis, principalement à l'Ouest, dans des coins reculés de l'Utah, du Nevada, du Montana et de l'État de Washington, puis une fois à Natches, ce qui en disait long pour moi, surtout maintenant que je me rappelais ce qu'avait écrit Carrie dans sa lettre. Elle avait fait bizarrement allusion à *des os sciés*.

– Les torses, dis-je alors que la vérité se faisait brusquement jour en moi. Les affaires jamais résolues de corps démembrés en Irlande*. Ensuite, il a eu la paix pendant huit ans, parce qu'il tuait dans l'Ouest et que l'on ne retrouvait jamais les corps ou que l'information n'a pas été centralisée. Donc, nous n'en savions rien. Mais il ne s'est jamais arrêté, et puis il est venu en Virginie, où sa présence a nettement attiré mon attention et m'a fait désespérer.

C'était en 1995 que deux torses avaient été découverts, le premier près de Virginia Beach, le second à Norfolk. L'année suivante, il y en avait eu deux de plus, cette fois à l'ouest de l'État, l'un à Lynchburg, l'autre à Blacksburg, tout près du campus du Virginia Polytechnic Institute. En 1997, Joyce semblait s'être arrêté, et je soupçonnai que c'était à ce moment-là qu'il s'était allié à Carrie.

Le tapage médiatique fait autour des corps démembrés et décapités avait été intenable. Seulement deux des torses avaient pu être identifiés grâce à des radios qui correspondaient à celles de gens portés disparus, tous deux des étudiants de l'université. C'était moi qui m'étais occupée de ces affaires, et j'avais remué ciel et terre jusqu'à ce que l'on fasse appel au FBI.

Je me rendais compte à présent que le but premier de Joyce n'était pas seulement de brouiller les possibilités d'identification, mais, plus important, de dissimuler les mutilations qu'il opérait sur les corps. Il voulait que l'on ignore qu'il volait la beauté de ses victimes, au sens propre, qu'il volait ce qu'elles étaient en découpant leurs visages et en les ajoutant à sa collection glaciale. Craignant peut-être que des démembrements supplémentaires n'amplifient encore davantage la traque lancée contre lui, il avait alors adopté une autre méthode, l'incendie. À moins que ce ne fût Carrie qui le lui eût suggéré. Il paraissait évident que tous deux

* Voir *Mordoc* (Calmann-Lévy, 1998).

s'étaient rencontrés par l'intermédiaire d'Internet, même si j'ignorais de quelle façon.

– Je pige pas, disait Marino.

Il s'était légèrement calmé et avait rassemblé son courage pour examiner les paquets de Joyce.

– Comment il les a tous rapportés ici ? demanda-t-il. Depuis l'Angleterre et l'Irlande ? Et Venice Beach, et Salt Lake City ?

– Dans de la carbo-glace, dis-je simplement en regardant les valises photographiques en métal et les glacières en polystyrène. Il a très bien pu les empaqueter soigneusement et passer le tout dans ses bagages sans que personne ne s'en doute.

La suite de la perquisition mit au jour d'autres pièces à conviction, toutes très faciles à trouver, car le mandat, stipulant *Inducteurs au magnésium, couteaux et parties du corps*, donnait à la police toute licence pour fouiller dans les tiroirs, voire abattre des murs si nécessaire. Tandis qu'un légiste emportait le contenu du congélateur à la morgue, les placards furent fouillés et un coffre-fort forcé. Il renfermait des devises étrangères et d'innombrables photos de centaines de gens qui avaient eu la chance de ne pas mourir.

Il y en avait également de Joyce, assis aux commandes de son Schweizer blanc ou appuyé contre l'appareil, les bras croisés. Je fixai son portrait, essayant de m'en imprégner. C'était un homme de petite taille, mince, avec des cheveux bruns, qui aurait pu être beau s'il n'avait eu d'affreuses cicatrices d'acné.

Il avait la peau grêlée jusqu'à la ligne du cou et même l'encolure de sa chemise ouverte, et je ne pouvais qu'imaginer sa honte d'adolescent, les railleries et les rires méprisants de ses camarades. J'avais connu des jeunes gens comme lui quelques années auparavant, défigurés de naissance ou disgraciés par la maladie, incapables de savourer le bonheur de la jeunesse ou d'être désirés.

Aussi avait-il volé à d'autres ce dont il était privé. Il avait détruit comme lui-même avait été détruit. Le point de départ, c'était le sort pitoyable qui lui était échu, c'était sa misérable personne. Je n'éprouvais aucune peine pour lui. Pas plus que je ne pensais que Carrie et lui se trouvaient encore dans cette ville, ou même dans les environs. Elle avait eu ce qu'elle voulait, du moins pour l'instant. Le piège que j'avais tendu n'avait pris que moi-même. Elle avait voulu que je découvre Benton, et je l'avais trouvé.

Le point final de cette histoire, ce serait ce qu'elle m'infligerait à moi, j'en étais sûre, mais j'étais pour l'instant trop abattue pour m'en soucier. J'éprouvais le sentiment d'être morte. Je me réfugiai dans le silence en m'asseyant sur un vieux banc de marbre, dans le jardin à l'abandon de Joyce. Hostas, bégonias et figuiers luttaient contre les herbes pour recevoir un peu de soleil, et je trouvai Lucy dans l'ombre mouchetée de soleil des grands chênes, où des hibiscus rouges et jaunes faisaient des taches criardes.

— Rentrons à la maison, Lucy.

Je m'assis avec ma nièce sur cette pierre dure et froide que j'ai toujours associée aux cimetières.

— J'espère qu'il était mort quand ils lui ont fait ça, dit-elle.

Je ne voulais pas y penser.

— J'espère juste qu'il n'aura pas souffert.

— Elle veut que nous nous rongions les sangs sur ce genre de questions, dis-je alors que la colère commençait à poindre dans le brouillard d'incrédulité qui m'entourait. Elle nous a pris assez, tu ne crois pas ? Ne lui en donnons pas davantage, Lucy. (Elle ne trouva rien à répondre.) L'ATF et la police vont prendre le relais, continuai-je en lui prenant la main. Rentrons à la maison, et passons à l'étape suivante.

— Comment ?

— Je ne sais pas encore très bien, avouai-je.

Nous nous levâmes et nous retournâmes devant la maison, où McGovern discutait avec un agent près de sa voiture. Elle nous regarda approcher, et la compassion adoucit son regard.

— Si tu veux bien nous reconduire à l'hélicoptère, dit Lucy avec plus d'assurance qu'elle n'en éprouvait vraiment, je le ramènerai à Richmond et la garde-frontières pourra le reprendre. Si ça ne pose pas de problème, bien sûr.

— Je ne suis pas certaine que tu sois en état de piloter, déclara McGovern, qui redevint brusquement la supérieure hiérarchique de Lucy.

— Fais-moi confiance, ça va, répondit Lucy en durcissant le ton. D'ailleurs, qui d'autre pourrait le piloter ? Et on ne peut pas le laisser sur le terrain de sport.

McGovern hésita en considérant Lucy. Puis elle ouvrit la portière.

– OK. Montez.

– Je vais déposer mon plan de vol, dit Lucy en s'asseyant devant. Comme ça tu pourras nous suivre par radio, si ça peut te rassurer.

– Ça me rassurera, dit McGovern en démarrant. (Elle prit sa radio et appela l'un des agents restés à l'intérieur de la maison :) Passez-moi Marino.

Quelques secondes plus tard, celui-ci répondait :
– J'écoute.

– On s'en va. Vous venez ?

– Je reste sur le terrain, répondit-il. Il faut que je finisse ici d'abord.

– Bien reçu. J'apprécie le coup de main.

– Dites-leur de faire attention en vol, transmit Marino.

Quand nous arrivâmes, nous trouvâmes un officier de la police du campus à bicyclette montant la garde auprès de l'hélicoptère, tandis qu'une sérieuse partie de tennis se jouait sur le court voisin, ponctuée par le bruit des balles, et que plusieurs jeunes gens s'entraînaient au football près d'un but. Le ciel était d'un bleu pur, les arbres presque immobiles, comme si rien n'était jamais arrivé ici. Lucy procéda à une minutieuse vérification préliminaire de l'appareil, tandis que McGovern et moi attendions dans la voiture.

– Qu'est-ce que vous allez faire ? lui demandai-je.

– Inonder les médias de leurs photos et de tous les renseignements possibles qui pourraient permettre à quelqu'un de les reconnaître. Il faut bien qu'ils mangent. Il faut bien qu'ils dorment. Et il va devoir prendre de l'Avgas. Il ne peut pas voler indéfiniment sans.

– Il est incompréhensible qu'il n'ait pas encore été repéré, soit en vol, soit à l'atterrissage, ou encore faisant le plein.

– Il semble qu'il disposait d'une grande quantité de carburant dans son garage. Sans parler des innombrables petits terrains d'aviation où il peut se poser et se ravitailler, dit-elle. Il y en a partout. Il n'a pas à contacter la tour quand il est dans un espace aérien sans couverture, et puis les Schweizer, ce n'est pas vraiment ce qu'on peut appeler des engins peu courants. Sans oublier... (Elle me fixa.) qu'il a *déjà* été repéré. Nous l'avons vu nous-mêmes, tout comme le maréchal-ferrant et la directrice de Kirby. Simplement, nous ne savions pas ce que nous avions sous les yeux.

– Sans doute.

Mon humeur s'assombrissait de minute en minute. Je ne voulais pas rentrer à la maison. Je ne voulais aller nulle part. C'était comme si le temps avait viré au gris, j'avais froid, j'étais seule, et je ne pouvais rien y faire. Mon esprit résonnait de questions et de réponses, de déductions et de cris, et chaque fois que le tourbillon s'apaisait, je le voyais. Je le voyais dans les braises fumantes. Je voyais son visage sous le plastique étouffant.

– ... Kay ?

Je me rendis compte que McGovern me parlait.

– Kay, je veux vraiment savoir si ça va. Vraiment, dit-elle en me regardant droit dans les yeux.

Je pris une profonde inspiration, tremblante, et d'une voix incertaine, je répondis :

– Je m'en sortirai, Teun. À part cela, je ne sais pas comment je vais, je ne suis même pas sûre de ce que je fais. Mais ce dont je suis sûre, c'est de ce que j'ai fait. J'ai tout gâché. Carrie m'a entièrement manipulée, et Benton est mort. Newton Joyce et elle sont toujours en liberté, prêts à recommencer leurs horreurs. Si ce n'est pas déjà le cas. Rien de ce que j'ai fait n'y a changé un iota, Teun.

Dans le brouillard de larmes qui m'emplit les yeux, je vis Lucy qui vérifiait le bouchon du réservoir. Puis elle entreprit de détacher les pales du rotor principal. McGovern me tendit un Kleenex et me pressa doucement le bras.

– Vous avez été géniale, Kay. Pour commencer, si vous n'aviez pas trouvé ce que vous avez découvert, nous n'aurions pas su comment remplir notre mandat de perquisition. Nous n'en aurions même pas eu, et où en serions-nous ? C'est vrai, nous n'avons pas encore mis la main sur eux, mais au moins, nous savons *qui* nous cherchons. Et nous les trouverons.

– Nous avons trouvé ce qu'ils voulaient que nous trouvions.

Lucy, qui avait terminé son inspection, se tourna vers moi.

– Je crois qu'il faut que j'y aille, dis-je à McGovern. Merci.

Je lui pris la main et la serrai.

– Veillez sur Lucy.

– Je pense qu'elle s'en sort très bien toute seule.

337

Je descendis de voiture et me retournai pour lui adresser un petit signe. J'ouvris la porte côté copilote, m'installai et bouclai mon harnais. Lucy sortit sa check-list d'un vide-poches et la passa en revue, remettant à zéro les interrupteurs et les coupe-circuits, en s'assurant que le pas collectif était repoussé, les gaz fermés. Mon cœur refusait de battre normalement et j'avais peine à respirer.

Nous décollâmes et virâmes dans le vent. McGovern nous regarda nous élever dans les airs, une main en visière. Lucy me tendit une carte et décréta que je devais l'aider à naviguer. Elle se plaça en vol stationnaire et contacta l'Air Traffic Control.

– Wilmington, ici hélicoptère deux-un-neuf Sierra Bravo.

– Reçu, hélicoptère deux-un-neuf, à vous.

– Demande autorisation de quitter le terrain de sport de l'université pour me rendre directement à votre position à la base ISO. À vous.

– Contactez la tour dès que vous pénétrerez l'espace. Départ de votre position actuelle enregistré, maintenez votre cap, restez avec moi, puis signalez que vous avez bien atterri à la base ISO.

– Deux Sierra Bravo, j'exécute. Nous allons suivre un cap trois-trois-zéro, m'informa-t-elle ensuite. Donc, après qu'on aura fait le plein, ton boulot consistera à vérifier que le gyro est en ligne avec la boussole, et à nous suivre sur la carte.

Elle grimpa à cent cinquante mètres, puis la tour nous contacta de nouveau.

– Hélicoptère deux Sierra Bravo, articula la voix dans les écouteurs. Vous avez un appareil non identifié à six heures, à cent mètres, en approche.

– Deux Sierra Bravo. Je regarde. Pas de chance.

– Appareil non identifié à trois kilomètres sud-est de l'aéroport, identifiez-vous, lança la voix à tous les appareils qui pouvaient entendre.

Nous ne reçûmes aucune réponse.

– Appareil non identifié dans l'espace aérien de Wilmington, identifiez-vous, répéta la tour.

Seul le silence répondit.

Ce fut Lucy qui le repéra la première, juste derrière nous et sous l'horizon, ce qui signifiait qu'il volait à une altitude inférieure à la nôtre.

– Tour de Wilmington, transmit-elle par radio. Hélicoptère deux Sierra Bravo. Appareil à basse altitude en vue. Je
maintiens la distance entre nous.

Elle se retourna sur son siège pour jeter de nouveau un
coup d'œil derrière nous, puis me dit :

– Il y a un truc qui n'est pas normal.

# 24

CE FUT D'ABORD un petit point noir qui volait derrière nous, exactement dans notre sillage, et gagnait du terrain. À mesure qu'il s'approchait, il devint blanc. Puis ce fut un Schweizer sur le cockpit duquel se reflétait le soleil. Mon cœur bondit dans ma poitrine tandis que la peur m'étreignait.

– Lucy ! m'écriai-je.

– Je le vois, dit-elle, furieuse. Putain, je ne peux pas y croire.

Elle tira sur les commandes et l'appareil entama une ascension abrupte. Le Schweizer conserva la même altitude en se rapprochant de plus en plus vite, car, à mesure que nous montions, notre vitesse était tombée à soixante-dix nœuds. Lucy poussa le pas cyclique vers l'avant tandis que le Schweizer gagnait du terrain et virait à bâbord, du côté de Lucy. Elle brancha le micro.

– Tour de Wilmington. Appareil non identifié en phase d'agression. Je vais tenter de l'éviter. Contactez les autorités locales, le suspect qui pilote l'appareil non identifié est connu comme étant recherché. Il est armé et dangereux. Je vais éviter les zones habitées et mettre le cap vers l'océan.

– Roger, hélicoptère. Je contacte les autorités locales.

Puis la tour passa sur la fréquence de surveillance.

– Avis à tous les appareils. Ici la tour de contrôle de Wilmington. Notre espace aérien est maintenant interdit aux appareils en approche. Les mouvements au sol sont suspendus. Je répète : notre espace aérien est interdit aux appareils en approche. Pour tous les appareils sur cette fréquence, passez immédiatement pour les manœuvres d'approche de Wilmington sur Victor 135.75 ou Uniform 343.9. Je répète : pour tous les appareils sur cette fréquence, passez immédiatement pour les manœuvres d'approche de

340

Wilmington sur Victor 135.75 ou Uniform 343.9. Hélicoptère deux Sierra Bravo, vous restez sur cette fréquence.

– Roger, deux Sierra Bravo.

Je savais pourquoi elle se dirigeait vers l'océan. Si nous devions nous écraser, elle ne voulait pas que ce soit dans une zone habitée où il pourrait y avoir des victimes. J'étais également certaine que Carrie avait prévu que Lucy agirait précisément ainsi, car Lucy était généreuse, et songeait d'abord aux autres. Elle vira à l'est et le Schweizer nous suivit exactement, tout en maintenant entre nous la même distance d'environ cent mètres, comme s'il était certain de ne pas avoir à se presser. Je compris alors que Carrie avait probablement dû nous surveiller depuis le début.

– Il ne peut pas dépasser les quatre-vingt-dix nœuds, me dit Lucy.

Nous étions de plus en plus tendues.

– Elle nous a vues atterrir sur le terrain de sport, dis-je. Elle sait que nous n'avons pas repris de carburant.

Nous virâmes au-dessus de la plage et longeâmes brièvement le rivage, sur lequel les baigneurs formaient des taches de couleurs éclatantes. Les gens s'immobilisèrent pour contempler ces deux hélicoptères qui passaient en trombe au-dessus d'eux et se dirigeaient droit vers le large. À environ huit cents mètres du rivage, Lucy commença à ralentir.

– On ne peut pas continuer comme ça, me dit-elle d'un ton fataliste. Si on épuise le moteur, on ne pourra pas retourner, et le réservoir est très bas.

La jauge indiquait moins de soixante-quinze litres. Lucy effectua un virage serré à cent quatre-vingts degrés. Le Schweizer était peut-être à quinze mètres au-dessous de nous, droit devant. À cause du soleil, il était impossible de voir qui se trouvait à l'intérieur, mais je le savais. Je n'éprouvais pas le moindre doute là-dessus. Lorsque l'appareil ne fut plus qu'à cent cinquante mètres de nous et grimpa à notre hauteur du côté de Lucy, je ressentis plusieurs soubresauts rapides, comme des gifles, et nous fîmes brusquement une embardée. Lucy se saisit du pistolet qu'elle portait dans son holster.

– Ils nous tirent dessus ! s'exclama-t-elle.

Je pensai au pistolet-mitrailleur, au Calico qui manquait dans la collection de Sparkes.

Lucy tenta d'ouvrir sa porte. Elle actionna le dispositif de largage, et le battant tomba dans les airs en virevoltant. Puis elle ralentit.

– Ils nous tirent dessus ! transmit-elle par radio. Nous ripostons ! Interdisez tout trafic au-dessus de la plage de Wrightsville !

– Roger ! Avez-vous besoin d'aide ?

– Dépêchez des équipes d'urgence au sol, sur Wrightsville Beach ! Risque d'accident !

Alors que le Schweizer passait juste au-dessous de nous, je vis des éclairs jaillir du canon d'une arme qui pointait à peine par la vitre du copilote. Je sentis d'autres impacts.

– Je crois qu'ils ont touché les patins, cria Lucy qui, tout en pilotant, essayait de viser par la porte ouverte, le pistolet dans sa main bandée.

Je fouillai immédiatement dans ma pochette et réalisai avec consternation que mon .38 était resté dans mon attaché-case, enfermé dans le compartiment à bagages. Lucy me tendit son arme et s'empara du fusil d'assaut AR-15 fixé derrière elle. Le Schweizer nous contourna pour nous pousser vers la terre, sachant qu'il nous acculait car nous ne pouvions pas risquer la vie des gens au sol.

– Il faut qu'on retourne sur l'eau ! dit Lucy. On ne peut pas leur tirer dessus ici. Enfonce ta porte, sors-la des gonds et laisse-la tomber !

J'y réussis, je ne sais pas comment. La portière s'arracha et l'air me gifla tandis que le sol se rapprochait brutalement. Lucy effectua un autre virage et le Schweizer en fit autant, alors que l'aiguille de la jauge continuait de baisser. Ce manège me parut durer une éternité : le Schweizer nous poussait vers la mer et nous essayions de retourner à terre pour atterrir, mais notre poursuivant ne pouvait pas remonter sans risquer de heurter les pales de son rotor.

Nous volions à trois cent trente mètres d'altitude, à une vitesse de cent nœuds au-dessus de l'eau, lorsque le fuselage fut touché. Nous ressentîmes toutes les deux l'impact juste derrière nous, à hauteur de la porte passager gauche.

– Je fais demi-tour, dit Lucy. Tu peux nous maintenir exactement à cette altitude ?

J'étais terrifiée, certaine que nous allions mourir.

– Je vais essayer, dis-je en prenant les commandes.

Nous foncions droit sur le Schweizer. Il était à peine à quinze mètres de distance, et peut-être à trente mètres au-dessous de nous lorsque Lucy actionna la culasse et fit monter une cartouche dans le magasin.

– Pousse le manche vers le bas ! Vas-y ! me cria-t-elle en pointant le canon de son fusil par l'ouverture.

Nous descendions à trois cents mètres minute, et j'étais sûre que nous allions percuter le Schweizer. Je tentai de virer pour l'éviter, mais Lucy ne voulut rien entendre.

– Fonce dessus ! hurla-t-elle.

Je n'entendis pas les coups de feu lorsque nous passâmes juste au-dessus, si près que je crus que nous allions nous faire déchiqueter par ses pales. Lucy tira à nouveau, je distinguai des éclairs, puis elle reprit le manche en main et le bascula brutalement sur la gauche, nous éloignant du Schweizer au moment où celui-ci se changeait en une boule de feu qui faillit nous faire complètement basculer sur le côté. Lucy se retrouva de nouveau aux commandes et je me roulai en boule en position de crash.

Puis, l'onde de choc s'évanouit aussi vite qu'elle nous avait touchées, et j'aperçus des débris enflammés qui plongeaient dans l'océan Atlantique. L'appareil avait retrouvé l'équilibre, et nous décrivions un large virage. Je fixai ma nièce, stupéfaite et incrédule.

– Va te faire foutre, articula-t-elle froidement tandis que des pièces de fuselage retombaient en pluie dans les eaux étincelantes.

Elle passa sur la radio, et annonça, plus calme que jamais :

– Appel à tour de contrôle. Appareil fugitif a explosé. Épave à trois kilomètres au large de Wrightsville Beach. Aucun survivant aperçu. Nous patrouillons pour vérifier.

– Roger. Avez-vous besoin d'aide ? demanda la voix grésillante.

– Un peu tard. Négatif. Je retourne à votre position pour ravitaillement immédiat.

– Euh... Roger, bafouilla la toute-puissante tour de contrôle. Arrivez directement. Les autorités locales vous retrouveront à la base.

Mais Lucy effectua encore deux tours complets au-dessus de l'eau, à quinze mètres de hauteur, tandis que des voitures de police fonçaient vers la plage, tous gyrophares allumés.

Des baigneurs paniqués sortaient de l'eau en courant et en gesticulant dans les vagues, comme poursuivis par un grand requin blanc. Des débris se balançaient dans les flots. Des gilets de sauvetage orange vif firent brusquement surface, mais il n'y avait personne dedans.

## Une semaine plus tard
## Hilton Head Island

L A MATINÉE ÉTAIT SOMBRE, et le ciel aussi gris que la mer, lorsque les quelques-uns d'entre nous qui avaient aimé Benton Wesley se réunirent dans un coin désert en friche de la plantation de Sea Pines.

Nous nous étions garés près des résidences, et nous avions suivi un sentier qui menait à une dune. Ensuite, nous traversâmes des langues de sable et des roseaux. La plage était plus étroite à cet endroit, le sable moins dur, et des bois flottés témoignaient du souvenir d'innombrables tempêtes.

Marino portait un costume noir à fines rayures blanches dans lequel il transpirait, une chemise blanche et une cravate noire, et je songeai que c'était la première fois que je le voyais si convenablement vêtu. Lucy était apparue vêtue de noir, mais je savais que je ne la reverrais pas avant un moment car elle avait quelque chose de très important à faire.

McGovern était venue, ainsi que Kenneth Sparkes, non pas parce qu'ils le connaissaient, mais parce qu'ils tenaient à être auprès de moi. Connie, l'ancienne femme de Benton, et leurs trois grandes filles s'étaient groupées près de l'eau, et j'éprouvai un curieux sentiment à les regarder sans ressentir rien d'autre que du chagrin. Il ne restait plus en nous la moindre rancune, la moindre animosité, la moindre peur. La mort les avait consumées aussi totalement que la vie les avait fait naître.

Il y avait d'autres gens, témoins du passé de Benton : des agents en retraite et l'ancien directeur de l'Académie du FBI qui, des années auparavant, avait cru à ses visites dans les prisons et à ses recherches sur le profilage. À présent, la compétence de Benton portait un nom suranné, galvaudé par la télévision et le cinéma, mais il y avait eu un temps où c'était une innovation. Naguère, Benton avait été le pionnier, le créateur d'une nouvelle manière de comprendre les êtres humains, qu'ils soient psychotiques ou démoniaques.

Il n'y avait aucun représentant d'aucun culte : Benton ne s'était rendu à aucun service religieux depuis que je le connaissais. Seul était présent un chapelain presbytérien qui conseillait les agents désespérés. Il se nommait Judson Lloyd. C'était un homme menu, avec une mince couronne de cheveux blancs. Le révérend Lloyd arborait un col blanc et une Bible en cuir noir. Nous étions moins de vingt personnes rassemblées sur ce rivage.

Il n'y eut ni musique ni fleur, nous n'avions préparé aucun éloge funèbre, Benton ayant clairement précisé dans son testament que tel était son souhait. Il m'avait confié la charge de sa dépouille mortelle, car, comme il l'avait lui-même écrit : *C'est à cela que tu excelles, Kay. Je sais que tu respecteras au mieux mes dernières volontés.*

Il n'avait voulu aucune cérémonie. Il avait refusé les obsèques militaires auxquelles il avait droit. Pas de voiture de police pour ouvrir le cortège, pas de salve d'honneur et pas de cercueil enveloppé dans un drapeau. Il avait demandé simplement une crémation, et que l'on disperse ses cendres à l'endroit qu'il aimait le plus, ce paradis civilisé de Hilton Head, où nous nous cachions tous les deux chaque fois que nous le pouvions et où il oubliait, durant le bref instant d'un rêve, pour quoi nous nous battions.

Je regretterai toujours qu'il ait passé ses derniers jours ici sans moi, et jamais je ne me remettrai de cette cruelle ironie : je n'avais pas pu le rejoindre à cause de la boucherie qu'avait organisée Carrie. Cela avait été le commencement de la fin, qui devait être celle de Benton.

Il m'était facile de souhaiter n'avoir jamais travaillé sur cette affaire. Mais si je ne l'avais pas fait, quelqu'un d'autre serait en train d'assister à des obsèques quelque part dans le monde, comme d'autres l'avaient fait par le passé, et la violence ne se serait pas arrêtée. Une fine pluie se mit à tomber sur mon visage, semblable à des mains froides et tristes.

— Ce n'est pas pour lui dire adieu que Benton nous a réunis ici aujourd'hui, commença le révérend Lloyd. Il voulait que nous trouvions ensemble la force de continuer ce qu'il avait entrepris. Défendre le bien et condamner le mal, lutter pour les faibles et faire face sans se plaindre, supporter seul les horreurs pour ne pas faire souffrir l'âme fragile des autres. Il a laissé ce monde meilleur qu'il ne l'a trouvé. Il nous a laissés meilleurs qu'il ne nous avait trouvés. Mes amis, allez et faites comme lui.

Il ouvrit la Bible au Nouveau Testament et lut :

– *Faisons le bien sans défaillance, car au temps voulu nous le récolterons si nous ne nous relâchons pas.*

En moi, je ne sentais qu'aridité et fièvre, incapable d'arrêter mes larmes. Je me tamponnai les yeux avec des mouchoirs en papier et fixai le sable qui poudrait la pointe de mes chaussures de daim noir. Le révérend Lloyd mouilla son index et lut d'autres versets de l'Épître aux Galates, à moins que ce ne fût de Timothée.

Je ne comprenais que vaguement ce qu'il disait. Ses paroles étaient un flot continu comme l'eau d'un ruisseau, et je ne parvenais pas à en déchiffrer le sens, alors que je luttais pour chasser des images qui me terrassaient à chaque fois. Je me souvenais surtout de Benton debout dans son coupe-vent rouge, fixant la rivière, lorsque je lui faisais du mal. J'aurais donné tout ce que j'avais au monde pour effacer chaque parole cruelle. Pourtant, il avait compris, je le savais.

Je me rappelais son profil parfait et son visage impénétrable quand il était en compagnie d'autres gens que moi. Peut-être le trouvaient-ils froid, alors qu'en fait, c'était une coquille qui protégeait une vie tendre et douce. Je me demandais si les choses auraient été différentes pour moi aujourd'hui si nous nous étions mariés. Je me demandais si mon tempérament indépendant était dû à un profond sentiment d'insécurité. Je me demandais si je m'étais trompée.

– *En effet, comprenons bien ceci : la loi n'est pas là pour le juste, mais pour les insoumis et les rebelles, impies et pécheurs, sacrilèges et profanateurs, parricides, matricides et meurtriers*, continuait le révérend.

Le regard fixé sur la mer terne, je sentis l'air frémir derrière moi. Sparkes s'était avancé à ma hauteur et nos bras se frôlaient. Il regardait droit devant lui, les mâchoires serrées et volontaires, raide dans son costume noir. Il se tourna vers moi et m'offrit un regard plein de compassion. Je hochai légèrement la tête.

— Notre ami désirait la paix et le bien, dit le révérend Lloyd, qui était passé à un autre livre. Il voulait l'harmonie que n'avaient jamais eue les victimes qu'il défendait. Il voulait être libéré de l'horreur et de la peine et ne pas se laisser défaire par la colère et les nuits de terreur.

Je perçus l'écho des pales dans le lointain, cette palpitation sourde qui demeurerait à jamais associée à ma nièce. Je levai les yeux vers le soleil perçant à peine derrière les nuages qui le voilaient pudiquement et défilaient sans fin, sans jamais révéler ce que nous désirions tant voir. Du bleu apparut à l'ouest, fragmenté et scintillant comme du verre dépoli sur l'horizon, et la dune qui s'élevait derrière nous s'illumina alors que les troupes du mauvais temps se mutinaient. Le bruit de l'hélicoptère enfla, je me retournai vers les palmiers et les pins pour le voir s'approcher en piquant légèrement du nez.

— Je désire donc que tous prient de par le monde, qu'ils lèvent leurs saintes mains sans colère et sans doute, continuait le révérend.

Les cendres de Benton reposaient dans la petite urne de bronze que je portais.

— Prions.

Lucy entama sa descente au-dessus des arbres tandis que les pales du rotor continuaient de hacher l'air. Sparkes se pencha pour me murmurer quelque chose que je n'entendis pas, mais la proximité de son visage était réconfortante.

Le révérend Lloyd continuait de prier, mais aucun d'entre nous n'était plus capable ou désireux d'adresser sa supplique au Tout-Puissant. Lucy avait immobilisé le JetRanger au ras du rivage, et des gerbes d'écume jaillissaient de l'eau.

Je vis son regard fixé sur moi à travers le cockpit, et je rassemblai ce qui me restait d'esprits. Je m'avançai vers le tourbillon soulevé par l'appareil et pataugeai dans l'eau pour prononcer les paroles que personne d'autre que moi ne pourrait entendre.

— Dieu te bénisse, Benton. Que ton âme repose en paix. Tu me manqueras.

J'ouvris l'urne et levai les yeux vers ma nièce, qui était là, avec son hélicoptère, afin de créer l'énergie qu'il avait souhaitée pour sa dernière heure. Je lui adressai un hochement de tête. Son pouce levé me fendit le cœur et fit redoubler mes larmes. Les cendres étaient comme de la soie. Je sentis ses fragments d'os crayeux lorsque je plongeai la main dans l'urne et la refermai sur lui. Puis je le jetai dans le vent et le rendis à l'ordre supérieur qu'il aurait créé, si cela avait été possible.

# Dans la collection
## « Crime »

**BASSET-CHERCOT Pascal**
*Baby-Blues*, 1988
*Le Zoo du pendu*, 1990
*Le Baptême du Boiteux*, 1994
*La Passion du Sâr*, 1995
*Le Bûcher du Boiteux*, 1996
*Le Diable et le Boiteux*, 1998

**CORNWELL Patricia**
*Morts en eaux troubles*, 1997
*Mordoc*, 1998

**DEMOUZON Alain**
*Melchior*, 1995

**DIBDIN Michael**
*Vendetta*, 1991
*Cabale*, 1994
*Piège à rats*, 1995
*Derniers Feux*, 1995
*Lagune morte*, 1996
*Cosi fan tutti*, 1998

**DUNANT Sarah**
*Tempêtes de neige en été*, 1990
*La Noyade de polichinelle*, 1992
*Poison mortel*, 1994
*Beauté fatale*, 1996

**FULLERTON John**
*La Cage aux singes*, 1996

**LEON Donna**
*Mort à la Fenice*, 1997
*Mort en terre étrangère*, 1997
*Un Vénitien anonyme*, 1998

**RENDELL Ruth**
*Le Goût du risque*, 1994
*Simisola*, 1995

*Photocomposition CMB Graphic*
*(Saint-Herblain)*

*Achevé d'imprimer en janvier 1999*
*sur les presses de Brodard et Taupin*
*à La Flèche*
*pour le compte des Éditions Calmann-Lévy*
*3, rue Auber, Paris 9ᵉ*

N° d'impression : 6060V
Dépôt légal : février 1999
N° d'éditeur : 12746/01
*Imprimé en France*